WALDEN

O livro é a porta que se abre para a realização do homem.

Jair Lot Vieira

H. D. THOREAU

WALDEN
OU A VIDA NOS BOSQUES

TRADUÇÃO E NOTAS
ALEXANDRE BARBOSA DE SOUZA

Copyright da tradução e desta edição © 2018 by Edipro Edições Profissionais Ltda.

Título original: *Walden: or Life in the Woods*. Publicado originalmente nos Estados Unidos em 1854.

Todos os direitos reservados. Nenhuma parte deste livro poderá ser reproduzida ou transmitida de qualquer forma ou por quaisquer meios, eletrônicos ou mecânicos, incluindo fotocópia, gravação ou qualquer sistema de armazenamento e recuperação de informações, sem permissão por escrito do editor.

Grafia conforme o novo Acordo Ortográfico da Língua Portuguesa.

1ª edição, 3ª reimpressão 2023.

Editores: Jair Lot Vieira e Maíra Lot Vieira Micales
Coordenação editorial: Fernanda Godoy Tarcinalli
Produção editorial: Carla Bitelli
Assistente editorial: Thiago Santos
Tradução e notas: Alexandre Barbosa de Souza
Edição de texto e Revisão: Marta Almeida de Sá
Preparação de texto: Denise Gutierres Pessoa
Editoração eletrônica: Estúdio Design do Livro
Capa: Studio Mandragora
Imagem de capa: *The Hay Wain*, por John Constable, 1821

Dados Internacionais de Catalogação na Publicação (CIP)
(Câmara Brasileira do Livro, SP, Brasil)

Thoreau, Henry David, 1817-1862.
　　Walden ou A vida nos bosques / Henry David Thoreau ; tradução e notas de Alexandre Barbosa de Souza. – São Paulo : Edipro, 2018.

　　Título original: Walden: or Life in the Woods.
　　ISBN 978-85-521-0013-3 (impresso)
　　ISBN 978-85-521-0116-1 (e-pub)

　　1. Áreas silvestres – Estados Unidos – Walden Woods (Massachusetts) 2. Autores norte-americanos – Século 19 – Biografia 3. História natural – Estados Unidos – Walden Woods (Massachusetts) 4. Resistência ao governo 5. Thoreau, Henry David, 1817-1862 – Residências e lugares habituais – Estados Unidos – Walden Woods (Massachusetts) 6. Walden Woods (Massachusetts, Estados Unidos) – Usos e costumes I. Souza, Alexandre Barbosa de. II. Título.

17-10981　　　　　　　　　　　　　　CDD-811.54

Índice para catálogo sistemático:
1. Autores norte-americanos : Vida e obra :
Literatura norte-americana : 811.54

São Paulo: (11) 3107-7050 • Bauru: (14) 3234-4121
www.edipro.com.br • edipro@edipro.com.br
@editoraedipro　@editoraedipro

SUMÁRIO

Economia, 9

Onde vivi, e para que vivi, 73

Leituras, 89

Sons, 99

Solidão, 115

Visitas, 125

O campo de feijões, 137

A vila, 147

Os lagos, 153

Baker Farm, 175

Leis superiores, 183

Vizinhos rústicos, 195

Aquecimento, 207

Antigos moradores; e visitas de inverno, 221

Animais de inverno, 233

O lago no inverno, 243

Primavera, 257

Conclusão, 275

Não me proponho a escrever uma ode ao desalento, mas a gargantear voluptuosamente como o galo da madrugada, parado em seu poleiro, ainda que só para acordar os vizinhos.

ECONOMIA

Quando escrevi as páginas que se seguem, ou pelo menos a maior parte delas, eu morava sozinho, na floresta, sem nenhum vizinho em um raio de uma milha, em uma casa que eu mesmo construí, às margens do lago Walden, em Concord, Massachusetts, e vivia apenas do trabalho das minhas próprias mãos. Morei ali por dois anos e dois meses. No momento, estou de volta à vida civilizada.

Eu não imporia meus assuntos ao conhecimento de meus leitores não fossem certas perguntas muito peculiares feitas por meus conterrâneos sobre meu modo de vida, que alguns chamariam de impertinente, embora não me pareça nada impertinente, mas, diante das circunstâncias, até bastante natural e pertinente. Algumas pessoas me perguntaram o que eu comia; se não me sentia sozinho; se não ficava com medo; e coisas assim. Outros ficaram curiosos de saber quanto da minha renda eu dedicava à caridade; e alguns, que tinham famílias numerosas, quantas crianças pobres eu sustentava. Pedirei portanto àqueles leitores que não têm nenhum interesse em mim que me perdoem se passo a responder a algumas dessas perguntas neste livro. Na maioria dos livros, o *eu,* a primeira pessoa, é omitido; neste, será mantido; essa, quanto ao egoísmo, é a principal diferença. Geralmente não nos lembramos de que, afinal, é sempre a primeira pessoa quem está falando. Eu talvez não falasse tanto de mim mesmo se houvesse outra pessoa que eu conhecesse tão bem. Infelizmente, estou confinado a esse tema pela estreiteza da minha experiência. Além do mais, de minha parte, exijo de todo escritor, antes ou depois, um relato simples e sincero de sua própria vida, e não apenas aquilo que ele ouviu contar da vida de outros homens; um relato como o que ele enviaria de uma terra distante aos seus; pois, se ele viveu de maneira sincera, deve ter sido em terra distante da minha. Talvez estas páginas sejam mais particularmente endereçadas aos estudantes pobres. Quanto aos demais leitores, aceitarão aquilo que lhes couber. Espero que ninguém force as costuras ao vestir o casaco, pois ele pode ser útil àquele em quem servir.

Gostaria de dizer alguma coisa não tanto a respeito dos chineses e dos habitantes das ilhas Sandwich, mas de você que lê estas páginas, você que diz morar na Nova Inglaterra; alguma coisa sobre a sua condição, especialmente sobre a sua condição externa ou suas circunstâncias neste mundo, nesta cidade, quais são elas afinal, se é necessário que sejam tão ruins como são, se podem ou não melhorar. Viajei um bocado em Concord; e em toda parte, nas lojas, nos escritórios, nos campos, os moradores me pareceram estar cumprindo penitência de mil maneiras notáveis. O que já ouvi de brâmanes sentados expostos a quatro fogueiras e olhando de frente para o sol; ou dependurados, de cabeça para baixo, sobre labaredas; ou olhando para o céu por sobre os ombros "até que se torna insuportável retomar a posição natural, enquanto pela garganta torta apenas líquidos conseguem passar para dentro do estômago";[1] ou morando, amarrados para o resto da vida, aos pés de uma árvore; ou arrastando o corpo, como lagartas, através de vastos impérios; ou de pé em uma perna só no topo de uma coluna — nem mesmo essas formas de penitência consciente chegam a ser mais incríveis e espantosas que as cenas que testemunho diariamente. Os doze trabalhos de Hércules não foram nada em comparação com o que meus vizinhos fazem; pois aqueles foram apenas doze, e tiveram fim; mas nunca vi nenhum desses homens matar ou capturar qualquer monstro nem terminar jamais algum trabalho. Eles não têm nenhum Iolau amigo para queimar com ferro em brasa a cabeça da hidra, mas assim que uma cabeça é cortada brotam outras duas.

Vejo rapazes, meus conterrâneos, cujo infortúnio foi terem herdado terras, casas, celeiros, gado, ferramentas; mais fáceis de adquirir que de se livrar. Antes tivessem nascido no meio de um pasto, amamentados por uma loba, para enxergar melhor o campo no qual eram chamados para

---

1. James Mill (1773-1836), "The History of India (1817)", in *The Library of Entertaining Knowledge: The Hindoos* (Londres, 1834-1835).

trabalhar. Quem fez deles servos da terra? Por que tiveram de engolir um lote inteiro, quando o homem está condenado a engolir apenas seu quinhão? Por que eles tiveram de começar a cavar a própria cova assim que nasceram? Precisaram viver uma vida, empurrando essas coisas pela frente por toda uma existência, e se sair da melhor maneira possível. Quantas pobres almas imortais eu encontro arrasadas e abatidas sob esse fardo, rastejando pela estrada da vida, tocando adiante um celeiro de trezentos metros quadrados, seus próprios estábulos de Áugias que nunca ficam limpos, e mais cem acres de terra, lavra, sega, pasto e lenha! O sem dote, que não luta com tais incumbências herdadas, considera trabalho suficiente domar e cultivar alguns decímetros cúbicos de carne.

Mas os homens trabalham à sombra de um engano. A melhor parte do homem logo é incorporada à terra como adubo. Por um destino enganador, que geralmente chamamos de necessidade, eles se dedicam, como está dito em um velho livro, a amealhar tesouros que a traça e a ferrugem corroerão e os ladrões violarão e roubarão. É uma vida de tolo, como eles descobrirão quando chegarem ao fim, se não antes. Dizem que Deucalião e Pirra criaram os seres humanos jogando pedras para trás, por cima da própria cabeça:

> *Inde genus durum sumus, experiensque laborum,*
> *Et documenta damus qua simus origine nati.*[2]

Ou, como Raleigh versificou à sua maneira sonora:

> *"Eis que de nossa estirpe o coração empedernido, suportando dores e cuidados,*
> *comprova nossos corpos terem sido em natureza pétrea originados."*[3]

---

2. Em latim no original: *"Daí sermos gente dura, experimentada na labuta,/ Dando prova da natureza da nossa origem"*.

3. No original: *"From thence our kind hard-hearted is enduring pain and care,/ Approving that our bodies of a stony nature are"*.

É um exagero, em torno de uma obediência cega a um oráculo confuso, jogar pedras para trás por cima da cabeça sem ver onde caíam.

A maioria dos homens, mesmo neste país comparativamente livre, através da própria ignorância e do engano, está tão envolvida com preocupações factícias e atividades desnecessariamente árduas que não colherá os melhores frutos da vida. Seus dedos, da excessiva labuta, estão grossos e trêmulos demais para tanto. Na verdade, o homem trabalhador não tem lazer suficiente para uma integridade genuína no dia a dia; ele não pode se dar ao luxo de manter as relações mais viris com os homens; seu trabalho ficaria depreciado no mercado. Ele não tem tempo para ser nada além de uma máquina. Como pode não esquecer a própria ignorância – algo que o crescimento exige – aquele que precisa sempre usar o intelecto? Deveríamos, às vezes, alimentá-lo e vesti-lo de graça, e convocá-lo para nossos brindes, antes de julgá-lo. As melhores qualidades da nossa natureza, como a penugem nos frutos, só podem ser preservadas se tratadas com a maior delicadeza. No entanto, não tratamos a nós mesmos, nem aos outros, com tanta ternura.

Alguns de vocês, todos sabemos, são pobres, têm uma vida difícil, às vezes, como se diz, lutam para conseguir respirar. Não tenho dúvida de que alguns de vocês que estão lendo este livro não conseguiriam pagar por todos os jantares que efetivamente comeram, ou pelos casacos e sapatos que se gastam depressa ou que já estão desgastados, e chegaram a esta página para gastar o tempo emprestado ou roubado, tirando aos seus credores uma hora. É muito evidente o tipo de vida mesquinha e furtiva que muitos de vocês levam, pois minha visão tem se aguçado com a experiência; sempre no limite, tentando fazer negócios e se livrar das dívidas, antigo lamaçal, que os latinos chamavam de *aes alienum*, cobre alheio, pois algumas dessas moedas eram feitas de cobre; ainda vivos, e morrendo, e enterrados por todo esse cobre alheio; sempre prometendo pagar, amanhã, e morrendo hoje, insolventes; bajulando em busca de favor, de patronos, por mil maneiras, evitando apenas infrações que levem à penitenciária estadual; mentindo, paparicando, votando de acordo, contraindo-se até caber dentro de uma casca de civilidade ou rarefazendo-se em uma atmosfera de fina e vaporosa generosidade, de modo a convencer seu vizinho a deixar que você lhe faça os sapatos, o chapéu, o casaco, ou o frete, ou que você importe mantimentos para ele; se fazendo de doente, a fim de conseguir juntar o suficiente para quando vier a doença, algo enfiado em uma velha cômoda, ou estocado atrás do gesso da parede, ou, ainda mais seguro, nos cofres dos bancos; não importa onde, não importa se muito ou pouco.

Às vezes me pergunto como somos capazes de tamanha, ouso dizer, frivolidade, a ponto de lidar com a grosseira mas algo estrangeira forma de servidão chamada de "escravidão negra", enquanto há tantos senhores astutos e sutis que escravizam tanto ao norte como ao sul. É ruim ter um capataz sulista; é pior ter um nortista; mas pior que tudo isso é quando se é o feitor de si mesmo. E ainda falam da divindade no homem! Veja o carreteiro na estrada, diuturnamente a caminho da feira; será que alguma divindade se agita dentro dele? Sendo seus mais elevados deveres dar de comer e beber aos cavalos! O que é para ele seu destino se comparado ao lucro do frete? Ele não trabalha para o Coronel Metido a Sebo? Quão divinal, quão imortal ele é afinal? Veja como ele se acovarda e se esgueira, como vagamente sente medo o dia inteiro, não sendo imortal nem divino, mas escravo e prisioneiro da opinião que tem de si mesmo, fama que conquistou pelos próprios feitos. A opinião pública é uma tirana branda se comparada à opinião particular que se tem de si. O que o homem pensa de si mesmo, eis o que determina, ou antes indica, sua sina. A emancipação de si mesmo, até nas províncias das Índias Ocidentais da fantasia e da imaginação – quem será o Wilberforce[4] de lá para fazer que aconteça? Pense, também, nas damas da terra, bordando suas almofadas que nunca terminam, para não transparecerem um interesse imaturo em seu próprio destino! Como se fosse possível matar o tempo sem ferir a eternidade.

A massa dos homens leva uma vida de desespero calado. O que se chama de resignação é a desesperança crônica. Você sai da cidade desesperada e encontra o interior desesperado e tem de se consolar com a bravura das martas e dos ratos-almiscarados. Existe um desespero estereotipado e inconsciente escondido até mesmo por baixo dos chamados jogos e divertimentos da humanidade. Não há nenhuma diversão nisso, pois a diversão

---

4. William Wilberforce (1759-1833), defensor da lei da Abolição de 1833, que libertaria todos os escravos do Império Britânico.

só vem depois do dever. Mas é uma característica da sabedoria não fazer coisas desesperadas.

Quando consideramos qual, para usar as palavras do catecismo, é a principal finalidade do homem, e quais são as verdadeiras necessidades e os verdadeiros meios da vida, parece que os homens escolheram deliberadamente a vida em comum pois a preferiram a qualquer outro tipo de vida. E no entanto eles acreditam honestamente que não existe outra escolha. Porém naturezas alertas e saudáveis lembram que o sol já raiou. Nunca é tarde demais para abandonar os preconceitos. Nenhuma linha de pensamento ou conduta, por mais antiga que seja, é confiável sem prova. O que todo mundo reproduz ou deixa passar subentendido como verdadeiro hoje pode se revelar falso amanhã, mera bruma de opiniões, que alguém julgou ser uma nuvem que haveria de espalhar uma chuva fertilizante em seus campos. O que os antigos diziam ser impossível você experimenta e descobre que é possível. Aos velhos as velharias, aos novos as novidades. Houve um tempo em que os antigos não sabiam nem manter o fogo aceso; os novos põem lenha seca embaixo de uma chaleira, e dão a volta no globo com a velocidade dos pássaros, na qual os antigos, como se diz, não sobreviveriam. O velho não é melhor nem tão qualificado como instrutor quanto o jovem, pois não lucrou mais do que perdeu. É possível quase duvidar que o mais sábio dos homens tenha aprendido qualquer coisa absolutamente valiosa com a vida. Na prática, os velhos não têm nenhum conselho muito importante a dar aos jovens, pois sua experiência foi tão parcial, suas vidas fracassaram tão miseravelmente, por motivos particulares, como só eles devem saber; e ainda que lhes tenha sobrado alguma fé que desminta a experiência, estão simplesmente menos jovens. Vivi trinta e poucos anos neste planeta, e ainda estou para ouvir a primeira sílaba de um conselho valioso ou mesmo sincero das pessoas mais velhas que eu. Nunca me disseram nada e provavelmente não seriam capazes de me dizer nada que prestasse. Eis aqui a vida, um experimento em grande medida jamais tentado por mim; mas de nada me adianta que eles tenham tentado. Se tive alguma experiência que considero valiosa, tenho certeza de que meus mentores nunca me disseram nada sobre ela.

Um sitiante me diz "Não se pode viver só de verdura, pois elas não fornecem o que é preciso para fazer os ossos"; e religiosamente ele devota parte do dia a fornecer a seu sistema a matéria-prima dos ossos; caminhando enquanto fala atrás dos bois, que com "ossos feitos de verdura" puxam a ele e seu arado para a frente a despeito de todos os obstáculos. Algumas coisas são realmente necessidades vitais em alguns círculos, os mais desamparados e enfermiços, e noutros círculos são meros luxos, e noutros ainda totalmente desconhecidas.

Para algumas pessoas, é como se todo o território da vida humana já tivesse sido percorrido por seus predecessores, montanhas e vales, e eles teriam cuidado de tudo. Segundo Evelyn, "o sábio Sólon prescreveu regras até para as distâncias entre as árvores; e os pretores romanos decidiram a frequência com que se podia ir ao vizinho colher frutos caídos no terreno dele e quantos ficavam para o vizinho". Hipócrates chegou até a deixar instruções sobre como devíamos cortar as unhas; a saber, rente à ponta dos dedos, nem mais curtas, nem mais compridas. Sem dúvida, o próprio tédio e o *ennui*, que supostamente exaurem a variedade e as alegrias da vida, são antigos como Adão. Mas as capacidades do homem nunca foram medidas; nem nos cabe julgar o que ele é capaz de fazer por qualquer precedente, de tão pouco que já foi tentado. Quaisquer que tenham sido os teus fracassos até aqui, "não te aflijas, minha criança, pois quem atribuirá a ti o que deixaste por fazer?".[5]

Podemos fazer mil experimentos simples em nossa vida; como, por exemplo, pensar que o sol que amadurece os meus feijões ilumina ao mesmo tempo um sistema de terras como a nossa. Se eu tivesse me lembrado disso, teria evitado alguns erros. Não foi com esta luz que os semeei. As estrelas são ápices de triângulos tão maravilhosos! Que seres remotos e diferentes nas várias mansões do universo estarão contemplando a mesma estrela no mesmo momento! A natureza e a vida humana são variadas conforme nossas diversas constituições. Quem poderá dizer que perspectiva a vida oferece ao outro? Haverá milagre maior que conseguirmos enxergar através dos olhos uns dos outros por um instante? Viveríamos em todas as eras do mundo nessa hora; não, em todos os mundos de todas as eras. História, poesia, mitologia! – Nenhuma leitura da experiência alheia seria tão impressionante e informativa quanto isso.

---

5. Vishnu Purana.

A maior parte daquilo que meus vizinhos dizem ser bom, no fundo, para mim, considero ruim, e se existe alguma coisa da qual me arrependo, provavelmente é do meu bom comportamento. Que demônio me possuía para eu me comportar tão bem? Você pode dizer a sabedoria que quiser, meu velho – você que já viveu seus setenta anos, não sem algum tipo de honra –, ouço uma voz irresistível que me convida a escapar de tudo isso. Uma geração abandona as iniciativas da outra como navios encalhados.

Penso que seguramente podemos confiar muito mais do que confiamos. Podemos prescindir de tanta atenção a nós mesmos e conceder honestamente esse mesmo tanto de atenção a outra coisa. A natureza é bem adaptada tanto à nossa fraqueza quanto à nossa força. As atribulações e angústias incessantes de alguns são praticamente uma forma de doença incurável. Somos talhados de maneira a exagerar a importância do trabalho que fazemos; e no entanto quanto trabalho não somos nós que fazemos! Ou, e se tivéssemos ficado doentes? Como somos vigilantes! Determinados a não viver pela fé se pudermos evitá-la; o dia inteiro alertas, à noite dizemos nossas orações sem vontade e nos entregamos a incertezas. Integral e sinceramente, somos compelidos a viver, reverenciando nossa vida, e negando a possibilidade de mudança. É o único caminho, dizemos; mas existem tantos caminhos quantos forem os raios que podem ser desenhados a partir de um mesmo centro. Toda mudança é um milagre que se contempla; mas é um milagre que está acontecendo a todo instante. Confúcio dizia: "Saber que sabemos o que sabemos e que não sabemos o que não sabemos, eis a verdadeira sabedoria". Quando o homem tiver reduzido o que é um fato da imaginação a um fato de seu entendimento, prevejo que todos acabarão estabelecendo suas vidas nesse mesmo fundamento.

Consideremos por um momento a que se refere a maior parte das tribulações e angústias que venho relatando, e como é necessário que passemos por tais tribulações e angústias, ou pelo menos que sejamos cuidadosos. Seria um bocado proveitoso viver uma vida primitiva, na fronteira, ainda que em meio a uma civilização aparente, mesmo que só para aprender quais são as necessidades básicas da vida e quais métodos foram adotados para obtê-las; ou mesmo consultar velhos livros-caixa, para ver o que as pessoas costumavam comprar mais nas mercearias, o que as pessoas estocavam, isto é, quais são os mantimentos mais elementares. Pois as melhorias dos tempos tiveram pouca influência sobre as leis essenciais da existência humana; assim como nosso esqueleto, provavelmente, não deve ser muito diferente do de nossos ancestrais.

Com a expressão "necessidade vital", quero dizer tudo aquilo que o homem obtém por seus próprios esforços, que desde o início, ou após longa prática, se tornou tão importante para a vida humana que poucas pessoas, se tanto, seja por selvageria, ou pobreza, ou por filosofia, tentam passar sem. Para muitas criaturas, existe nesse sentido apenas uma necessidade vital, o alimento. Para o bisão na pradaria, são alguns poucos centímetros de relva palatável, com água para beber; a não ser que ele busque o abrigo da floresta ou a sombra da montanha. Nenhum animal da criação exige mais que alimento e abrigo. As necessidades vitais para o homem neste clima podem, com precisão suficiente, ser distribuídas em diversos tópicos como alimento, abrigo, roupa e combustível; pois só depois de garantirmos esses itens estaremos preparados para enfrentar os verdadeiros problemas da vida com liberdade e perspectiva de sucesso. O homem inventou não apenas a casa, mas também a roupa e a comida cozida; e possivelmente a descoberta acidental do calor do fogo, e seu uso subsequente, a princípio um luxo, fez nascer a atual necessidade de sentar perto dele. Observamos gatos e cachorros que adquiriram essa mesma segunda natureza. Com abrigo e roupas adequados conservamos normalmente nosso próprio calor interno; mas com excesso de ambos, ou de combustível, ou seja, com um calor externo ainda maior que o interno, não seria possível dizer que na prática teria começado assim o cozimento? Darwin, o naturalista, disse dos habitantes da Terra do Fogo que enquanto seu grupo, bem-vestido e sentado próximo à fogueira, estava longe de se sentir aquecido, aqueles selvagens nus, muito mais afastados do calor, a olhos vistos, para sua grande surpresa, "vertiam suor e se sentiam assar". Assim, ouvimos dizer, o nativo da Nova Holanda sai nu impunemente, enquanto o europeu treme de frio dentro da roupa. Será impossível combinar a dureza desses selvagens com a intelectualidade do homem civilizado? Segundo Liebig, o corpo humano é um fogão, e o alimento é o combustível que mantém a combustão interna nos pulmões. No tempo frio comemos mais, no calor menos. O calor animal resulta de uma combustão lenta, e a doença e a morte acontecem quando essa combustão é muito rápida; ou por falta de combustível, ou por algum defeito na ventilação, o fogo apaga. Claro que o calor vital não deve ser confundido com o fogo; mas basta de analogias. Aparentemente, pela lista citada, a expressão "vida animal" é quase sinônima da expressão "calor animal"; pois, embora o alimento possa ser considerado o combustível que mantém dentro de nós o fogo aceso – e o combustível sirva apenas para preparar aquele alimento ou para aumentar o calor do nosso corpo com um acréscimo externo –, abrigo e roupa também servem apenas para conservar o *calor* assim gerado e absorvido.

A maior necessidade, portanto, para nosso corpo, é conservar o calor, conservar o calor vital dentro de nós. De modo que penamos para conseguir não só alimento e roupa e abrigo, mas também camas, que são nossas roupas de dormir, roubando ninhos e plumas de peitos de aves para preparar um abrigo dentro de outro abrigo, como a toupeira faz seu leito de relva e folhas no fundo da toca! O pobre costuma reclamar que o mundo é frio; e ao frio, não só físico mas social, relacionamos diretamente grande parte das nossas mazelas. O verão, em alguns climas, torna possível ao homem uma espécie de vida paradisíaca. O combustível, exceto para cozinhar o alimento, é então desnecessário; o sol é seu fogo, e muitos dos frutos são suficientemente cozidos por seus raios; enquanto o alimento é geralmente mais variado, e mais fácil de obter, e a roupa e o abrigo são totalmente ou em parte desnecessários. Hoje, e neste país, tal como apreendo por minha própria experiência, alguns poucos implementos, uma faca, um machado, uma pá, um carrinho de mão etc., e para o estudioso a lâmpada, o papel e acesso a alguns livros qualificam-se quase como necessidades vitais, e podem ser todos obtidos a um custo irrisório. No entanto alguns, nada sábios, vão ao outro lado do globo, a regiões bárbaras e insalubres, e dedicam-se ao comércio durante dez ou vinte anos, para só então poderem começar a viver – isto é, ficar confortavelmente aquecidos – e morrer enfim na Nova Inglaterra. Os luxuriantemente ricos não ficam apenas confortavelmente aquecidos, mas desmesuradamente quentes; e como sugeri antes, são cozidos, é claro, à la mode.

A maioria dos luxos e muitos dos chamados confortos da vida não apenas não são indispensáveis como são, com efeito, obstáculos à elevação da humanidade. Com relação a luxo e conforto, o sábio sempre viveu uma vida mais simples e frugal que o pobre. Os filósofos antigos, chineses, hindus, persas e gregos eram uma classe como não havia outra tão pobre em riquezas exteriores, nem tão rica em riquezas interiores. Não sabemos muito sobre eles. É notável que *nós* saibamos tanto sobre eles quanto sabemos. O mesmo é verdade para os reformadores e benfeitores mais modernos de suas raças. Ninguém pode ser um observador imparcial ou sábio da vida humana fora do terreno privilegiado do que *nós* deveríamos chamar de pobreza voluntária. De uma vida de luxos, o fruto é luxo, seja na agricultura, no comércio, na literatura ou na arte. Existem hoje em dia professores de filosofia, mas não filósofos. No entanto, só é admirável professar porque um dia foi admirável viver. Ser um filósofo não é meramente ter pensamentos sutis, nem mesmo fundar uma escola, mas amar a sabedoria e viver, de acordo com seus ditames, uma vida de simplicidade, independência, magnanimidade e confiança. É resolver alguns dos problemas da vida não só em teoria, mas na prática. O sucesso de grandes eruditos e pensadores é em geral um sucesso cortesão, não soberano, não viril. Eles fazem ajustes para viver meramente em conformidade, quase como seus pais fizeram antes deles, e de maneira alguma serão progenitores de uma raça nobre. Mas por que os homens sempre degeneram? O que faz que as famílias se esgotem? Qual é a natureza do luxo que desfibra e destrói as nações? Temos certeza de que não há nada desse luxo em nossa própria vida? O filósofo é avançado para sua época até mesmo na forma externa de sua vida. Ele não se alimenta nem se abriga, nem se veste, nem se aquece como seus contemporâneos. Como alguém pode ser um filósofo e não conservar seu calor vital por métodos melhores que os dos outros homens?

Quando um homem está aquecido pelos diversos modos que descrevi, o que ele deseja em seguida? Certamente não será mais calor do mesmo tipo, ou mais e melhor alimento, casas maiores e mais esplendorosas, roupas melhores e mais abundantes, fogos mais numerosos, incessantes e escaldantes, ou coisas do gênero. Depois de obter essas coisas que são necessárias à vida, existe outra alternativa além de obter os supérfluos; e essa alternativa é aventurar-se na vida agora, começando sua folga da labuta mais humilde. O terreno, aparentemente, é propício à semente, pois ela enviou a radícula para baixo, e agora pode enviar o broto para cima também com confiança. Por que o homem teria se enraizado assim tão firmemente na terra senão para que pudesse elevar-se na mesma proporção em direção aos céus? – pois os vegetais superiores são valorizados pelo fruto que sustentam enfim no ar e na luz, distante do chão, e não são tratados como os tubérculos, mais humildes, que, embora sejam bienais, são cultivados só até aperfeiçoar a raiz, e muitas vezes sua parte aérea é podada com esse propósito, de modo que a maioria das pessoas sequer os reconheceria na estação florida.

Não é minha intenção prescrever regras a naturezas fortes e valentes, que cuidarão dos próprios assuntos seja no céu ou no inferno, e talvez construam de modo mais magnífico e gastem mais suntuosamente que os mais ricos, sem nunca com isso empobrecer a si mesmos, sem saber como eles vivem – se é que, de fato, existe alguém assim, como se tem sonhado que exista; tampouco àqueles que encontram estímulo e inspiração justamente no atual estado das coisas, e o cultivam com o carinho e o entusiasmo dos amantes – e, em certa medida, reconheço-me entre eles; não me dirijo aos bem empregados, em quaisquer circunstâncias, e eles bem sabem se são bem empregados ou não; dirijo-me principalmente à massa de homens descontentes, que ficam ociosos reclamando da dureza da vida ou da época, quando poderiam eles mesmos melhorá-las. Existem alguns que reclamam de modo mais enérgico e inconsolável, porque estão, como dizem, cumprindo suas obrigações. Também tenho em mente aquela classe aparentemente rica, porém a mais terrivelmente empobrecida de todas, que acumulou quinquilharias, mas não sabe como usá-las, nem como se livrar delas, e assim forjou os próprios grilhões de ouro ou prata.

Se eu tivesse que contar qual era o meu ideal de vida alguns anos atrás, provavelmente surpreenderia aqueles entre os meus leitores que de alguma forma conhecem minha verdadeira história; decerto espantaria aqueles que nada sabem dela. Mencionarei apenas algumas empreitadas que acalentei.

Em qualquer tempo, a qualquer hora do dia ou da noite, sempre me afligiu aproveitar o momento, e também marcá-lo em meu bastão; estar no encontro de duas eternidades, passado e futuro, que é precisamente o momento presente; respeitar essa linha. Você há de me perdoar algumas obscuridades, pois há mais segredos no meu ofício do que no da maioria dos homens, ainda que não guardados voluntariamente, mas inseparáveis de sua própria natureza. Eu contaria de bom grado tudo o que sei sobre isso, e jamais pintaria "não entre" em meu portão.

Muito tempo atrás perdi um cachorro, um cavalo baio e um pombo, e até hoje estou atrás dos três. Falei com muitos viajantes sobre eles, descrevi seus rastros e os chamados aos quais respondiam. Encontrei um ou dois que tinham ouvido o cachorro, e o tropel do cavalo, e até mesmo visto o pombo sumir atrás de uma nuvem, e pareciam aflitos para recuperá-los como se eles os tivessem perdido e não eu.

Antecipar-se não apenas ao nascer do sol e à aurora, mas, se possível, à própria natureza! Quantas manhãs, verão ou inverno, antes que qualquer vizinho se levantasse para cuidar de seus assuntos, eu estava de pé cuidando dos meus! Sem dúvida, muitos de meus conterrâneos me encontraram voltando dessas empreitadas, sitiantes indo a Boston de madrugada, ou lenhadores indo trabalhar. É verdade, nunca ajudei materialmente o sol a se levantar, mas sem dúvida foi de suma importância simplesmente estar presente ali.

Quantos dias de outono, sim, e de inverno, passei fora da cidade, tentando ouvir o que dizia o vento, ouvir e levar expressamente a notícia! Quase afundei todo o meu capital nisso, e perdi meu fôlego nessa barganha, correndo na frente desse negócio. Se fosse de interesse para algum dos partidos políticos, pode acreditar, teria saído na *Gazette* com a maior urgência. Outras vezes, assistindo do observatório de algum penhasco ou árvore, para telegrafar qualquer novo acontecimento; ou esperando no alto da colina a noite cair e o céu desabar, para ver se conseguia captar alguma coisa, embora nunca tivesse captado grande coisa, e o que eu captava, como maná, se dissolvesse de novo ao sol.

Fui por muito tempo repórter de um diário, de circulação não muito ampla, cujo editor nunca considerava digna de imprimir a maioria das minhas contribuições, e, como é comum com os escritores, meu trabalho foi o único resultado dos meus esforços. No entanto, neste caso, esses esforços foram uma recompensa em si mesmos.

Por muitos anos fui voluntariamente, autoproclamado, inspetor de nevascas e tempestades, e cumpri à risca minhas obrigações; topógrafo, ainda que não de estradas, de trilhas e rotas que atravessavam por dentro das propriedades e matas, mantendo-as limpas e abertas, e as pontes sobre as ravinas desimpedidas e transitáveis em todas as estações, de modo que a opinião pública pudesse comprovar sua utilidade.

Eu cuidava do gado desgarrado da cidade, o que dá a um pastor devotado um bocado de trabalho pelas cercas que pulavam; e sempre atentava para os recônditos pouco frequentados e recantos do sítio; embora nem sempre soubesse se era um pobre Jonas ou um sábio Salomão[6] quem estava trabalhando ali naquele campo, naquele determinado dia; não era da minha conta. Eu regava o arando vermelho, a cereja da areia ou ameixeira-brava, e o lodoeiro, o pinheiro-vermelho e o negro freixo, a uva-branca e a amarela violeta, que de outro modo poderiam morrer nas estações secas.

Em suma, fiquei nisso por muito tempo, não que eu queira me gabar, devotado aos meus próprios afazeres, até que se tornou mais ou menos evidente que meus conterrâneos afinal não me aceitariam entre os funcionários do município, nem fariam do meu posto uma sinecura com salário modesto. As minhas contas, que posso jurar que registrei escrupulosamente, nunca, a bem dizer, foram auditadas, muito menos aceitas, que dirá pagas e liquidadas. Mas eu não me importava tanto.

Não faz muito tempo, um índio andarilho foi vender cestos na casa de um conhecido advogado da minha região. "Quer comprar alguns cestos?", ele perguntou. "Não, não queremos nenhum cesto", foi a resposta. "Como assim!", exclamou o índio ao sair pelo portão, "quer que a gente morra de fome?". Vendo que seus industriosos vizinhos brancos estavam bem de vida – e que o advogado só precisava tecer argumentos e, como por mágica, conquistava riqueza e posição –, ele havia pensado: vou fazer negócio; faço uns cestos; é uma coisa que sei fazer. Pensou que, depois que os cestos estivessem prontos, sua parte estaria feita, e caberia ao branco comprá-los. Ele ainda não tinha descoberto que era necessário fazer que comprar seus cestos valesse a pena para o outro, ou pelo menos fazer que o outro assim pensasse, ou fazer alguma outra coisa que o outro julgasse valer

---

6. Mateus 12: 41-2.

a pena comprar. Também teci uma espécie de cesto de delicada tessitura, mas não consegui convencer alguém de que valia a pena comprá-lo. E, não obstante, no meu caso, julguei que valia a pena tecê-los, e em vez de estudar como fazer para que os outros homens julgassem que valia a pena comprá-los, preferi estudar como evitar a necessidade de vendê-los. O tipo de vida que os homens apreciam e admiram como bem-sucedida é um só. Por que exaltar um único tipo de vida em detrimento dos outros todos?

Ao perceber que meus conterrâneos provavelmente não me ofereceriam nenhuma vaga no tribunal, tampouco sinecura ou qualquer meio de vida em qualquer outra parte, e que eu teria de me arranjar por mim mesmo, sozinho, voltei-me mais exclusivamente que nunca para os bosques, onde eu era mais conhecido. Decidi trabalhar sozinho logo, e não esperar adquirir o capital de praxe, mas usar os parcos recursos de que já dispunha. Minha proposta ao mudar para o lago Walden não era gastar nem menos nem mais para viver ali, mas sim realizar determinadas transações particulares com o menor número possível de obstáculos; cuja procrastinação, por falta de um mínimo de siso, expediente e tino comercial, me parecia não só uma infelicidade como uma tolice.

Sempre procurei adquirir hábitos comerciais austeros; são indispensáveis para qualquer um. Se o seu negócio é com o Império Celestial, em um pequeno escritório de contabilidade na orla, em algum porto de Salem, você ficaria bem instalado. Você vai exportar os artigos que a terra oferecer, produtos puramente nativos, muito gelo, muita tora de pinheiro e um pouco de granito, sempre em navios nativos. Eis uma bela empreitada de risco. Supervisionar todos os detalhes pessoalmente; ser ao mesmo tempo piloto e capitão, proprietário e fiador; comprar e vender e manter em dia o livro-caixa; ler todas as cartas que chegam, e escrever e ler todas as enviadas; comandar dia e noite a descarga das importações; estar em diversos lugares da costa quase ao mesmo tempo – muitas vezes a carga mais preciosa é descarregada no litoral de Jersey –; ser o seu próprio telégrafo, incansavelmente varrendo o horizonte, falando com todas as embarcações que passam em direção à costa; manter um ritmo constante de envio das mercadorias para suprir um mercado tão remoto e exorbitante; manter-se informado sobre a situação dos mercados, as perspectivas de guerra e paz em toda parte, antecipando as tendências do comércio e da civilização –

tirando proveito dos resultados de todas as expedições de exploradores, usando as novas rotas e todos os avanços da navegação –; os mapas que estudar, as posições dos recifes e dos novos faróis e boias a serem definidas, e sempre, e sempre, as tábuas de logaritmos a serem corrigidas, pois pelo erro de algum cálculo muitas vezes se racha contra um rochedo um navio que devia chegar a um porto amigo – existe a história jamais contada da sina de La Pérouse –; a ciência universal, que se deve acompanhar, estudando as vidas de todos os grandes descobridores e navegadores, grandes aventureiros e mercadores, de Hanão aos fenícios e até hoje em dia; em suma, bater o estoque de quando em quando para saber em que pé você está. É um trabalho que desafia as faculdades humanas – esses problemas de lucros e perdas, de juros, de taras e quebras, e todo tipo de aferição nisso envolvido, pois exige um conhecimento universal.

Pensei que o lago Walden seria um bom lugar para o meu negócio, não apenas por conta da ferrovia e da venda de gelo; ele oferece vantagens que talvez não seja uma boa política divulgar; ele tem um bom porto e uma boa fundação. Não havia os pântanos do delta do Neva para serem aterrados; embora em toda parte seja preciso construir sobre estacas que você mesmo precisa levar. Dizem que uma enchente, com um vento oeste, e gelo, no Neva, varreria São Petersburgo da face da Terra.

Como eu deveria iniciar esse negócio sem o capital de praxe, talvez não seja fácil conjecturar de onde esses meios, que seriam de todo modo indispensáveis a tal empreitada, haveriam de provir. Quanto à roupa, para entrarmos de vez na parte prática da questão, pode ser que sejamos muitas vezes levados a escolher pelo amor à novidade e pela importância dada à opinião dos outros, ou por outro motivo que não seja a genuína utilidade. Lembre-se, quem tem um trabalho a fazer, de que o objetivo da roupa é, primeiro, conservar o calor vital, e segundo, no atual estado da sociedade, cobrir a nudez, e poderá julgar quanto trabalho necessário ou importante pode ser feito sem nenhum acréscimo ao guarda-roupa. Reis e rainhas, que só vestem uma vez cada roupa, ainda que feitas por alfaiates e costureiras especialmente para suas majestades, não conhecem o conforto de usar uma roupa que já nos cai bem. Eles não passam de mancebos de madeira onde pendurar a roupa limpa. A cada dia nossas roupas se tornam mais assimiladas a nós mesmos, recebendo a impressão da pessoa que a veste, a ponto de hesitarmos em deixá-las de lado, dedicando-lhes cuidados médicos e certa solenidade, como fazemos com nosso próprio corpo. Nunca ninguém caiu no meu conceito por ter um remendo na roupa; embora eu tenha certeza de que as pessoas em geral se afligem mais por uma roupa da moda, ou pelo menos limpa e sem remendo, do que por uma consciência íntegra. Mas, mesmo que o rasgo não esteja remendado, talvez o pior pecado revelado aí seja o desleixo. Às vezes faço testes assim com meus conhecidos – quem usaria um remendo, ou mesmo daria pontos duplos, na altura do joelho? Quase todos reagem como se acreditassem que suas perspectivas de vida estariam arruinadas se tivessem de fazer isso. Para eles, seria mais fácil mancar até a cidade com uma perna quebrada do que com um defeito na calça. Muitas vezes, se acontece um acidente com as pernas de um cavalheiro, elas podem ser consertadas; mas, se um acidente semelhante ocorre com as pernas de suas calças, não há nada que possa ser feito; pois ele leva em conta não o que é genuinamente respeitável, mas o que é respeitado. Conhecemos apenas alguns homens, mas muitos casacos e culotes. Vista um espantalho com a sua camisa mais nova, fique parado sem camisa ao lado, quem não cumprimentaria primeiro o espantalho? Passando outro dia por um milharal, perto de um chapéu e um paletó vestidos em uma estaca, reconheci o dono do sítio. Ele estava só um pouco mais maltratado pelo tempo do que da última vez que nos vimos. Ouvi uma história de um cachorro que latia para todo desconhecido vestido que se aproximava da terra do dono, mas era facilmente amansado por um ladrão nu. É uma questão interessante até que ponto os homens conservariam sua posição relativa se fossem privados de roupas. Será que você saberia, nesse caso, dizer com certeza dentre um grupo de homens civilizados quais deles pertenciam à classe mais respeitada? Quando madame Pfeiffer,[7] em suas aventuras ao redor do mundo, de leste a oeste, chegou à Rússia asiática, mais perto de casa, disse que sentiu necessidade de trocar seu traje de viagem quando foi encontrar-se com as autoridades, pois "estava agora em um país civilizado, onde [...] as pessoas são julgadas por

---

7. Ida Laura Pfeiffer (1797-1858). *A Lady's Voyage Round the World* (1850).

suas roupas". Mesmo em nossas cidades democráticas da Nova Inglaterra a posse acidental de riqueza, e sua manifestação nos trajes e acessórios, garante por si só ao possuidor um respeito quase universal. Mas esses que concedem tamanho respeito, ainda que numerosos, são nesse sentido pagãos, à espera de que lhes enviem um missionário. Além disso, a roupa introduz a costura, um tipo de trabalho que se pode chamar de sem fim; o vestido de uma mulher, ao menos, é um trabalho que não termina nunca.

Alguém que acabou encontrando o que fazer na vida não precisará de um terno novo para fazer o que já faz; para ele, o velho ainda está bom, aquele mesmo empoeirado no sótão, esquecido não se sabe há quanto tempo. Velhos sapatos servirão no herói por mais tempo do que serviram a seu criado – se é que heróis têm criados –; já existiam pés descalços antes dos sapatos, e ele há de fazer bom uso de ambos. Só aqueles que frequentam *soirées* e bailes legislativos precisam de casacas novas, uma casaca para cada transformação em quem as veste. Mas se meu paletó e minhas calças, meu chapéu e meus sapatos são adequados para louvar a Deus, hão de me bastar; ou não? Aquele que já viu as próprias roupas velhas – o velho paletó, a bem dizer muito puído, desfazendo-se em seus elementos primitivos, a ponto de não ser mais caridade dá-lo a um menino pobre, que talvez passasse adiante a outro ainda mais pobre, ou talvez devêssemos dizer mais rico – não poderia passar com menos? Eu diria o seguinte: cuidado com qualquer empreitada que exija roupas novas, e não um novo homem dentro dessas roupas. Se não se tratar de um novo homem, como essas novas roupas poderiam ser apropriadas? Se você tem alguma empreitada pela frente, encare-a com suas velhas roupas. Todos os homens querem não algo que possam *vir a ter*, mas algo que possam *vir a fazer*, ou melhor, algo que possam *vir a ser* na vida. Talvez não devêssemos jamais procurar um novo traje, por mais gasto e sujo que esteja o velho, até que tenhamos nos conduzido, empreendido ou viajado de alguma maneira, a ponto de nos sentirmos novos homens dentro das roupas antigas, de modo que conservá-las seria como guardar vinho novo em odres velhos. Nossa época da muda, como a das aves, deve ser uma crise em nossa vida. A mobelha se retira para os lagos solitários nessa época. Assim também a cobra troca de pele, e a lagarta seu casaco vermiforme, movidas por indústria e expansão internas; pois a roupa não passa de nossa cutícula externa, nosso invólucro mortal. Do contrário, navegaríamos sob falsas bandeiras, e acabaríamos inevitavelmente rebaixados diante de nós mesmos, assim como diante de toda a humanidade.

Vamos nos cobrindo, peça sobre peça, como se crescêssemos feito plantas exógenas por adições externas. Nosso exterior e nossas roupas muitas vezes finas e fantasiosas são nossa epiderme ou falsa pele, que não faz parte da nossa vida e pode ser tirada de quando em quando sem efeitos fatais; nossos trajes mais grossos, constantemente gastos, são nosso tegumento celular, ou córtex; porém nossas camisas são nosso líber ou verdadeira cortiça, que não pode ser removida sem anelamento, o que destruiria o homem. Acredito que todas as raças em algumas estações usem algo equivalente a uma camisa. É desejável que o homem se vista tão simplesmente que consiga se tatear no escuro, e que viva em todos os aspectos de modo despojado e preparado para, se um inimigo invadir a cidade, sair pelo portão, como o velho filósofo, de mãos vazias, sem nenhuma exasperação. Enquanto uma roupa grossa for, na maioria dos casos, tão boa quanto três finas, e roupas baratas puderem ser obtidas a preços realmente adequados aos consumidores; enquanto um casaco espesso custar cinco dólares, e durar o mesmo número de anos, calças grossas a dois, botas de couro a um e meio o par, um chapéu de verão a um quarto de dólar, e um chapéu de inverno sair sessenta e dois centavos e meio, ou um melhor, feito em casa, a preço de custo, quem seria tão pobre que, vestindo essas roupas, *compradas com seu próprio dinheiro*, não encontraria homens sábios que lhe fizessem reverência?

Quando encomendo uma roupa de determinada forma, minha costureira me diz muito séria "Não se usa isso", sem enfatizar "quem", como se ela estivesse citando uma autoridade impessoal como as Moiras ou os Fados, e fica difícil conseguir que ela faça o que eu quero, simplesmente porque ela não consegue acreditar que eu queira mesmo o que estou pedindo, que eu seja tão descuidado. Ao ouvir tal sentença oracular, fico por um momento absorto em pensamentos, enfatizando para mim mesmo cada palavra em separado para tentar encontrar o sentido daquilo, até que eu consiga descobrir qual o grau de parentesco que "*eles*" têm *comigo*, e que autoridade poderiam ter em um assunto que só afeta de perto mesmo a mim; e, finalmente, sinto-me inclinado a responder a ela com igual mistério, e sem mais nenhuma ênfase nesse "eles" – "é verdade, não se usava até recentemente, mas se usa agora". De que adianta ela tomar minhas medidas se não consegue medir meu caráter, mas apenas a largura dos meus ombros, como se fosse um cabide onde pendurar o casaco? Não adoramos as Graças, nem as Parcas, mas a moda. Ela fia e tece e corta com toda a autoridade. O chefe dos macacos em Paris veste um chapéu de viagem, e todos os macacos nos Estados Unidos fazem igual. Às vezes, me desespero tentando fazer alguma coisa simples e honesta neste mundo com a ajuda dos homens. Eles precisariam primeiro passar por uma prensa poderosa, para espremer de dentro deles todas as suas velhas noções, de modo que não conseguissem por algum tempo nem mais se firmar sobre as pernas; e ainda assim sobraria um no grupo com uma minhoca na cabeça, chocada de um ovo depositado ali não se sabe quando, pois nem mesmo o fogo mata esses bichos, e todo o seu trabalho teria sido em vão. Não obstante, não nos esqueçamos de que o trigo egípcio chegou até nós dentro de uma múmia.

No geral, acho que não se pode dizer que o vestuário neste e em nenhum outro país tenha atingido a dignidade de uma arte. Atualmente, os homens se adaptam para vestir o que conseguirem comprar. Como marinheiros naufragados, eles vestem o que conseguem encontrar na praia, e, um pouco mais adiante, seja no espaço ou no tempo, riem das fantasias uns dos outros. Toda geração ri das modas antigas, mas segue religiosamente as atuais. Achamos graça quando vemos as roupas de Henrique VIII, ou da rainha Elizabeth, como se fossem as roupas do rei e da rainha das ilhas Canibais! Todo traje sem o homem é lamentável ou grotesco. Apenas o olhar sério que nos espia de lá e a vida sincera ali dentro passada nos impedem de rir e consagram o traje de qualquer povo. Espere Arlequim sofrer uma crise de cólica e sua fantasia há de servir também para esse humor. Quando o soldado é atingido pela bala de canhão, um farrapo é tão apropriado quanto a púrpura real.

O gosto infantil e selvagem dos homens e das mulheres por novos padrões faz muita gente ficar chacoalhando e mirando caleidoscópios até encontrar a figura particular que a geração de hoje requer. Os fabricantes descobriram que esse gosto se baseia em meros caprichos. De dois padrões que diferem apenas por algumas linhas mais ou menos, de uma determinada cor, um deles venderá rapidamente, o outro ficará na prateleira, embora com frequência aconteça, depois de passada uma estação, de esse outro se tornar moda. Comparativamente, a tatuagem não é o costume hediondo que dizem ser. Não é bárbara meramente porque a impressão é subcutânea e inalterável.

Não posso acreditar que nosso sistema fabril seja o melhor modo de obter roupas para os homens. A condição dos operários vem se tornando a cada dia mais semelhante à dos ingleses; e não é de espantar que, pelo que vi e observei, o principal objetivo não seja deixar a humanidade bem e honestamente vestida, mas, inquestionavelmente, que as corporações enriqueçam. No longo prazo, os homens só acertam naquilo que miram. Portanto, ainda que imediatamente venham a errar, seria melhor que mirassem em algo mais alto.

Quanto ao abrigo, não vou negar que agora é uma necessidade vital, embora existam casos de homens vivendo sem nenhum por longos períodos em regiões mais frias. Samuel Laing diz que "os lapões com suas roupas de pele, e dentro de uma bolsa de pele que vestem por sobre a cabeça e os ombros, dormirão noite após noite na neve [...] a uma temperatura tão baixa que extinguiria a vida de qualquer um exposto a ela usando roupas de lã". Ele os viu dormindo assim. No entanto, acrescenta: "eles não são mais resistentes do que qualquer outro povo". Porém provavelmente desde o início de sua vida na Terra o homem descobriu a conveniência que existe em uma casa, o conforto doméstico, expressão que originalmente talvez se referisse mais à satisfação oferecida pela casa do que pela família; ainda que esse conforto seja extremamente parcial e ocasional nos climas em que a casa é principalmente associada em nosso pensamento ao inverno e à estação das chuvas, e que em dois terços do ano nada mais seja necessário além de um guarda-sol ou uma sombrinha. Em nosso clima, no verão, praticamente era só uma cobertura para passar a noite. Nas gazetas dos índios, uma tenda ou *wigwam* era o símbolo de um dia de caminhada, e uma fileira delas gravadas ou pintadas na casca de uma árvore significava quantas vezes haviam acampado. O homem não foi feito com braços e pernas tão longos nem tão robusto senão para que buscasse reduzir seu mundo e emparedar um espaço em que lhe agrade estar. Ele a princípio viveu nu e ao relento; mas, embora fosse agradável no tempo ameno e quente, durante o dia, na chuva e no inverno, sem mencionar ao sol tórrido, talvez tivesse extirpado sua raça em botão se não tivesse se apressado em se vestir ao abrigo de uma casa. Adão e Eva, segundo a fábula, usavam folhas de parreira antes de qualquer outra roupa. O homem quis uma casa, um lugar aquecido e confortável, primeiro fisicamente aquecido, depois com o calor dos afetos.

Podemos imaginar um tempo em que, na infância da raça humana, o primeiro mortal rastejou para dentro de uma rocha para se abrigar. Toda criança, em certa medida, começa o mundo novamente, e adora ficar ao ar livre, mesmo na chuva e no frio. Brincam de casinha, e também de cavalinho, têm um instinto para isso. Quem não se lembra de como era interessante, na juventude, olhar para aquelas prateleiras de pedras, ou mesmo só se aproximar de uma caverna? Era o anseio natural dessa parte de nós, alguma parte de nosso ancestral mais primitivo que ainda sobrevivia. Da caverna avançamos para os tetos de folhas de palmeira, cascas de árvores e galhos, trapos de lençol esticado, capim e palha, tábuas e placas, pedras e telhas. Enfim, não sabemos mais como viver ao ar livre, e nossa vida é doméstica em mais sentidos do que imaginamos. Do lar ao campo é grande a distância. Talvez fosse bom passarmos mais tempo, dias e noites, sem nenhuma obstrução entre nós e os corpos celestes, se não falasse tanto o poeta à sombra de um teto, nem o santo ali se demorasse tanto tempo. Os pássaros não cantam nas cavernas, nem as pombas cultivam sua inocência nos pombais.

No entanto, se alguém deseja construir uma casa para morar, é de bom alvitre exercitar um pouco a astúcia ianque, para não acabar construindo um escritório, um labirinto sem fio, um museu, um asilo, uma prisão ou um esplêndido mausoléu no lugar. Considere primeiro o mínimo abrigo que seria absolutamente necessário. Vi índios *penobscot*, aqui na cidade, morando em tendas de algodão fino, enquanto em volta havia meio metro de neve, e pareciam até contentes que a neve acumulada bloqueasse o vento. Antes, quando a questão sobre como levar a vida honestamente, com liberdade o bastante para meus verdadeiros interesses, me atormentava ainda mais do que hoje, pois infelizmente fui ficando calejado, eu costumava olhar para uma caixa grande junto à ferrovia, de pouco menos de dois metros de comprimento por um de largura, onde os trabalhadores guardavam as ferramentas à noite; e essa caixa me sugeriu que qualquer um que estivesse em apuros conseguiria fazer uma igual por um dólar, e, depois de fazer alguns furos na caixa, ao menos uma entrada de ar, entrar na caixa se chovesse e à noite, e prender a tampa com um gancho, e ter assim liberdade para amar, e ser uma alma livre. Aquilo não me pareceu a pior das alternativas, nem mesmo algo a ser desprezado. Você podia ficar acordado até a hora que quisesse, e, sempre que se levantasse, podia sair sem que nenhum senhorio ou proprietário viesse lhe lembrar de pagar o aluguel. Muitos homens, assediados até a morte pelo aluguel de caixas maiores e mais luxuosas, não congelariam até a morte dentro de uma caixa dessas. Não estou brincando, longe disso. A economia é um tema que admite ser abordado com leveza, mas que não se pode descartar com frivolidade. Uma casa confortável para uma raça rude e endurecida, que vivia basicamente ao ar livre, foi um dia aqui construída quase só com esses materiais que a natureza fornecia prontos ao alcance da mão. Gookin, que foi superintendente de assuntos indígenas da colônia de Massachusetts, diria, em 1674: "As melhores casas deles são bem cobertas, aconchegantes e aquecidas, com cascas de árvores, arrancadas de seus corpos na estação de muita seiva, e transformadas em grandes placas, sob a pressão de toras pesadas, quando ainda estão verdes [...] As mais singelas são cobertas com esteiras feitas de uma espécie de junco, e também são igualmente aconchegantes e aquecidas, mas não tão boas quanto as primeiras [...] Vi algumas de. quase trinta metros por dez de largura [...] Hospedei-me muitas vezes em suas *wigwams*, e achei-as tão bem aquecidas quanto as melhores casas inglesas". Ele acrescenta que em geral elas têm o chão forrado com tapetes e revestimento interno feito de esteiras bem trançadas e bordadas, além de ser mobiliadas com diversos utensílios. Os índios avançaram a ponto de regular o efeito do vento com uma esteira suspensa por sobre o furo do teto e controlada por um cordão. Esse tipo de tenda era a princípio construído em um ou dois dias no máximo, e depois desmontado e erguido novamente em poucas horas; e cada família tinha uma, ou sua parte em uma.

No estado selvagem cada família possui um abrigo da melhor qualidade possível, e suficiente para suas necessidades mais primitivas e simples; mas creio que falo com fundamento quando digo que, embora as aves no céu tenham seus ninhos, e as raposas suas tocas, e os selvagens suas *wigwams*, na sociedade civilizada moderna menos da metade das famílias possui casa própria. Nos grandes centros e cidades, onde a civilização predomina especialmente, o número de pessoas com casa própria é uma fração muito pequena do total. O resto paga todos os anos uma taxa por esse traje externo a tudo, que se torna indispensável no verão e no inverno, cujo valor daria para comprar toda uma aldeia de tendas indígenas, mas que agora ajuda a manter o cidadão pobre pelo resto da vida. Não pretendo aqui insistir na desvantagem de ser inquilino em comparação a ser proprietário, mas é evidente que o selvagem é dono de seu próprio abrigo porque custa muito barato, enquanto o civilizado aluga em geral porque não tem o suficiente para comprar; nem, no longo prazo, para alugar nada melhor. Mas, alguém dirá, pagando aluguel, o pobre homem civilizado consegue uma moradia que é um palácio se comparada à do selvagem. Um aluguel anual entre vinte e cinco e cem dólares (esses são valores da região) permite ao inquilino beneficiar-se de séculos de melhorias, apartamentos espaçosos, boa pintura e bom papel, lareira Rumford, estuque, persianas, canos de cobre, fechadura com mola, ampla dispensa e muitas outras coisas. Mas como é possível que aquele que diz desfrutar todas essas coisas seja geralmente um civilizado *pobre*, enquanto o selvagem, que não as tem, seja rico enquanto selvagem? Se dizem que a civilização é um verdadeiro avanço na condição humana – e eu penso que é mesmo, embora apenas o sábio aproveite suas vantagens –, deveriam provar que ela produziu melhores moradias sem torná-las mais caras; e o custo de uma coisa é a quantidade daquilo que vou chamar de vida que se exige em troca, à vista ou a prazo. Uma casa comum nesta região custa algo em torno de oitocentos dólares, e para conseguir essa quantia o trabalhador precisará dar dez ou quinze anos de sua vida de trabalho, mesmo que ele seja um pai de família – estimando o valor pecuniário do trabalho de um homem em um dólar por dia, pois se alguns ganham mais, outros ganham menos –; de modo que ele vai precisar passar mais da metade de sua vida assim antes de ser dono de sua *wigwam*. Se supusermos que em vez disso ele pague aluguel, seria escolher entre dois males. Seria sábio o selvagem ao trocar sua *wigwam* por um palácio nesses termos?

Alguém há de supor que reduzo quase toda a vantagem desta propriedade supérflua como um fundo guardado para o futuro, do ponto de vista do indivíduo, principalmente à isenção das despesas funerárias. Mas talvez não se deva exigir de um homem que se enterre a si mesmo. Não obstante isso aponte para uma distinção importante entre o civilizado e o selvagem; e, sem dúvida, tenham tido interesse em nos beneficiar, ao transformar a vida de um povo civilizado em uma instituição, na qual a vida do indivíduo é em grande medida absorvida, no intuito de preservar e aperfeiçoar a raça. Mas desejo mostrar com que sacrifício essa vantagem é obtida atualmente, e sugerir que poderíamos viver de maneira a garantir todas as vantagens sem sofrer nenhuma das desvantagens. O que quiseste dizer com os pobres sempre tendes convosco, ou com os pais comeram uvas verdes, e os dentes dos filhos se embotaram?[8]

"Enquanto eu viver, disse o Senhor Deus, não usareis mais esse provérbio em Israel."

"Eis que todas as almas são minhas; assim como a alma do pai, também a alma do filho é minha: a alma que pecar, esta morrerá."[9]

Quando penso em meus vizinhos, sitiantes de Concord, que estão pelo menos tão bem de vida quanto as outras classes, vejo que a maioria trabalhou vinte, trinta, quarenta anos até conseguir ser dono da própria terra, que em geral herdam com dívidas ou compraram com empréstimos – e podemos considerar que um terço desses anos de trabalho correspondeu ao custo de suas casas –, mas na maioria dos casos ainda não terminaram de pagar. É verdade, às vezes custos são mais altos que o valor da terra, de modo que a terra em si se torna uma despesa muito grande, e ainda assim alguém a herda, já familiarizado com ela, como se diz. Procurei os avaliadores, e fiquei surpreso ao ver que só tinham registro na cidade de uns dez proprietários sem dívidas e com as terras inteiramente quitadas. Se você quiser saber a história dessas terras, pergunte ao banco onde estão hipotecadas. Aqueles que de fato pagaram por sua terra com trabalho feito

---

8. Mateus 26: 11.
9. Ezequiel 18: 3-4.

nela são tão raros que qualquer vizinho saberá dizer quem são. Duvido que haja três deles em Concord. Aquilo que se diz dos comerciantes, que a grande maioria, quase noventa e sete por cento, acabará falindo, é igualmente verdade sobre os agricultores. Com relação aos comerciantes, no entanto, um deles diz algo muito pertinente, que a maioria das falências não é na verdade pecuniária, mas apenas desistência de cumprir com as obrigações, devido a inconveniências; isto é, é a falência do caráter moral. Mas isso confere uma feição infinitamente pior ao problema, e sugere, além do mais, que provavelmente nem aqueles três conseguiram salvar suas almas, mas talvez tenham ido à bancarrota em um sentido pior do que aqueles que faliram honestamente. A bancarrota e a moratória são os trampolins a partir dos quais boa parte da nossa civilização salta e vira em suas cambalhotas, mas o selvagem se encontra sobre a prancha inelástica da fome. No entanto a exposição de gado de Middlesex ocorre anualmente aqui com *éclat*, como se todas as engrenagens da máquina agrícola estivessem em perfeitas condições.

O agricultor está tentando resolver o problema da subsistência com uma fórmula mais complicada do que o problema em si. Para obter cadarços de couro, ele especula com uma boiada. Com consumada habilidade, ele armou sua arapuca para capturar conforto e independência, e então, quando se virou de lado, acabou preso pela perna. Eis o motivo de ele ser pobre; e por motivo semelhante somos todos pobres se comparados a mil confortos selvagens, ainda que cercados de luxos. Como cantava Chapman:

> *A falsa sociedade dos homens –*
> *– por grandezas mundanas*
> *Rarefaz no ar todos os confortos celestes.*[10]

E quando o agricultor se torna proprietário de sua casa, talvez não fique mais rico, porém mais pobre, e talvez a casa é quem seja sua proprietária. Da forma como eu entendo, foi uma objeção válida levantada

---

10. No original: "*The false society of men –/ –for earthly greatness/ All heavenly comforts rarefies to air*".

por Momo contra a casa feita por Minerva, de que ela "não a fizera móvel, meio pelo qual se podia evitar um mau vizinho"; e que ainda pode ser levantada, pois nossas casas são bens pesados, impossíveis de transportar, dos quais muitas vezes somos mais prisioneiros que moradores; e o mau vizinho a ser evitado somos miseravelmente nós mesmos. Conheço uma ou duas famílias, no mínimo, nesta cidade, há quase uma geração, que querem vender suas casas nos arrabaldes e mudar-se para o centro, mas não conseguem, e só a morte as libertará.

Suponhamos que a *maioria* consiga enfim ou comprar ou alugar uma casa moderna com todas as melhorias. Embora a civilização venha melhorando as casas, não vem conseguindo igualmente melhorar os homens que as habitam. Ela criou palácios, mas não foi tão fácil criar nobres e reis. E *se o homem civilizado não é mais digno que o selvagem, se ele emprega a maior parte de sua vida obtendo apenas necessidades materiais e confortos, por que deveria ter uma moradia melhor que a do selvagem?*

Mas como fica a pobre *minoria*? Talvez se descubra que, na mesma proporção que alguns se colocam acima do selvagem em condições externas, outros se degradam abaixo dele. O luxo de uma classe é contrabalançado pela indigência da outra. De um lado está o palácio, do outro o albergue e os "pobres que não pedem". As miríades que construíram as pirâmides para serem tumbas dos faraós comiam apenas alho, e talvez não tenham sido enterradas decentemente. O pedreiro que termina a cornija do palácio volta à noite talvez para uma cabana não tão boa quanto uma *wigwam*. É um equívoco supor que, em uma região onde existem as evidências mais comuns da civilização, a condição da vasta maioria dos moradores não possa ser degradada como a dos selvagens. Refiro-me aos pobres degradados, agora não mais aos ricos degradados. Para saber disso não precisaria procurar além dos barracos que por toda parte margeiam nossas ferrovias, esse último avanço da civilização; onde vejo em minhas caminhadas diárias seres humanos vivendo em pocilgas, passando o inverno inteiro com a porta aberta, para entrar luz, sem nenhum sinal visível, muitas vezes imaginado, de lenha, e as formas de velhos e jovens ficam permanentemente contraídas pelo longo costume de encolher-se de frio e miséria, e o desenvolvimento de seus braços, pernas e faculdades fica obstruído. É certamente bela de ver essa classe, cuja força de trabalho realizou as obras que distinguem esta geração. Tal é também, em medida maior ou menor, a condição dos operários de todos os tipos na Inglaterra, que é a maior *workhouse*[11] do mundo. Ou talvez pudesse me referir à Irlanda, marcada com uma das manchas brancas ou esclarecidas do mapa. Compare as condições físicas do irlandês e do índio norte-americano, ou do ilhéu dos mares do sul, ou qualquer outro povo selvagem antes de ser degradado pelo contato com o homem civilizado. Mas não tenho dúvida de que os governantes daqueles povos são tão sábios quanto a média dos governantes civilizados. Sua condição apenas prova quanta sordidez pode coexistir com a civilização. Mal precisaria me referir agora aos trabalhadores de nossos estados do sul, que produzem as principais exportações deste país, e que são eles mesmos um produto de exportação do sul. Porém me limitarei, aqui, àqueles que dizemos viver em circunstâncias *moderadas*.

A maioria dos homens parece nunca ter considerado o que é uma casa, e vive, ainda que desnecessariamente, pobre a vida inteira por achar que deveria ter uma igual à do vizinho. Como se alguém fosse vestir qualquer paletó que o alfaiate lhe vendesse, ou, tirando o chapéu de palha ou de pele, reclamasse que a vida está dura porque não pode comprar uma coroa! É possível inventar uma casa ainda mais conveniente e luxuosa do que a nossa, essa que todos admitimos ser impossível pagar. Será que devemos sempre estudar para obter essas coisas, em vez de, às vezes, nos contentar com menos? Deveria o cidadão respeitável gravemente ensinar, por preceitos e exemplos, a necessidade que todo rapaz tem de certo número de supérfluos, galochas e guarda-chuvas, e um quarto de hóspedes vago para vagos hóspedes, antes de morrer? Por que nossa mobília não é singela como a do árabe ou a do índio? Quando penso nos benfeitores da raça, que louvamos à apoteose como mensageiros do céu, portadores de dádivas divinas para o homem, não vejo em meu pensamento nenhum acólito vindo atrás, nenhum carregamento de sofisticada mobília. Ou, digamos que eu concordasse – não seria uma concessão peculiar? – que a nossa mobília fosse mais complexa que a do árabe, na medida em que fôssemos moral e intelectualmente superiores! Atualmente nossas casas estão repletas e lotadas de móveis, e uma boa dona de casa preferiria jogar a maior

---

11. Abrigo de trabalhadores pobres submetidos a trabalhos forçados.

parte no lixo mas não deixa o trabalho da manhã inacabado. Trabalho da manhã! Pelos rubores da Aurora e a música de Mêmnon, qual deveria ser o *trabalho da manhã* de um homem neste mundo? Eu tinha três pedaços de calcário na minha escrivaninha, mas fiquei aterrorizado ao descobrir que precisavam ser espanados diariamente, sendo que a mobília da minha cabeça ainda estava cheia de pó, e atirei-os pela janela com repulsa. Como então eu poderia ter uma casa mobiliada? Eu preferiria me sentar ao ar livre, pois a relva não junta pó, a não ser onde o homem desmatou o chão.

Quem vive no luxo e na dissipação estabelece as modas que o rebanho segue com aplicação. O viajante que pousa nas melhores hospedagens, por assim dizer, logo descobre isso, pois ali presumem que ele seja um Sardanápalo, e se ele se resignasse a submeter-se a seus ternos cuidados logo estaria completamente emasculado. Penso que no vagão do trem costumamos gastar mais em luxo que em segurança e conveniência, e o vagão ameaça tornar-se, sem atender a tais exigências, algo semelhante a uma sala moderna, com seus divãs e otomanas, e persianas e cem outras coisas orientais que levamos conosco para o Ocidente, inventadas para as damas do harém e os efeminados nativos do Império Celestial, cujos nomes nosso João Ninguém teria vergonha de pronunciar. Prefiro me sentar sozinho na minha abóbora a viver cercado por uma multidão em uma almofada de veludo. Prefiro percorrer o mundo em um carro de boi, com livre circulação, a ir ao céu em um vagão luxuoso de um trem de turismo respirando *malaria*, ar viciado, o trajeto inteiro.

A simplicidade e a nudez da vida do homem das eras primitivas implicam essa vantagem, ao menos, de deixá-lo ser ainda um hóspede temporário na natureza. Depois de recuperado com alimento e sono, ele contemplava novamente sua jornada. Vivia, na verdade, em uma tenda neste mundo, e estava sempre percorrendo os vales ou atravessando as planícies, ou escalando o topo das montanhas. Mas vejam só! Os homens se tornaram ferramentas de suas próprias ferramentas. Aquele que colhia independentemente frutos quando tinha fome tornou-se agricultor; e aquele que se abrigava embaixo da árvore, doméstico. Hoje já não acampamos para passar a noite, mas nos estabelecemos na terra e esquecemos o céu. Adotamos o cristianismo meramente como um método aperfeiçoado de agricultura. Construímos para este mundo uma mansão, e para o próximo um túmulo. As melhores obras de arte são expressão da luta do homem para libertar-se desta condição, mas o efeito de nossa arte é meramente tornar confortável esse estado inferior e fazer esquecer aquele estado superior. Na verdade, não há lugar nesta aldeia para obras de belas-artes, caso alguém herde alguma, pois nossa vida, nossas casas e ruas não constituem pedestal apropriado para tanto. Não existe um único prego onde pendurar um quadro, nenhuma prateleira para receber o busto de um herói ou um santo. Quando penso na forma como nossas casas são construídas e pagas, ou não pagas, e em como sua economia interna é gerenciada e mantida, pergunto-me se o assoalho não acabará cedendo embaixo da visita enquanto ela admira bugigangas sobre a lareira, levando-a diretamente ao porão, à fundação sólida e honesta embora terrena. Não posso deixar de notar que essa vida por assim dizer rica e refinada é algo que se alcança aos saltos, e acabo nunca desfrutando as belas-artes que adornam essa vida, pois minha atenção fica inteiramente ocupada com o salto; pois me lembro que maior e mais genuíno salto, devido exclusivamente aos músculos humanos, de que se tem registro é o daqueles nômades árabes que, dizem, saltam quase oito metros de distância em terreno plano. Sem impulso de qualquer outro artifício, certamente qualquer um aterrissa antes disso. A primeira coisa que me sinto tentado a perguntar ao proprietário de tamanha impropriedade é: Quem o sustenta? Você é um dos noventa e sete que falham, ou um dos três que têm sucesso? Responda a essas perguntas, e aí talvez eu olhe para os seus badulaques e os ache ornamentais. O carro na frente dos bois não é nem belo nem útil. Antes de adornar nossas casas com objetos bonitos, as paredes devem estar nuas, e nossas vidas devem ficar nuas, e que a fundação seja o belo cuidado da casa e o belo viver: ora, o gosto pelo belo é geralmente cultivado ao ar livre, onde não existe nem casa, nem dono.

O velho Johnson, em sua "Providência Maravilhosa do Salvador de Sião na Nova Inglaterra", falando dos primeiros colonos desta cidade, de quem ele havia sido contemporâneo, nos diz que "eles se protegem na terra como primeiro abrigo, embaixo de alguma encosta, e, suspendendo a terra com toras, eles fazem uma fogueira com muita fumaça no chão, do lado mais alto". Eles não "faziam casas", diz ele, "até que a terra, pela bênção do Senhor, fornecesse alimento", e a colheita do primeiro ano foi tão pouca "que eles foram obrigados a fazer fatias bem finas do pão por uma longa temporada". O secretário da província da Nova Holanda, escrevendo em holandês, em 1650, informando aqueles que desejassem terras lá, afirma mais especificamente que "aqueles na Nova Holanda, e especialmente na Nova Inglaterra, que não dispõem de recursos a princípio para construir casas de acordo com seus desejos, costumam cavar um fosso quadrado no chão, como um porão, com cerca de dois metros de profundidade, do comprimento e da largura que acharem por bem, revestem as paredes com madeira e rejuntam com cascas de árvores ou coisa parecida para evitar que a terra penetre pelas frestas; forram o chão desse porão com tábuas, e apoiam pranchas de madeira como teto, erguido sobre estacas espaçadas, e cobrem tudo com cascas de árvores e tufos de turfa, de modo que possam viver aquecidos e secos ali dentro com suas famílias por dois, três ou quatro anos, uma vez que as divisões dos cômodos desses porões podiam ser adaptadas conforme o tamanho da família. Os homens mais ricos e importantes da Nova Inglaterra, no início das colônias, começaram a viver dessa maneira por dois motivos: primeiramente, para não perder tempo com a construção, e não faltar alimento para a estação seguinte; em segundo lugar, para não desencorajar o pobre povo trabalhador que eles trouxeram aos milhares da pátria. Ao longo de três ou quatro anos, quando a terra se tornou adaptada à agricultura, eles construíram belas casas, gastando nelas muito dinheiro".

Nessa conduta adotada por nossos ancestrais havia uma mostra de prudência ao menos, como se seu princípio fosse satisfazer primeiro as necessidades mais prementes. Mas hoje as necessidades mais prementes estão sendo atendidas? Quando penso em adquirir para mim mesmo uma dessas moradias luxuosas, hesito, pois, por assim dizer, a região não está adaptada ainda à cultura *humana*, pois, por assim dizer, ainda somos obrigados a cortar fatias muito mais finas de nosso pão *espiritual* do que nossos ancestrais cortavam do de trigo. Não que todo ornamento arquitetônico deva ser negligenciado nos períodos mais rudes; mas, primeiro, que nossas casas se revistam de uma beleza que entre em contato com nossa vida, como a concha com o molusco, e não que se sobreponha à vida. Mas, ai! Estive dentro de uma ou duas delas, e sei bem com que são revestidas.

Embora não sejamos tão degenerados a ponto de não conseguirmos mais viver em cavernas ou em *wigwams* ou usar peles de animais hoje em dia, certamente é melhor aceitar as vantagens, ainda que compradas a preço tão alto, que a invenção e a indústria humanas oferecem. Em uma região como esta, tábuas e telhas de madeira, cal e tijolos, são mais baratos e mais facilmente acessíveis que cavernas adequadas, ou toras inteiriças, ou cascas em quantidades suficientes, ou mesmo barro bem temperado ou pedras lisas. Falo por experiência sobre esse tema, pois me familiarizei com ele tanto teórica quanto praticamente. Com um pouco mais de astúcia podemos usar esses materiais de maneira a torná-los mais ricos do que os mais ricos são agora, e tornar nossa civilização uma bênção. O homem civilizado é um selvagem com mais experiência e mais prudência. Mas avancemos em meu próprio experimento.

Perto do fim de março de 1845, peguei um machado emprestado e desci para os bosques em volta do lago Walden, no ponto mais próximo de onde eu pretendia construir minha casa, e comecei a derrubar alguns pinheiros brancos altos e pontudos, ainda jovens, para obter toras. É difícil começar sem pegar nada emprestado, mas talvez seja a conduta mais generosa permitir que seus semelhantes se interessem por sua empreitada. O dono do machado, ao abrir mão de sua posse, disse que era a menina de seus olhos; mas o devolvi mais afiado do que o recebi. Era uma encosta aprazível onde fiquei trabalhando, coberta de pinhais, através dos quais eu via o lago, e uma pequena clareira no bosque, onde os pinheiros e as nogueiras ainda brotavam. O gelo do lago ainda não havia derretido, embora houvesse alguns espaços abertos, e estava escuro e alto. Durante os dias em que estive trabalhando ali aconteceram algumas breves rajadas de neve; mas a maior parte do tempo quando eu vinha pela ferrovia, a caminho de casa, a areia amarela se estendia reluzente naquela atmosfera enevoada, e os trilhos brilhavam ao sol da primavera, e escutei a cotovia e o papa-moscas e outras aves que já voltavam para começar mais um ano conosco. Foram dias amenos de primavera, nos quais o inverno do descontentamento dos homens degelava assim como a terra, e a vida entorpecida em seu langor começava a se espreguiçar. Um dia, quando meu machado havia se soltado e eu cortara uma nogueira verde para fazer uma cunha, batendo com uma pedra, depois de colocar tudo dentro de um buraco na beira do lago para a água inchar a madeira, vi uma cobra listrada entrar na água, e ficar parada no fundo, aparentemente sem maiores inconveniências, durante todo o tempo em que fiquei ali, ou seja, mais de quinze minutos; talvez porque ainda não tivesse saído totalmente de sua letargia. Pareceu-me então que por razão semelhante os homens permaneciam em sua atual condição inferior e primitiva; mas se sentissem a influência da primavera das primaveras a despertar dentro de si, eles necessariamente ascenderiam a uma vida superior e mais etérea. Eu já tinha visto cobras antes em meu caminho nas manhãs geladas com partes de seus corpos ainda adormecidas e inflexíveis, esperando que o sol as degelasse. No 1º de abril choveu e o gelo derreteu, e de manhã bem cedo, quando estava muito nublado, escutei um ganso sozinho patinhando perto do lago e grasnando como se estivesse perdido, ou como se fosse o espírito do nevoeiro.

Então fiquei alguns dias cortando e desbastando troncos, e também vigas e travessas, sempre com meu machado estreito, sem ter muitos pensamentos comunicáveis ou acadêmicos, cantarolando comigo mesmo:

> *Eles dizem saber muito;*
> *Ganharam asas nesse intuito! —*
> *Artes, ciências,*
> *E mil conveniências;*
> *Mas a direção do vento*
> *É seu único conhecimento.*

Desbastei toras de quarenta centímetros quadrados, a maior parte das vigas apenas em dois lados, e as travessas e as tábuas do assoalho apenas de um, deixando o resto da casca, de modo que ficaram retas como se tivessem sido serradas e ainda mais fortes. Cada peça foi cuidadosamente talhada em caixa ou espiga na mesma altura, pois eu havia tomado emprestado outras ferramentas a essa altura. Meus dias nos bosques não eram muito longos; embora geralmente eu levasse meu jantar de pão com manteiga, e lesse o jornal em que estava embrulhado, ao meio-dia, sentado em meio aos galhos verdes de pinheiro que eu havia cortado, e ao pão se transmitia um pouco dessa fragrância, pois minhas mãos ficavam cobertas de uma camada grossa de resina. Antes de terminar eu já era mais amigo que inimigo do pinheiro, depois de conhecê-lo melhor, embora tivesse derrubado alguns deles. Às vezes um andarilho no bosque era atraído pelo som do meu machado, e conversávamos agradavelmente em meio às lascas que eu produzia.

Em meados de abril, pois eu trabalhava sem a mínima pressa, e aproveitava ao máximo, minha casa estava montada e pronta para ser erguida. Eu já tinha comprado um barraco de James Collins, um irlandês que trabalhava na ferrovia de Fitchburg, para usar as tábuas. O barraco do James Collins era especialmente bem-feito. Quando fui visitá-lo, ele não estava em casa. Dei a volta no barraco, a princípio aparentemente sem que ninguém me visse lá de dentro, de tão funda e alta que era a janela. Era pequeno, com o telhado pontudo de um chalé, e não tinha muito mais do que isso, e em toda a volta havia um metro e meio de terra revolvida, como se fosse uma pilha de compostagem. O telhado era a parte mais firme, embora um bocado lascado e ressecado pelo sol. Não havia soleira, mas uma passagem perene para as galinhas por baixo da tábua que formava a porta. A senhora C. veio atender e me convidou para conhecer por dentro. As galinhas se espantaram com a minha chegada. Era escuro, e o chão quase todo de terra, úmido, insalubre, apenas aqui e ali uma tábua que não conseguiram arrancar. Ela acendeu um lampião para me mostrar o telhado e as paredes por dentro, e também que o assoalho se estendia por baixo da cama, alertando para eu não cair no porão, uma espécie de lixeira escavada no chão com pouco mais de meio metro de profundidade. Nas palavras dela, tinha "tábua boa em cima, tábua boa em volta, e uma bela janela" – originalmente formada por duas esquadrias, apenas a gata agora passava por lá. Havia um fogão, uma cama, e um lugar para sentar, um bebê ali mesmo nascido, uma sombrinha de seda, um espelho com moldura dourada, e um moedor de café pregado a um cepo verde de carvalho, e mais nada. O negócio logo seria fechado, pois James nesse ínterim havia voltado. Paguei quatro dólares e vinte e cinco centavos nessa mesma noite, e ele sairia às cinco horas da manhã seguinte, e não poderia vender para mais ninguém até lá: eu voltaria às seis. Estava tudo certo, ele disse, que eu viesse cedo, e me antecipasse a qualquer cobrança, vaga mas inteiramente injustificável, de dívidas referentes ao aluguel do terreno e ao custo da lenha. Essa, ele me garantiu, talvez fosse a única despesa pendente. Às seis da manhã passei por ele e a família na estrada. Um grande fardo envolvia tudo – cama, moedor, espelho, galinhas – tudo menos a gata; fugira para o bosque e se tornara uma gata selvagem, e, como eu ficaria sabendo depois, acabaria presa em uma armadilha de marmota, e portanto se tornou por fim uma gata morta.

Desmontei o barraco naquela mesma manhã, arrancando os pregos, e levei-o até a beira do lago com um carrinho, espalhando as tábuas na relva para clarearem e desempenarem ao sol. Um tordo madrugador me assobiou uma ou duas notas enquanto eu seguia pela trilha através do bosque. Fui informado traiçoeiramente por um jovem Patrick que um certo vizinho Seeley, também irlandês, enquanto eu ia e vinha, transferiu meus pregos, grampos e encaixes ainda razoáveis, retos e utilizáveis, para o próprio bolso, e depois que eu voltei ficou ali parado fazendo hora, olhando impávido para cima, despreocupadamente, pensando na primavera, diante da devastação; estava fraco de trabalho, ele me disse. Ele estava ali para representar o espectador, e ajudar a fazer daquele acontecimento aparentemente insignificante algo semelhante à retirada dos deuses de Troia.

Cavei meu porão na encosta de uma colina que dava para o sul, onde uma marmota anteriormente havia cavado sua toca, através das raízes do sumagre e da amora-preta, e do estrato mais baixo de vegetação, pouco mais de meio metro quadrado por dois metros de profundidade, até chegar a uma areia fina em que as batatas não congelariam em nenhum inverno. As laterais foram deixadas em prateleiras de areia, sem revestimento de pedra; mas como o sol nunca brilhou ali, a areia se mantém no lugar. Trabalhei apenas duas horas. Senti um prazer especial em violar a terra, pois em quase todas as latitudes o homem cava a terra para obter uma temperatura amena. Embaixo da casa mais esplêndida da cidade ainda se pode encontrar o porão onde armazenavam seus tubérculos de outrora, e muito tempo depois que a superestrutura desapareceu a posteridade conserva sua marca na terra. A casa ainda é uma espécie de alpendre na entrada de uma toca.

Enfim, no início de maio, com a ajuda de alguns conhecidos, mais para aproveitar uma boa ocasião de exercer a vizinhança do que por alguma necessidade, ergui a estrutura da minha casa. Jamais um homem se sentiu tão honrado pelo caráter de seus ajudantes quanto eu. Eles estão destinados, acredito, a ajudar a erguer estruturas mais elevadas um dia. Comecei a ocupar minha casa no dia 4 de julho, assim que ficaram prontos o assoalho e o telhado, pois as tábuas foram cuidadosamente cavilhadas e encaixadas, de modo que ficou perfeitamente impermeável à chuva, mas antes de encerrar o assoalho fiz a fundação de uma lareira em um dos cantos, trazendo do lago dois carrinhos cheios de pedras da encosta. Construí a lareira depois de trabalhar o outono inteiro carpindo com a enxada, antes que o fogo se tornasse necessário para me aquecer, cozinhando enquanto isso ao ar livre, no chão, de manhã bem cedo: sistema que ainda considero em alguns aspectos mais conveniente e mais agradável do que o mais usual. Se trovejava antes de meu pão assar, punha algumas tábuas sobre o fogo, e me sentava embaixo delas para ficar vendo o pão assar, passando algumas horas agradáveis assim. Nesses dias, quando minhas mãos estavam sempre ocupadas, li bem pouco, mas alguns pedaços de jornal que encontrei pelo chão, embrulhos, minha toalha de mesa, entretiveram-me tanto quanto a *Ilíada* – e na verdade correspondiam ao mesmo propósito.

Teria sido o caso de construir de maneira ainda mais lenta do que construí, considerando, por exemplo, qual o fundamento de uma porta, uma janela, um porão, um sótão, na natureza do homem, e talvez só erguer alguma superestrutura quando encontrássemos um motivo melhor do que apenas nossas necessidades temporais. Existe uma aptidão semelhante no homem que constrói a própria casa e no pássaro que constrói seu ninho. Quem sabe se os homens construíssem suas moradas com as próprias mãos, e obtivessem alimento para si e a família de maneira simples e honesta o suficiente, a faculdade poética não seria universalmente desenvolvida, como as aves cantam universalmente enquanto fazem o mesmo? Mas não! Agimos como os chupins e cucos, que põem seus ovos nos ninhos que outras aves construíram, e não alegram nenhum viajante com suas notas cacarejadas e antimusicais. Será que transferiremos eternamente o prazer da construção ao carpinteiro? Qual a importância da arquitetura na experiência da maioria das pessoas? Nunca em todas as minhas andanças encontrei alguém envolvido em uma ocupação mais simples e natural que a construção da própria casa. Nós pertencemos à comunidade. Não é apenas o alfaiate que é a nona parte de um homem; também o pregador e o comerciante e o agricultor o são. Onde termina essa divisão do trabalho? E a que objetivo ela serve afinal? Sem dúvida, outro *pode* também pensar por mim; mas não é desejável que o faça de maneira a impedir que eu pense por mim mesmo.

De fato, existem os chamados arquitetos entre nós, e ouvi falar de um pelo menos que era possuído pela ideia de fazer que os ornamentos arquitetônicos tivessem um cerne de verdade, uma necessidade, e portanto uma beleza, como se fossem revelações para ele. Tudo isso seria muito bom, do seu ponto de vista, mas talvez fosse apenas um pouco melhor que um diletantismo comum. Reformador sentimental da arquitetura, ele começou pela cornija, não pela fundação. Era mera questão de arranjar um núcleo de verdade para inserir nos ornamentos, como todo confeito, na verdade, poderia ter uma amêndoa ou uma semente de cariz dentro – embora eu defenda que as amêndoas são mais saudáveis sem açúcar –, e não de como o habitante, o morador, poderia construir realmente por dentro e por fora, e deixar os ornamentos de lado. Que homem razoável algum dia supôs que o ornamento fosse meramente algo externo e superficial – que a tartaruga conseguiu seu casco pintado, ou o molusco seus tons de madrepérola, mediante um contrato, como os moradores da Broadway com sua Trinity Church? Mas o homem não tem que lidar com o estilo da arquitetura de sua casa, assim como à tartaruga não importa o estilo de sua concha: nem o soldado precisa se dar ao ócio de tentar pintar a *cor* exata de sua virtude no estandarte. O inimigo saberá distingui-la. Ele é capaz de empalidecer na hora da verdade. Esse homem me parece alguém pendurado na cornija, e timidamente sussurra sua meia verdade aos rústicos moradores que realmente sabiam mais do que ele. Toda a beleza arquitetônica que vejo agora sei que gradualmente cresceu de dentro para fora, a partir das necessidades e do caráter do morador, que é o único construtor – a partir de uma sinceridade inconsciente, de uma nobreza, sem jamais pensar na aparência, e qualquer beleza adicional desse tipo destinada a ser produzida será precedida por uma beleza da vida igualmente inconsciente. As habitações mais interessantes deste país, como sabe o pintor, são as menos pretensiosas, a humilde cabana de tronco e o barraco de pobre comum; é a vida dos moradores, da qual a casa é a concha, e não meramente qualquer peculiaridade de sua superfície, que a torna *pitoresca*; e igualmente interessantes serão as caixas suburbanas dos citadinos quando sua vida for simples e agradável à imaginação e houver pouco esforço em busca de estilo em sua moradia. Em grande medida, os ornamentos arquitetônicos são literalmente ocos, e uma tempestade de setembro os arrancaria, como plumas emprestadas, sem prejudicar a substância. Quem não tem azeitona nem vinho no porão bem pode passar sem *arquitetura*. E se a mesma agitação se fizesse em torno dos ornamentos de estilo na literatura, e os arquitetos das nossas bíblias passassem muito tempo nas cornijas como os arquitetos de nossas igrejas? Assim se fazem as *belles--lettres* e as *beaux-arts* e aqueles que as professam. Que importância terá para um homem quantas ripas estão encaixadas acima ou embaixo dele, e de que cores pintaram uma caixa? Isso significaria alguma coisa se, do modo mais franco possível, *ele* mesmo as tivesse encaixado ou pintado; mas havendo o espírito abandonado o inquilino, é coerente que ele esteja construindo o próprio caixão – a arquitetura da sepultura – e "carpinteiro" seja apenas outro nome para "fabricante de caixão". Um homem sugeriu, em seu desespero ou sua indiferença pela vida, pegar um punhado de terra a seus pés e pintar sua casa dessa cor. Estaria ele pensando em sua última morada embaixo da terra? Aposto uma moeda de cobre nisso também. Que abundância de ócios não há de ter tal pessoa? Por que pegar um punhado de terra? Melhor pintar sua casa da cor da sua pele; deixar que ela empalideça e enrubesça por você. Tanto trabalho para melhorar o estilo da arquitetura das cabanas! Quando você terminar de fazer meus ornamentos, vou até vesti-los.

Antes do inverno construí uma lareira, e revesti as laterais de minha casa, que já era impermeável à chuva, com telhas imperfeitas e grudentas feitas da primeira camada do tronco, cujos cantos fui obrigado a corrigir com uma plaina.

Tenho portanto uma casa compacta, telhada e calafetada, de três metros de largura por quatro e meio de comprimento, e postes de dois metros e meio, dois alçapões, uma porta nos fundos, e uma lareira de tijolos do outro lado. O custo exato da minha casa, pagando o preço comum pelos materiais que usei, mas sem contar o trabalho, que foi todo feito apenas por mim, foi o seguinte; e dou os detalhes porque poucas pessoas são capazes de dizer exatamente quanto custaram suas casas, e ainda mais raras, se é que existe alguém, sabem separadamente os custos dos diversos materiais que a compõem:

Tábuas.	. $8,03 ½ (a maioria reutilizada do barraco)
Refugos de lambris para telhado e laterais. .	4,00
Sarrafos	1,25
Duas janelas de segunda mão com vidros . .	2,43
Mil tijolos velhos	4,00
Dois barris de cal	2,40 Isso foi caro.
Corda	0,31 Mais que o necessário.
Barra de sustentação de ferro para lareira . .	0,15
Pregos	3,90
Dobradiças e parafusos.	0,14
Ferrolho	0,10
Gesso	0,01
Transporte	1,40 } carreguei boa parte nas costas
Total	$28,12 ½

Esses foram todos os materiais, exceto as toras, pedras, e areia, sobre as quais reivindiquei direitos de ocupante. Tenho também um pequeno telheiro adjacente, feito basicamente de coisas que sobraram da construção da casa.

Minha intenção é construir uma casa que supere qualquer outra da rua principal de Concord em grandiosidade e luxo, assim que essa casa me agradar tanto e não me custar mais do que a atual.

Assim descobri que um estudante que quiser um abrigo poderá obter um para a vida inteira a um custo menor ou igual ao que ele já paga anualmente. Se pareço me gabar mais do que é apropriado, minha desculpa é que bravateio pela humanidade e não tanto por mim mesmo; e minhas deficiências e inconsistências não afetam a verdade da minha afirmação. Não obstante muita lábia e hipocrisia – joio que acho difícil separar do meu trigo, mas que lamento como qualquer pessoa –, respirarei livremente e me alongarei sobre esse aspecto, tamanho o alívio tanto para o sistema moral como para o físico; e estou decidido a não me tornar por humildade o advogado do diabo. Tentarei falar bem da verdade. Em Cambridge, só o aluguel de um quarto de estudante, que é apenas um pouco maior que o meu, custa trinta dólares por ano, embora a universidade tenha aproveitado para construir trinta e dois deles, lado a lado, embaixo do mesmo teto, e o ocupante sofra a inconveniência dos muitos vizinhos barulhentos, e às vezes a de morar no quarto andar. Não consigo deixar de pensar que se tivéssemos uma verdadeira sabedoria nesse aspecto, não só precisaríamos de menos educação, pois, quem diria, já teríamos adquirido mais, como a despesa com educação estaria em grande medida extinta. Essas conveniências de que um estudante precisa em Cambridge ou em outro lugar qualquer custam, a ele ou a qualquer outro, um sacrifício de vida dez vezes maior do que custariam se houvesse uma administração mais adequada de ambas as partes. As coisas pelas quais se exige mais dinheiro nunca são as coisas que o estudante mais deseja. A anuidade da escola, por exemplo, é um item importante da conta final, ao passo que a educação muito mais valiosa que ele obtém pelo convívio com os mais cultos de seus contemporâneos não lhe custa nada. O modo de fundação de uma faculdade, geralmente, é pela subscrição de dólares e centavos, e então, seguindo cegamente os princípios da divisão do trabalho ao seu extremo – princípio que só se deve seguir com circunspecção –, chamam um empreiteiro que torna aquilo um objeto de especulação, e ele contrata irlandeses ou outros operários para efetivamente fazer a fundação, enquanto, dizem, os futuros estudantes estão se preparando para nela ingressar; e é por essas supervisões que sucessivas gerações terão de pagar. Penso que *melhor do que isso*, para os estudantes, ou para quem quisesse se beneficiar com isso, seria os próprios estudantes fazerem a fundação sozinhos. O estudante que garante seu cobiçado ócio e repouso sistematicamente evitando qualquer tipo de trabalho necessário ao homem obtém apenas um ócio ignóbil e pouco proveitoso, privando-se da única experiência que pode tornar o ócio frutífero. "Mas", dirá alguém, "você não está dizendo que o estudante deve trabalhar com as mãos em vez de usar a cabeça?" Não é exatamente isso que eu quero dizer, mas ele poderá pensar que é algo muito parecido com isso mesmo; quero dizer que o estudante não deveria meramente *brincar* de viver ou *estudar* a vida, enquanto a comunidade o sustenta nessa brincadeira cara, mas sim *viver* de verdade desde o início até o fim. Como os jovens poderiam aprender melhor a viver do que fazendo diretamente o experimento da vida? Isso haveria de exercitar sua cabeça tanto quanto a matemática. Se eu quisesse que um menino aprendesse alguma coisa sobre as artes e as ciências, por exemplo, não seguiria o caminho comum, que é apenas enviá-lo a algum professor da vizinhança, onde se pode professar e praticar tudo menos a arte da vida – investiga-se o mundo através de um telescópio ou microscópio, e nunca a olho nu; estuda-se química, e não se aprende a fazer pão, ou mecânica, e não se aprende a ganhar a vida; descobrem-se novos satélites de Netuno, e não se detecta a trave ou a viga no próprio olho, nem de que astro errante o próprio menino é também um satélite; ou se é devorado por monstros que pululam ao redor, enquanto contempla os monstros de uma gota de vinagre. Quem teria avançado mais ao final do mês: o menino que fez o próprio canivete a partir do minério que escavou e fundiu, lendo o necessário para tanto; ou o menino que compareceu a aulas de metalurgia no instituto e, nesse ínterim, ganhou um canivete Rodgers do pai? Quem teria maior probabilidade de cortar o dedo?... Para meu espanto, fui informado ao terminar a faculdade de que havia estudado navegação! – ora, se tivesse ido ao porto teria aprendido muito mais. Até mesmo o estudante *pobre* estuda e aprende apenas economia *política*, enquanto a economia da vida que é sinônimo de filosofia não é sequer professada sinceramente em nossas faculdades. A consequência é que, enquanto estuda Adam Smith, Ricardo e Say, o estudante faz o pai se endividar irrevogavelmente.

Como ocorre com as nossas faculdades, o mesmo se dá com cem "avanços modernos"; existe uma ilusão com relação a eles; nem sempre há um avanço positivo. O diabo continua extraindo juros agregados até o final relativos a sua cota inicial e aos numerosos investimentos que se sucederam. Nossas invenções tendem a ser belos brinquedos, que distraem nossa atenção de coisas sérias. Não passam de meios aperfeiçoados para um fim não aperfeiçoado, um fim que de antemão era fácil demais de alcançar; como as ferrovias levando a Boston e a Nova York. Estamos com muita pressa para construir um telégrafo magnético ligando o Maine ao Texas; mas talvez o Maine e o Texas não tenham nada de importante para comunicar. Ambos se encontram na situação do homem que queria ser apresentado a uma importante senhora surda, mas quando estava diante dela, e puseram a ponta do aparelho em sua mão, não lhe ocorreu nada para dizer. Como se o principal objetivo fosse falar depressa, e não dizer coisas razoáveis. Estamos ávidos para fazer um túnel por baixo do Atlântico para tornar o Velho Mundo algumas semanas mais próximo do Novo; mas talvez a primeira notícia que passe através do cabo e chegue aos ouvidos americanos seja que a princesa Adelaide está com coqueluche. Afinal, o homem cujo cavalo trota uma milha por minuto não leva as mensagens mais importantes; não é nenhum evangelista, tampouco se alimenta de gafanhotos e mel silvestre. Duvido que o cavalo Flying Childers algum dia tenha carregado uma saca de milho nas costas até o moinho.

Disseram-me: "Estranho você não guardar dinheiro; você adora viajar; podia ir de trem a Fitchburg hoje mesmo e conhecer o país". Mas eu é que sei. Aprendi que o viajante mais ágil é aquele que vai a pé. Respondi ao meu amigo: "Suponha que fôssemos apostar para ver quem chega lá primeiro. A distância é de trinta milhas; a passagem custa noventa centavos. É quase um dia de salário. Lembro-me de quando nesta mesma ferrovia os trabalhadores ganhavam sessenta por dia. Bem, imagine que eu saia agora a pé e chegue lá antes que anoiteça; tenho andado essa média por semana. Você, nesse ínterim, gasta o valor da passagem, e chega lá amanhã, ou talvez hoje à noite, e, com sorte, arranja um serviço ainda na temporada. Em vez de ir a Fitchburg, você ficará trabalhando aqui a maior parte do dia. E sendo assim, ainda que a ferrovia dê a volta ao mundo, acho que estarei na sua frente; e, para conhecer o país e ter experiências desse tipo, teríamos de interromper nossa amizade".

Essa é a lei universal, que nenhum homem jamais poderá enganar, e quanto à ferrovia até podemos dizer que é tão longa quanto larga. Fazer uma ferrovia ao redor do globo acessível a toda a humanidade é o equivalente a aplainar toda a superfície do planeta. Os homens têm uma noção instintiva de que se continuarem com essas ações, de bolsas e pás, por tempo suficiente, acabarão chegando a algum lugar, quase na mesma hora, quase de graça; mas, embora uma multidão se aproxime da estação, e o condutor grite "Todos a bordo!" quando a fumaça é soprada e o vapor condensado, acabarão percebendo que alguns estão acomodados, mas o resto está sendo atropelado – e isso se chamará, e será, "um acidente melancólico". Sem dúvida, poderão partir enfim aqueles que pagaram passagem, isto é, se sobreviverem até lá, mas provavelmente já terão perdido a elasticidade e o desejo de viajar nessa altura da vida. O desperdício da melhor parte da vida ganhando dinheiro para desfrutar uma liberdade questionável durante a parte menos valiosa da vida me lembra do inglês que foi à Índia fazer fortuna primeiro, para depois voltar à Inglaterra e viver como um poeta. Ele deveria ter subido para o sótão desde o início. "O quê?", exclamam um milhão de irlandeses vindo de todos os barracos da região. "Você está dizendo que essa ferrovia que nós construímos não é uma coisa boa?" Sim, respondo, *comparativamente* boa, isto é, podia ter sido pior; mas eu preferiria, como vocês são meus irmãos, que tivessem aproveitado melhor seu tempo, não cavando esta lama.

Antes de terminar minha casa, no intuito de ganhar dez ou doze dólares de maneira honesta e agradável, para cobrir gastos inesperados, plantei cerca de dois acres e meio de terra leve e arenosa ao lado, quase só feijão, mas também uma pequena parte de batata, milho, ervilha e nabo. O lote inteiro tem onze acres, a maior parte é ocupada por pinheiros e nogueiras, e foi vendido na temporada passada por oito dólares e oito centavos por acre. Um sitiante comentou que "não servia para nada além de criar esquilos barulhentos". Não adubei essa terra, não sendo proprietário, mas mero ocupante, e sem a perspectiva de cultivá-la muito outra vez, nunca sequer carpi com a enxada toda a sua extensão. Arranquei diversos cepos e tocos ao arar, que me forneceram lenha por muito tempo, e deixei pequenos círculos de terra virgem, facilmente distinguíveis no verão pela exuberância dos feijões nascidos ali. A madeira morta e praticamente invendável do bosque atrás da minha casa, mais o que vinha boiando à deriva no lago, forneceram o restante do meu combustível. Fui obrigado a alugar uma junta de bois e um homem, embora eu mesmo fosse segurando o arado.

Meus gastos na primeira temporada foram, com implementos, sementes, trabalho etc., catorze dólares e setenta e dois centavos e meio. As sementes de milho me foram dadas. Na verdade, não custam nada, a não ser que você plante mais do que o suficiente. Colhi doze balaios de feijão, e dezoito balaios de batata, além de um pouco de ervilha e milho doce. O milho amarelo e o nabo demoraram demais e não deram quase nada. Minha renda total com o sítio foi

$23,44
Deduzindo as despesas . . . 14,72½
Sobraram $8,71½

além dos produtos consumidos e disponíveis, que tinha à mão quando desta estimativa, no valor de quatro dólares e cinquenta centavos – quantidade estocada que superava em muito o pouco de pasto em que não plantei nada. Tudo somado, isto é, considerando a importância da alma do homem e de hoje em dia, não obstante o pouco tempo que levou meu experimento, não, em parte devido a seu caráter transitório, acredito ter me saído melhor do que qualquer agricultor em Concord aquele ano.

No ano seguinte, eu me saí melhor ainda, pois lavrei sozinho toda a terra que quis, cerca de um terço de um acre, e aprendi com a experiência desses dois anos a não me deixar minimamente impressionar pelas muitas obras célebres sobre agricultura e pecuária, de Arthur Young, entre outras, pois se a pessoa viver simplesmente e comer apenas aquilo que plantar, e não plantar mais do que come, e não trocar isso por uma quantidade insuficiente de coisas mais luxuosas e mais caras, só será preciso cultivar algumas fileiras, e será mais barato cavar com a pá do que usar bois para ará-la, e que é melhor escolher a cada vez um local novo do que adubar o mesmo terreno, e que seria possível fazer todo o trabalho necessário na terra com a mão nas costas nas horas vagas do verão; e que portanto não é preciso se amarrar a um boi, a um cavalo, ou a um porco, como atualmente se faz. Meu desejo é falar imparcialmente sobre esse ponto, como alguém que não está interessado no sucesso ou no fracasso dos atuais arranjos econômicos e sociais. Fui mais independente que qualquer outro agricultor de Concord, pois não estava ancorado a uma casa ou a uma terra, mas podia seguir a inclinação do meu gênio, que é um gênio muito tortuoso, a cada momento. Além de estar me saindo melhor que os outros, se minha casa pegasse fogo ou eu perdesse minha colheita, eu continuaria quase tão bem quanto antes.

Tendo a pensar que os homens não são tanto pastores de rebanhos, mas que os rebanhos são pastores de homens. Os homens e os bois trocam trabalho; mas, se considerarmos apenas o trabalho necessário, veremos que os bois levam grande vantagem, seu quinhão é muito maior. O homem faz um pouco da sua parte na troca de trabalho nas seis semanas de colheita do feno, o que não é nenhuma brincadeira de criança. Certamente nenhum país que tenha vivido simplesmente, em todos os aspectos, isto é, nenhum país de filósofos, cometeria erro tão grande como usar trabalho animal. De fato, nunca houve e não é provável que venha a haver em breve um país de filósofos, tampouco sei ao certo se seria desejável que houvesse. No entanto, pessoalmente, *eu* jamais domesticaria um cavalo ou um touro nem os levaria a fazer qualquer trabalho para mim, com receio de me tornar apenas um cavaleiro ou um vaqueiro; e se a sociedade parece sair ganhando com isso, será que temos certeza de que o ganho de um não é a perda do outro, e de que o cavalariço não tem o mesmo direito que seu patrão de se satisfazer? Admitindo que algumas obras públicas não teriam sido construídas sem esse auxílio, e deixando que o homem compartilhe dessa glória com o boi e o cavalo; devemos daí deduzir que ele não teria sido capaz de realizar sozinho obras ainda mais dignas? Quando os homens começam a fazer obras não meramente desnecessárias ou artísticas, mas suntuosas e inúteis, com auxílio animal, é inevitável que alguns poucos façam a troca de trabalho com os bois, ou, em outras palavras, tornem-se escravos dos mais fortes. O homem assim não apenas trabalha para o animal dentro de si, mas por um símbolo desse animal, ele trabalha para o animal externo a si mesmo. Embora tenhamos muitas casas imponentes de tijolo ou pedra, a prosperidade do sitiante ainda é medida pela sombra do estábulo sobre a casa. Dizem que nossa cidade tem as maiores casas para bois, vacas e cavalos das redondezas, e não fica atrás em seus edifícios públicos; mas existem pouquíssimos locais para cultos livres ou para a livre expressão nesta terra. Não deveria ser por sua arquitetura – mas por que não? –, por sua capacidade de pensamento abstrato que os países deveriam celebrar a si mesmos? Quão mais admirável é o Bhagavad Gita do que todas as ruínas do Oriente! Torres e templos são luxos de príncipes. Um espírito simples e independente não labuta em favor de nenhum príncipe. O gênio não é empregado de nenhum imperador, nem, exceto em medida insignificante, de sua prata, seu ouro e seu mármore material. Com que finalidade, eu pergunto, martelam tanta pedra? Na Arcádia, quando lá estive, não vi nenhuma pedra talhada. Os países são possuídos por uma insana ambição de perpetuar sua própria memória pela quantidade de pedra entalhada que deixam para trás. E se o mesmo esforço fosse empregado alisando e polindo seus modos? Um tanto de bom senso seria mais memorável que um monumento alto como a lua. Gosto muito mais de ver as pedras em seu lugar. A grandiosidade de Tebas era uma grandiosidade vulgar. É mais sensato um muro baixo de pedra que circunda o campo do homem honesto que as cem portas de Tebas que se estendiam muito além da verdadeira finalidade da vida. As religiões e as civilizações ditas bárbaras e pagãs construíram templos esplêndidos; mas aquilo que se poderia chamar de cristandade não. A maior parte da pedra entalhada de um país se resume às próprias lápides. Os países se enterram vivos. Quanto às pirâmides, o que é de espantar nelas é o fato de que tantos homens vivessem degradados a ponto de passar a vida construindo um túmulo para um tolo ambicioso, que teria sido mais sábio e mais viril afogar no Nilo e depois dar o corpo aos cães. Eu poderia até inventar alguma desculpa para eles e para ele, mas não tenho tempo para isso. Quanto à religião e ao amor pela arte dos construtores, é muito parecido no mundo inteiro, seja o edifício um templo egípcio ou o banco dos Estados Unidos. Custa mais do que vale. A mola mestra é a vaidade, aliada ao amor pelo alho com pão e manteiga. O senhor Balcom, jovem arquiteto promissor, desenha no verso de seu Vitruvius, com lápis duro e régua, e o serviço é encomendado a Dobson & Filhos, entalhadores de cantaria. Quando os trinta séculos começaram a contemplar a humanidade de cima para baixo, a humanidade começou a contemplá-los de baixo para cima. Quanto a altas torres e monumentos, havia um sujeito maluco na cidade que resolveu cavar até chegar à China, e ele dizia ter chegado a ponto de ouvir o som das panelas e chaleiras chinesas; mas acho que não vou desviar meu caminho para admirar o buraco que ele fez. Muita gente está preocupada com os monumentos do Ocidente e do Oriente – em saber quem os construiu. Quanto a mim, gostaria de saber quem naquela época não os construiu – quem estava acima dessas ninharias. Mas continuemos com as minhas estatísticas.

Com topografia, carpintaria e diversos outros tipos de serviço na região nesse ínterim, pois tenho tantos ofícios quanto dedos, ganhei treze dólares e trinta e quatro centavos. A despesa com alimentação durante oito meses, a saber, de 4 de julho a 1º de março, ocasião em que estas estimativas foram feitas, embora eu tenha vivido lá mais de dois anos – sem contar batatas, um pouco de milho verde e ervilhas, que eu plantei, nem considerando o valor daquilo que ainda havia em estoque no último dia –, foi:

Arroz	$1,73 ½	
Melado	1,73	(forma mais barata de sacarina)
Farinha de centeio . .	1,04 ¾	
Farinha de milho . .	0,99 ¾	(mais barata que a de centeio)
Porco	0,22	
Farinha	0,88	(mais cara que a de milho, em dinheiro e trabalho)
Açúcar.	0,80	
Banha	0,65	
Maçã	0,25	
Maçã seca.	0,22	Experiências fracassadas
Batata-doce	0,10	
Uma abóbora . . .	0,06	
Uma melancia . . .	0,02	
Sal	0,03	

Sim, comi oito dólares e setenta e quatro centavos, no total; mas eu não divulgaria de forma desavergonhada minha culpa se não soubesse que a maioria dos meus leitores é igualmente culpada comigo, e que seus feitos não ficariam muito melhor em letra impressa. No ano seguinte algumas vezes jantei peixe, e uma vez cheguei a matar uma marmota que atacou meu campo de feijões – efetuei sua transmigração, como um tártaro diria – e a devorei, em parte pela experiência; mas, embora tenha me propiciado um prazer momentâneo, não obstante o aroma almiscarado, vi que se fosse frequente não seria uma boa prática, ainda que possa parecer, levar as marmotas para o açougueiro da região cortar.

Roupas e alguns gastos incidentais dentro desse período, embora pouco se possa inferir desse item, totalizaram:

$$\$8,40\tfrac{3}{4}$$

Óleo e alguns utensílios domésticos . . . 2,00

De modo que todas as despesas pecuniárias, exceto lavagem e consertos de roupas, que na maioria dos casos foram feitos fora de casa, e suas contas que ainda não tinham chegado – e essas eram todos e mais do que todos os modos de gastar necessariamente o seu dinheiro nesta parte do mundo –, somaram:

Casa	$28,12½
Um ano de agricultura	14,72½
Alimentação por oito meses	8,74
Roupas etc., por oito meses	8,40¾
Óleo etc., por oito meses	2,00
No total	$61,99¾

Dirijo-me agora aos meus leitores que precisam ganhar a vida. E, para dar conta disso, eis o que obtive da venda do que plantei:

	$23,44
E ganhei com diárias de serviço . . .	13,34
No total	$36,78

que subtraídos da soma das despesas deixa um saldo de vinte e cinco dólares e vinte e um centavos e três quartos, de um lado – sendo isso praticamente o montante com que iniciei, e a medida das despesas em que se incorrerá –, e, de outro, além do lazer e da independência e da saúde assim garantidos, uma casa confortável para mim pelo tempo que eu quiser ocupá-la.

Essas estatísticas, por mais acidentais e, portanto, pouco instrutivas que possam parecer, por possuírem certa completude, têm também certo valor. Nada me foi dado que eu não tivesse de alguma forma contabilizado. Aparentemente, pela estimativa apresentada, a alimentação me custou cerca de vinte e sete centavos por semana. Minha comida consistia, durante quase dois anos depois disso, em farinha de centeio e de milho sem fermento, batata, muito pouca carne de porco salgada, melado e sal; e minha bebida, água. Era apropriado que vivesse, basicamente, de arroz, eu que amo tanto a filosofia da Índia. Para dar conta das objeções de alguns caviladores inveterados, posso também afirmar que, se jantei eventualmente fora, como sempre fiz, e espero ter oportunidade de fazê-lo novamente, foi com frequência em detrimento de meus arranjos domésticos. Mas o jantar fora, sendo, como afirmei, um elemento constante, não afeta minimamente uma afirmação comparativa como esta.

Aprendi com meus dois anos de experiência que demandava incrivelmente pouco obter o alimento necessário para uma pessoa, mesmo nesta latitude; que um homem pode se valer de uma dieta simples como a dos animais, e ainda assim conservar a saúde e o vigor. Fiz um jantar satisfatório, satisfatório em diversos aspectos, simplesmente com um prato de beldroegas (*Portulaca oleracea*) que colhi do meu pequeno milharal, aferventei e salguei. Dou o nome latino por conta do saboroso nome comum inglês: *purslane*. E pergunto o que mais pode desejar um homem razoável, em tempos de paz, em dias comuns, do que um número suficiente de espigas de milho cozido, com adição de sal? Até mesmo essa pequena variedade que usei foi uma concessão às demandas do apetite, e não da saúde. No entanto os homens chegaram a um ponto em que frequentemente morrem de fome não por falta do alimento necessário, mas por falta de luxos; e conheço uma boa mulher que acha que o filho perdeu a vida porque passou a beber apenas água.

O leitor perceberá que estou tratando a questão de um ponto de vista antes econômico que dietético, e não se arriscará a colocar minha abstinência à prova a não ser que tenha uma despensa bem abastecida.

A princípio, fiz pão apenas com farinha de milho e sal, verdadeiras broas, que assei diante do fogo do lado de fora sobre um lambri ou sobre uma estaca de madeira serrada na construção da casa, mas as broas costumavam ficar defumadas e com gosto de pinho. Experimentei também com farinha de trigo; mas por fim descobri uma mistura de farinhas de centeio e de milho que era mais conveniente e agradável. No frio era divertido assar diversos desses pequenos filões em sequência, posicionando-os e virando-os cuidadosamente como um egípcio incubando seus ovos. Eram verdadeiros frutos de cereal que eu amadurecia, e tinham para os meus sentidos uma fragrância como a de outros frutos nobres, que eu conservava pelo maior tempo possível enrolando-os em panos. Estudei a antiga e indispensável arte da panificação, consultando as autoridades disponíveis, voltando aos tempos primevos e à primeira invenção do pão ázimo, quando em meio à selvageria de nozes e carnes os homens chegaram pela primeira vez à suavidade e ao refinamento dessa dieta, e viajando gradualmente em meus estudos através do azedamento acidental da massa que, supõe-se, ensinou o processo da levedura e através das diversas fermentações dali em diante, até chegar ao "pão bom, doce e saudável", fundamento da vida. O levedo, que alguns consideram a alma do pão, o *spiritus* que preenche seu tecido celular, que é religiosamente conservado como o fogo das vestais – em uma preciosa garrafa, suponho, trazida pela primeira vez no *Mayflower* –, cumpriu seu papel nos Estados Unidos, e sua influência continua crescendo, inchando e se espalhando em ondas cerealistas pelo país – essa semente obtive regular e fielmente na cidade, até que, com o tempo, certa manhã esqueci as regras e escaldei meu fermento; acidente que me levou à descoberta de que nem isso era indispensável – pois minhas descobertas não foram alcançadas mediante processos sintéticos, mas sim analíticos –, e desde então passei a omiti-lo de bom grado, embora a maioria das donas de casa me tivesse garantido enfaticamente que o pão mais seguro e saudável não podia ser feito sem fermento, e as pessoas mais velhas profetizassem uma rápida decadência das minhas forças vitais. No entanto não creio que seja um ingrediente essencial, e depois de passar sem fermento por um ano ainda estou na terra dos vivos; e contente por escapar à trivialidade de levar sempre um frasco no bolso, que às vezes se abre e derrama o conteúdo, para meu constrangimento.

É mais simples e mais respeitável dispensar o fermento. O homem é um animal, mais do que qualquer outro, capaz de adaptar-se a todos os climas e circunstâncias. Não pus nem bicarbonato de sódio, ou qualquer outro ácido ou álcali, em meu pão. Aparentemente, fiz de acordo com a receita que Marco Pórcio Catão forneceu dois séculos antes de Cristo. *"Panem depsticium sic facito. Manus mortariumque bene lavato. Farinam in mortarium indito, aquae paulatim addito, subigitoque pulchre. Ubi bene subegeris, defingito, coquitoque sub testu."* Que entendi como sendo "Faça assim pão sovado. Lave bem as mãos e a cuba. Ponha a farinha na cuba, acrescente aos poucos água, e sove completamente. Depois de bem sovado, molde-o e asse-o tampado." – isto é, numa forma de assar. Nenhuma palavra sobre fermento. Mas nem sempre me vali desse fundamento da vida. A certa altura, devido ao vazio do meu bolso, passei mais de um mês sem pão.

Qualquer habitante da Nova Inglaterra facilmente conseguirá cultivar todos os ingredientes da panificação nesta terra de centeio e milho, e não dependerá de mercados distantes e flutuantes para tanto. No entanto, estamos tão longe da simplicidade e da independência que, em Concord, raramente se encontra farinha fresca e doce à venda, e a canjica e o milho em formas ainda mais rústicas poucas vezes são usados por alguém. A maioria dos sitiantes dá ao gado e aos porcos grãos de sua própria produção, e compra farinha de trigo, que no mínimo é menos saudável e mais cara no armazém. Vi que eu facilmente poderia obter um ou dois sacos de centeio e milho, pois o primeiro cresce na terra mais pobre, e o último não exige a melhor terra, e podia moê-los manualmente, e assim passar sem arroz nem porco; e se eu precisasse de doce concentrado, descobri experimentalmente que conseguia fazer um melado muito bom com abóboras ou beterrabas, e sabia que bastava plantar alguns bordos para obtê-lo ainda mais facilmente, e enquanto esses cresciam eu poderia usar vários outros substitutos além dos que mencionei. "Pois", como nossos antepassados cantavam,

para adoçar nossos lábios fazemos abrideira
das abóboras, pastinacas e lascas de nogueira.[12]

---

12. "Forefather's Song" (1630).

Enfim, quanto ao sal, o mantimento mais fundamental, sua obtenção talvez fosse uma boa oportunidade para uma visita ao litoral, ou, no caso de ficar absolutamente sem, provavelmente beberia menos água. Até onde sei, os índios nunca se deram ao trabalho de ir atrás de sal.

Assim, pude evitar todo tipo de comércio e troca no tocante à alimentação, e, já tendo abrigo, só me restava obter roupa e combustível. As calças que estou usando agora foram feitas por uma família de sitiantes da região – graças aos céus ainda existe tamanha virtude na espécie humana; pois acredito que a queda do agricultor para o operário tenha sido tão grande e memorável quanto a queda do homem para o agricultor; e em um país novo o que não falta é lenha para queimar. Quanto ao hábitat, se não me permitissem mais ocupar o terreno, eu poderia comprar um acre pelo mesmo preço cobrado pela terra que cultivei – a saber, oito dólares e oito centavos. Mas, na verdade, considero ter aumentado o valor da terra ao ocupá-la.

Existe certa categoria de incrédulos que às vezes me perguntam se eu acho que poderei viver apenas de alimentos vegetais; e para atingir a raiz da questão de uma vez – pois a raiz é a fé – estou acostumado a responder dizendo que posso viver até de pregos de ferro. Se eles não conseguem entender isso, não poderão entender muito do que tenho a dizer. Quanto a mim, fico contente ao saber de experimentos desse tipo sendo tentados; como o rapaz que tentou passar duas semanas comendo apenas milho duro, cru, usando os dentes como almofariz. A tribo dos esquilos faz a mesma coisa e obtém sucesso. A raça humana se interessa por esses experimentos, embora algumas senhoras incapacitadas para tanto, ou aquelas que herdaram participações em moinhos, possam ficar alarmadas.

Minha mobília, em parte feita por mim mesmo – e o restante não me custando nada de que eu já não tenha prestado conta –, consistia em uma cama, uma mesa, uma escrivaninha, três cadeiras, um espelho de uns sete centímetros de diâmetro, um par de pinças e grelhas para lareira, um tacho, uma caçarola, uma frigideira, uma concha, uma bacia, duas facas e garfos, três pratos, uma xícara, uma colher, uma moringa para óleo, outra para melado, e um lampião esmaltado. Ninguém é tão pobre que precise se sentar em uma abóbora. Isso seria indolência. Existem muitas cadeiras desse tipo que eu gosto nos sótãos da vila só esperando que alguém as leve embora. Mobília! Graças a Deus, posso sentar e ficar de pé sem precisar recorrer a uma loja de móveis. Quem senão um filósofo não se envergonharia de ver seus móveis em uma carroça viajando expostos à luz do céu e aos olhos dos homens, pobre amontoado de caixas vazias? Lá vai a mobília do Spaulding. Jamais conseguiria dizer inspecionando tal carregamento se pertencia a um rico ou a um pobre; o dono da mudança sempre parece um pobretão. De fato, quanto mais coisas você tem, mais pobre você é. Cada carregamento desses parece conter itens de uma dúzia de barracos; e se um barraco já é pobre, o carregamento é doze vezes mais pobre. Eu me pergunto, por que outro motivo *mudamos* sempre senão para nos livrarmos de nossa mobília, de nossa *exuviae*; e, por fim, partirmos deste mundo para outro recém-mobiliado, e deixarmos esta queimar? É como se todas essas armadilhas estivessem penduradas no cinto de um homem, e ele não conseguisse se mexer no terreno acidentado em que nossas linhas estão esticadas sem cair nelas – arrastando as próprias armadilhas. Feliz da raposa que perdeu só a cauda na armadilha. O rato-almiscareiro roerá sua terceira pata para se libertar da armadilha. Não é de estranhar que o homem tenha perdido sua elasticidade. Quantas vezes ele não passa de um peso morto! "Senhor, perdoe a ousadia, mas o que o senhor quer dizer com peso morto?" Se você for observador, sempre que encontrar um homem verá tudo o que é dele, sim, e boa parte do que ele finge não ter, por trás dele, até mesmo a mobília de sua cozinha e todas as tralhas que ele guarda e não queimará, ele parecerá atrelado àquilo e tentando, de alguma maneira, seguir em frente. Penso que o homem é um peso morto quando passa por um buraco ou uma entrada e o volume de seus móveis não passa. Não consigo deixar de sentir pena quando ouço um homem asseado e de bom porte, aparentemente livre, dotado e disposto, falar de seus "móveis", se estão ou não no seguro. "Mas o que eu faço com os meus móveis?" – Minha alegre borboleta então se enrosca em uma teia de aranha. Mesmo aqueles que por muito tempo pareciam não ter móvel nenhum, se você apurar mais detidamente descobrirá que têm alguns guardados em celeiro alheio. Hoje vejo a Inglaterra como um velho cavalheiro que viaja com um excesso de bagagem, tralhas que acumulou durante anos cuidando de casa e agora não tem coragem de queimar; arcas, caixas, bolsas, baús. Jogue fora um terço disso pelo menos. Excederia as forças de um homem saudável hoje em dia pegar sua maca e andar,[13] e eu certamente aconselharia a um doente que deixasse o leito onde está e saísse correndo. Quando encontrei um imigrante cambaleando embaixo de um fardo que continha tudo que era seu – parecendo um enorme cisto que crescera em sua nuca –, tive pena, não porque aqueles fossem todos os seus pertences, mas porque ele precisava carregar tudo *aquilo*. Se eu tiver de arrastar minha arapuca pelo mundo, tomarei cuidado para que seja leve e não me arranhe nenhuma parte vital. Mas talvez o mais sábio seja nunca meter a pata nessa cumbuca.

Eu diria, por falar nisso, que não gasto nada com cortinas, pois aqui não há ninguém que possa me observar além do sol e da lua, e minha intenção é justamente que eles olhem para cá. A lua não azedará meu leite, nem estragará minha carne, tampouco o sol haverá de danificar minha mobília ou desbotar meu tapete; e se ele é às vezes um amigo caloroso demais, ainda assim acho melhor economia me ocultar atrás de uma cortina provida pela própria natureza a ter de acrescentar outro item à despesa doméstica. Uma senhora um dia me ofereceu um capacho, mas como eu não tinha mais espaço dentro de casa, nem tempo livre dentro ou fora para bater a poeira, recusei, preferindo limpar os pés na grama diante da porta. É melhor evitar o mal no início.

Não faz muito tempo, estive presente ao leilão dos bens de um pároco, pois ele acabara bem de vida:

Aos homens sobrevive o mal que fazem.

Como de costume, a maior parte eram tralhas que ele começara a acumular na época do pai. Entre elas havia uma lombriga seca. E agora, depois de ficar meio século no sótão e em outros buracos, aquelas coisas não estavam sendo queimadas; em vez de uma *fogueira*, ou seja, a destruição purificadora daquelas coisas, havia um *leilão*, ou seja, uma valorização daquelas coisas. Os vizinhos avidamente compareceram, compraram tudo,

---

13. João 5:8.

e cuidadosamente transportaram aqueles bens para os próprios sótãos e outros buracos, para ficarem lá, juntando pó, até a próxima liquidação de espólio, quando começarão tudo outra vez. Bater as botas levanta poeira.

Há costumes de algumas nações selvagens que talvez possa ser proveitoso imitarmos, pois ao menos guardam uma semelhança com a troca de pele anual; possuem a ideia da coisa, seja ela realidade ou não. Não seria bom se celebrássemos o *busk*, ou "festa dos primeiros frutos", como Bartram descreve ter sido costume dos índios muclasse? "Quando uma aldeia celebra o *busk*", ele diz, "depois de vestirem roupas novas, com novas panelas, frigideiras e outros utensílios domésticos e outros móveis, eles reúnem todas as roupas velhas e outras coisas indesejáveis, varrem e limpam as casas, praças e toda a aldeia de toda sujeira, que juntam a todo cereal velho e toda provisão restante em uma mesma pilha, que se consome em chamas. Depois de ingerirem uma droga, e jejuarem por três dias, apagam toda fogueira que houver na aldeia. Durante o jejum, eles se abstêm da gratificação de todo e qualquer apetite ou paixão. É proclamada anistia geral; todos os malfeitores podem voltar à aldeia."

"Na quarta manhã, o sumo sacerdote, esfregando madeiras secas, acende uma nova fogueira em praça pública, a partir da qual cada casa da aldeia é suprida com uma chama nova e pura."

Então fazem um banquete com o milho novo e os primeiros frutos, e dançam e cantam por três dias, "e nos quatro dias seguintes recebem visitas e festejam com os amigos das aldeias'da região, que da mesma forma se purificaram e se prepararam".

Os mexicanos também praticam purificação similar a cada cinquenta e dois anos, na crença de ser chegada a hora de o mundo se acabar.

Não creio ter notícia de sacramento mais verdadeiro, isto é, no sentido em que o dicionário o define, "sinal externo e visível de uma graça interna e espiritual", do que esse, e não tenho dúvida de ter sido na origem inspirado diretamente pelo céu, para que assim se fizesse entre eles, embora não tenham nenhum registro bíblico desse apocalipse.

Por mais de cinco anos mantive-me apenas pelo trabalho das minhas mãos, e descobri que, trabalhando seis semanas por ano, eu conseguiria cobrir todos os gastos para viver. Todos os meus invernos, assim como quase todos os verões, fiquei livre e desimpedido para estudar. Tentei com empenho manter uma escola, e descobri que meus gastos eram proporcionais, ou melhor, desproporcionais, à minha renda, pois eu era obrigado a me vestir e me adestrar, para não dizer pensar e acreditar, de acordo, e perdi meu tempo nessa barganha. Como eu não dava aulas pelo bem da humanidade, mas simplesmente para ganhar a vida, foi um fracasso. Tentei o comércio, mas descobri que levaria dez anos até começar a dar certo, e nessa altura eu provavelmente já estaria a caminho do inferno. Na verdade, meu receio era justamente que, quando isso acontecesse, eu estivesse, como se diz, bem de vida. Antes, quando eu estava procurando o que fazer da vida, com uma triste experiência, em que me conformei aos desejos de amigos, ainda fresca em minha mente, a punir minha ingenuidade, pensei muitas vezes, seriamente, em colher mirtilo; algo que certamente eu sabia fazer, e os pequenos lucros talvez fossem suficientes – pois minha maior habilidade sempre foi precisar de pouco –, tão pouco era o capital necessário, tão pouca distração dos meus próprios humores de costume, pensei inocentemente. Enquanto meus conhecidos partiram sem hesitar para o comércio e as profissões liberais, cogitei esta ocupação como os demais fizeram com as suas; percorrer as encostas durante todo o verão colhendo os mirtilos que encontrasse no caminho, e depois fazer um uso qualquer deles; ou seja, era cuidar do rebanho de Admeto. Eu sonhava também que poderia colher ervas silvestres, levar mudas à vila para aqueles que adoram se lembrar dos bosques, e até à cidade, em carroças de feno. Mas aprendi que o comércio amaldiçoa tudo aquilo que toca; e ainda que você venda mensagens do céu, a maldição do comércio impregna até isso.

Como sempre tive minhas preferências, e sempre dei valor à minha liberdade, pois conseguia viver com pouco, mas passar bem, eu ainda não queria desperdiçar meu tempo comprando tapetes caros ou outros móveis finos, delicadas porcelanas, uma casa em estilo grego ou gótico. Se há quem não considere adquirir essas coisas um desperdício de tempo, quem saiba como usá-las depois de adquiridas, concedo que sigam nessa busca. Há os "empreendedores", que parecem amar o trabalho pelo trabalho, ou talvez porque os mantém afastados de coisa pior; a estes não tenho nada a dizer no momento. Àqueles que não saberiam o que fazer com mais lazer do que desfrutam agora, eu aconselharia que trabalhassem o dobro – trabalhem até poderem se alforriar e obter os documentos de quitação. Quanto a mim, descobri que a ocupação de trabalhador por jornada era a mais independente de todas, especialmente porque era preciso trabalhar apenas entre trinta e quarenta dias por ano para me sustentar. O dia desse trabalhador termina quando o sol se põe, e ele então está livre para se dedicar a seu objetivo de escolha, independente de seu trabalho; mas seu patrão, que especula mês após mês, não tem descanso ano após ano.

Em suma, estou convencido, tanto por fé como por experiência, que se manter vivo nesta terra não é um sacrifício mas um passatempo, se vivermos de forma simples e com sabedoria; como as metas das nações mais simples são ainda os esportes das mais artificiais. Não é necessário que o homem ganhe a vida com o suor de sua testa, a não ser que ele transpire mais do que eu.

Um rapaz conhecido meu, que herdou alguns acres, contou-me que achava que deveria viver como eu, *se tivesse os meios para tanto*. Eu não gostaria nem um pouco que alguém adotasse o *meu* modo de vida; sem contar que, até que alguém o aprenda bem, posso encontrar outro para mim, meu desejo é que haja o máximo possível de pessoas diferentes no mundo; mas preferiria que cada um tivesse o cuidado de descobrir e perseguir *seu próprio* caminho, e não o do pai, o da mãe ou o do vizinho. O jovem pode construir ou plantar, ou navegar, apenas não se deveria impedi-lo de fazer o que ele me disse que gostaria de fazer. É uma questão matemática apenas que nos faz sábios, como o marinheiro ou o escravo fugitivo que está sempre atento à posição da estrela polar; mas isso é orientação suficiente para toda a nossa vida. Talvez não cheguemos ao porto dentro de um período calculável, mas continuaremos no rumo certo.

Sem dúvida, neste caso, o que é verdade para um é ainda mais verdadeiro para mil, assim como uma casa grande proporcionalmente não é mais cara que uma pequena, uma vez que há um mesmo teto por cima, um mesmo porão por baixo, e uma única parede separa diversos aposentos. Mas, de minha parte, preferi morar sozinho. Além do mais, geralmente é mais barato construir tudo sozinho do que convencer outro da vantagem de uma parede comum; e depois que fica pronta, essa divisa comum, para ficar muito mais barato, haverá de ser fina, e o outro pode se revelar um mau vizinho, e nunca consertar seu lado. A única cooperação geralmente possível é extremamente parcial e superficial; e ainda que seja uma pequena colaboração, é como se não existisse, sendo uma harmonia inaudível aos homens. Se a pessoa tem fé, irá cooperar com a mesma fé em qualquer parte; se não tem fé, continuará vivendo como o resto do mundo, seja qual for a companhia. Cooperar no sentido mais elevado, assim como no mais rebaixado, significa *ganharmos a vida juntos*. Recentemente ouvi alguém propor que dois rapazes viajassem juntos pelo mundo, um sem dinheiro, ganhando a vida no caminho, diante do mastro e atrás do arado, outro levando no bolso uma letra de câmbio. Era fácil ver que eles não poderiam ser companheiros ou cooperar, uma vez que um deles não *colaboraria* em nada. Eles acabariam se separando na primeira crise entre os interesses de suas aventuras. Acima de tudo, como deixei implícito, quem viaja sozinho pode partir hoje mesmo; mas quem viaja acompanhado precisa esperar o outro ficar pronto, e isso pode demorar muito para acontecer.

Mas tudo isso é muito egoísta, ouvi alguns de meus conterrâneos dizerem. Confesso que até hoje me permiti muito pouco em termos de empreitadas filantrópicas. Fiz alguns sacrifícios em nome de um sentido do dever, e entre outros sacrifiquei também este prazer. Há quem tenha usado todos os artifícios para me persuadir a assumir o sustento de alguma família pobre da cidade; e se eu não tivesse mais nada a fazer – pois a cabeça vazia é a oficina do diabo – talvez pudesse experimentar esse passatempo. No entanto, quando pensei em me permitir algo a esse respeito, garantindo o céu sob a obrigação de conceder a determinadas pessoas pobres o mesmo conforto que concedia a mim mesmo, e cheguei ao ponto de lhes fazer uma oferta, todas elas decididamente preferiram continuar pobres. Se meus conterrâneos e conterrâneas se dedicam de tantas maneiras ao bem de seus semelhantes, acredito que um de nós pelo menos poderia ser poupado para outros fins menos humanitários. É preciso ter talento para a caridade, assim como para qualquer outra coisa. Quanto a fazer o bem, é uma dessas profissões muito concorridas. Além do mais, eu bem que tentei, e por estranho que possa parecer, fico contente por não ser atividade compatível com o meu temperamento. Provavelmente, eu não deveria, consciente e deliberadamente, renunciar à minha vocação particular para fazer o bem que a sociedade me exige, que é salvar o universo da aniquilação; e acredito ser uma perseverança semelhante, mas infinitamente maior, algures, a única coisa que impede que isso aconteça. Mas jamais me interporia entre um homem e seu talento; e a quem faz esse trabalho, que eu recuso, com todo o coração e alma e vida, eu diria: persevere, mesmo que todo mundo diga que isso é fazer o mal, como provavelmente dirão.

Estou longe de supor que meu caso seja peculiar; sem dúvida, muitos dos meus leitores fariam uma defesa similar de si mesmos. Ao fazer alguma coisa – não posso prometer que meus vizinhos gostarão –, não hesito em dizer que eu seria um bom parceiro para contratar; mas quanto à qualidade do serviço, cabe ao meu empregador descobrir. Qualquer *bem* que eu porventura faça, no sentido comum da palavra, deve ser algo marginal ao meu trajeto usual, e, em geral, praticamente sem intenção. As pessoas dizem, na prática: comece onde está, tal como você é, sem a intenção principal de se tornar mais digno, e, com premeditada bondade, siga pelo mundo fazendo o bem. Se eu fosse pregar nesse tom, diria antes: decida ser bom. Como se o sol devesse parar quando suas fogueiras atingissem o esplendor da lua ou de uma estrela de sexta grandeza, e sair por aí como um Robin Goodfellow, espiando pelas janelas das cabanas, inspirando lunáticos, e estragando a carne, e tornando visível a escuridão, em vez de aumentar sempre seu calor e sua beneficência a ponto de se tornar tão brilhante que nenhum mortal conseguisse olhar para ele, e então, também nesse ínterim, percorrendo o mundo em sua própria órbita, fizesse o bem nesse trajeto, ou melhor, como uma filosofia mais genuína descobriu: como se o mundo ao passar por ele se aperfeiçoasse. Faetonte, desejando provar seu nascimento celeste com sua beneficência, assumiu a carruagem do Sol por um dia, e, conduzindo-a por fora do caminho marcado, queimou diversas casas nas vielas do céu, e crestou a superfície da Terra, e secou todas as fontes, e criou o grande deserto do Saara, até que enfim Júpiter o lançou de cabeça na Terra com um raio, e o Sol, chorando sua morte, ficou um ano inteiro sem brilhar.

Não existe odor pior que o da bondade corrompida. É humana, é divina, carniça. Se eu soubesse com certeza que um homem estava vindo até a minha casa com o intuito consciente de me fazer algum bem, eu fugiria correndo como da própria morte, como se fugisse daquele vento seco e árido dos desertos africanos chamado simum, que enche a boca e o nariz e os olhos com poeira até sufocar, com medo de que algum bem da parte dele fosse feito a mim – algum de seus vírus se imiscuísse em meu sangue. Não – nesse caso eu preferiria sofrer o mal de maneira natural. Um homem para mim não é *bom* porque irá me alimentar se eu estiver morrendo de fome, ou me aquecer quando eu estiver morrendo de frio, ou me tirar de um poço se eu cair. Posso lhe arranjar um cão terra-nova que também faria isso. A filantropia não é o amor pelo semelhante no sentido mais amplo. Howard era sem dúvida um homem extremamente bom e digno à sua maneira, e teve sua recompensa; mas, comparativamente falando, o que são cem Howards para *nós* se sua filantropia não *nos* ajudar naquilo em que somos mais dignos de ajuda? Nunca ouvi falar de algum evento filantrópico em que sinceramente propusessem qualquer tipo de bem para mim, ou para outros como eu.

Os jesuítas ficaram muito impressionados com aqueles índios que, sendo queimados em estacas, sugeriram novos modos de tortura a seus torturadores. Sendo superiores ao sofrimento físico, às vezes se mostravam superiores a qualquer consolo que os missionários pudessem oferecer; e a lei do fazer ao outro como se fosse a si mesmo chegou com menos persuasão aos ouvidos daqueles que, de sua parte, pareciam não se importar com o modo como eram tratados, que amavam seus inimigos de uma maneira nova, e espontaneamente quase perdoavam tudo o que lhes faziam.

Tenha certeza de estar dando ao pobre a ajuda mais necessária, ainda que seja o exemplo que você deixa para eles justamente o que os afasta. Se você doar dinheiro aos pobres, doe-se também, gaste-se a si mesmo nisso, e não meramente abandone o dinheiro com eles. Às vezes, cometemos equívocos curiosos. Muitas vezes um homem pobre não está tanto com frio e fome, mas sim sujo e esfarrapado e roto. Em parte, deve-se a uma questão de gosto, e não meramente à sua desgraça. Se você lhe der dinheiro, talvez ele compre outros andrajos. Eu costumava ter pena dos irlandeses que vinham cortar gelo no lago, desajeitados naquelas roupas velhas, esfarrapadas, enquanto eu tiritava em meus trajes mais limpos e um tanto mais elegantes, até que, um belo dia de frio, um deles que tinha caído na água veio à minha casa para se aquecer, e observei, quando ele tirou três calças e duas meias de cada pé até ficar nu, que, mesmo sujas e esfarrapadas, é verdade, ele podia se dar ao luxo de recusar as roupas *extra* que eu oferecia, pois já tinha muitas *intra*. Aquele mergulho era tudo de que ele precisava. Então comecei a sentir pena de mim mesmo, e vi que seria caridade maior conceder a mim mesmo uma camisa de flanela do que todo um guarda-roupa barato para ele. Há mil cortando os galhos do mal para cada um que ataca sua raiz, e talvez aquele que conceda a maior parte do tempo e do dinheiro aos necessitados esteja fazendo o máximo por seu modo de vida para produzir aquela miséria que ele se empenha em vão em aliviar. É o escravagista piedoso dedicando o lucro de cada décimo escravo a cobrir a liberdade do domingo para o resto. Alguns demonstram sua bondade para com os pobres empregando-os em suas cozinhas. Não fariam bondade maior se eles mesmos trabalhassem nas próprias cozinhas? Você se gaba de gastar um décimo da sua renda em caridade; talvez devesse gastar também as outras nove partes, e acabar logo com ela. A sociedade recupera, portanto, apenas um décimo da propriedade. Isso se deve à generosidade do dono, ou à omissão dos oficiais de justiça?

A filantropia é praticamente a única virtude suficientemente apreciada pela humanidade. Não, é algo muito superestimado; e quem a superestima é o nosso egoísmo. Um homem pobre mas robusto, um belo dia de sol aqui em Concord, elogiou um conterrâneo nosso, porque, ele disse, ele era bom para os pobres; querendo se referir a si mesmo. Os tios e tias bondosos da raça são mais estimados que seus verdadeiros pais e mães espirituais. Uma vez ouvi um reverendo falar sobre a Inglaterra, um homem erudito e inteligente, após enumerar seus grandes nomes da ciência, da literatura, e da política, Shakespeare, Bacon, Cromwell, Milton, Newton, entre outros, falou em seguida de seus heróis cristãos, que, como se sua profissão lhe exigisse isso, ele elevava a um lugar muito acima do resto, como os maiores dentre os maiores. Eram eles Penn, Howard, e a senhora Fry. Qualquer um percebe a falsidade e a hipocrisia disso. Estes últimos não foram os melhores homens e mulheres da Inglaterra; apenas, talvez, seus melhores filantropos.

Eu não subtrairia nada do elogio devido à filantropia, mas meramente pediria justiça para todos aqueles cujas vidas e obras são uma bênção para a humanidade. Não valorizo acima de tudo a retidão e a benevolência de um homem, que são, por assim dizer, seu caule e suas folhas. Essas plantas de cujas folhas secas fazemos chá para os doentes servem apenas a finalidades humildes, e são utilizadas principalmente por charlatães. Eu quero a flor e o fruto de um homem; que alguma fragrância emane dele para mim, e que certa madureza dê sabor a nossa relação. Sua bondade não deve ser um ato parcial e transitório, mas um fluxo constante que nada lhe custe e do qual ele é inconsciente. Eis uma caridade que oculta uma multidão de pecados. O filantropo muitas vezes cerca a humanidade com a lembrança de suas próprias tristezas de proscrito, como uma atmosfera, e chama isso de solidariedade. Deveríamos transmitir nossa coragem, e não nosso desespero, nossa saúde e nosso bem-estar, e não nosso mal-estar, e tomar cuidado para que essa doença não se espalhe por contágio. De que planícies do sul vem a voz do pranto? Em que latitudes reside o pagão a quem enviaremos a luz? Quem é aquele homem destemperado e brutal a quem redimiremos? Se algo dói no homem, de modo que ele não desempenha suas funções, até mesmo uma dor de barriga – pois essa é a sede da solidariedade –, ele logo se põe a reformar – o mundo. Sendo ele mesmo um microcosmo, ele descobre – e essa é uma verdadeira descoberta, e ele é o homem que a faz – que o mundo vem comendo maçãs verdes; a seus olhos, a bem dizer, o globo inteiro é uma grande maçã verde, diante da qual existe o perigo pavoroso de pensar que os filhos dos homens a provarão antes de ficar madura; e instantaneamente sua drástica filantropia procura os esquimós e os patagônios, e abraça populosas aldeias indianas e chinesas; e assim, por conta de alguns anos de atividade filantrópica, que o poder nesse ínterim usa para seus próprios fins, sem dúvida, ele se cura de sua dispepsia, o globo adquire um ligeiro rubor em uma ou nas duas faces, como se estivesse começando a amadurecer, e a vida perde seu travo e é novamente doce e saudável viver. Nunca sonhei com nenhuma crueldade maior do que as que cometi. Nunca conheci, e espero nunca conhecer, homem pior do que eu mesmo.

Acredito que o que tanto entristece o reformador não é sua solidariedade aos semelhantes aflitos, mas, ainda que ele seja o mais sagrado filho de Deus, sua dor particular. Assim que essa dor passa, que a primavera chega até ele, que a manhã se ergue sobre seu leito, ele esquece seus generosos companheiros sem sequer fornecer uma desculpa. Minha justificativa para não falar mal do tabaco é que nunca masquei tabaco, infração pela qual os mascadores arrependidos devem pagar; embora pudesse de bom grado falar mal de muitas das coisas que de fato masquei. Se um dia você se deixar enganar por alguma dessas filantropias, não deixe que sua mão esquerda saiba o que faz a direita, pois não vale a pena saber. Salve o afogado e amarre o próprio cadarço. Não tenha pressa, e comece algum trabalho gratuito.

Nossos modos foram corrompidos na comunicação com os santos. Nossos hinos soam como uma maldição melodiosa contra Deus, na qual ele é eternamente suportado. Alguém dirá que até mesmo os profetas e redentores antes consolam os medos do que confirmam as esperanças dos homens. Não existe registro de uma simples e irreprimível satisfação pelo dom da vida, nenhum elogio memorável de Deus. Toda saúde e todo sucesso me fazem bem, por mais remotos e alheios que possam parecer seus portadores; toda doença e todo fracasso ajudam a me deixar triste e me fazem mal, por mais solidariedade que alguém possa ter ou despertar. Se, então, formos restaurar a humanidade por meios genuinamente indígenas, botânicos, magnéticos ou naturais, sejamos primeiramente simples e fiquemos bem, como a natureza, afastemos as nuvens de sobre as nossas testas, e deixemos entrar um pouco de vida por nossos poros. Não se limite a ser o cuidador dos pobres, mas tente se tornar um dos grandes valores do mundo.

Li no *Gulistan*, ou *Jardim das flores*, do xeique Sadi de Shiraz, que "perguntaram a um sábio: Das muitas árvores celebradas que o Altíssimo Deus criou altas e frondosas, nenhuma se diz *azad*, ou livre, exceto o cipreste, que não tem fruto; qual é o mistério disso? Ele respondeu: Cada uma tem seu produto apropriado, e estação propícia, e durante a estação permanece vigorosa e florida, e fora da estação, seca e murcha; o cipreste não se expõe a nenhuma dessas situações, estando sempre florido; e dessa natureza são os *azads*, ou religiosos independentes. – Firma o teu coração não naquilo que é transitório; pois o Dijlah, ou Tigre, continuará fluindo através de Bagdá depois de extinta a raça dos califas: se a tua mão está cheia, sê liberal como a tamareira; mas se não tens o que dar, sê um *azad*, um homem livre, como o cipreste".

VERSOS COMPLEMENTARES

AS PRETENSÕES DA POBREZA

Presumes demais, necessitado em desgraça,
Quando reivindicas um posto ao firmamento
Por teu pobre barraco, ou tua selha,
Abrigar alguma virtude preguiçosa ou pedante
Em tua aurora barata ou tuas fontes sombrias,
Com raízes e ervas em vasos; onde tua mão firme,
Afastando da mente as paixões humanas
De onde brotam as belas virtudes,
Degrada a natureza, entorpece os sentidos,
E feito Górgona transforma homens em pedra.
Não exigimos a tola sociedade
Dessa temperança carente,
Nem aquela estranha estupidez
Que desconhece alegria e tristeza, nem tua forçada
E falsamente exaltada fortaleza passiva
Acima da ativa. Essa lamúria baixa e abjeta,
Que toma assento na mediocridade,
Torna-se tua mente servil; mas defendemos
Tais virtudes apenas como um excesso admitido,
Atos de coragem, generosos, magnificência real,
Prudência que a tudo vê, prodigalidade que a tudo provê,
Que desconhece limites, e aquela virtude heroica
Para a qual a antiguidade não deixou nome,
Porém padrões apenas, como Hércules,
Aquiles, Teseu. Volta para tua cela odiosa;
E quando vires a nova esfera iluminada,
Estuda para saber quem foram aqueles luminares.

T. Carew

ONDE VIVI, E PARA QUE VIVI

A certa altura da vida, costumamos considerar todo lugar como um local possível para fazer uma casa. Assim, percorri toda a região em um raio de quase vinte quilômetros de onde moro. Na imaginação, eu comprava todos os sítios que havia, pois estavam todos à venda, e eu sabia o preço de cada um. Eu ultrapassava os limites de cada sitiante, provava suas maçãs silvestres, conversava sobre economia agrária com ele, comprava sua terra pelo preço que ele pedia, qualquer preço, mentalmente assinava uma hipoteca; chegava até a pôr um preço mais alto na terra; saía com tudo menos a escritura – tomava a palavra dele como escritura, pois eu adorava conversar –; cultivava a terra, e ele também até certo ponto, acredito, e ia embora depois de aproveitar o suficiente, deixando que ele cuidasse de tudo. Essa experiência me qualificava a ser considerado por meus amigos como uma espécie de corretor de imóveis. Onde quer que eu me sentasse, lá eu poderia viver, e a paisagem se irradiava a partir de mim harmoniosamente. O que é uma casa senão uma *sedes*, um assento? – melhor ainda se for a sede de um sítio. Descobri muitos lugares para uma casa onde não era provável que fossem empreender tão cedo, que alguns talvez achassem muito longe da cidade, mas aos meus olhos a cidade é que ficava muito longe dali. Bem, ali eu poderia viver, eu dizia; e lá vivia, por uma hora, no verão e no inverno; via como poderia deixar os anos passarem, encarar o inverno, e ver a primavera chegar. Os futuros moradores dessa região, onde quer que façam suas casas, podem ter a certeza de que alguém os precedeu. Uma tarde bastava para fazer da terra um pomar, um bosque, um pasto, e decidir sobre carvalhos ou pinheiros diante da entrada, e qual o melhor ângulo para admirar as árvores secas; e então eu a deixava, em pousio,[14] talvez, pois um homem só é rico na medida do número de coisas das quais ele pode se permitir abrir mão.

Minha imaginação me levou tão longe que cheguei a sonhar que várias terras me eram recusadas – a recusa era tudo o que eu queria – mas nunca sofri as consequências da verdadeira posse. O mais perto que já cheguei de possuir uma propriedade foi quando comprei a terra do Hollowell, e tinha começado a semear, e a reunir o material para fazer um carrinho de mão para trabalhar; mas antes que o dono me passasse a escritura, a esposa – todo homem tem uma esposa dessa – mudou de ideia e não quis mais vender, e ele me ofereceu dez dólares para voltar atrás. Ora, verdade seja dita, eu só tinha dez centavos no bolso, e ia além da minha aritmética dizer se eu era um sujeito que tinha dez centavos, ou que tinha um sítio, ou dez dólares, ou tudo isso junto. De todo modo, deixei que ele ficasse com os dez dólares e também com o sítio, pois eu já tinha levado aquilo longe demais; ou melhor, para ser generoso, vendi a ele o sítio pelo mesmo valor que eu lhe pagara, e, como ele não era rico, dei-lhe de presente os dez dólares, e me sobraram meus dez centavos, e as sementes, e o material para fazer um carrinho de mão. Descobri assim que eu havia sido um homem rico sem nenhum prejuízo à minha pobreza. Mas conservei a paisagem, e todos os anos desde então tenho levado comigo o que ela me deu sem um carrinho de mão. Em relação às paisagens,

Sou monarca de tudo que avalio,
Ninguém contesta esse meu direito.

Vi, com frequência, um poeta se retirar, após desfrutar a parte mais valiosa de um sítio, enquanto o rude sitiante supunha que ele só tivesse colhido algumas maçãs silvestres. Ora, o dono não sabe que há muitos anos o poeta vem passando essa terra em versos rimados, o tipo mais admirável de cerca invisível, nem que ele já a encurralou, ordenhou, desnatou e tirou todo o creme, e só deixou ao proprietário o leite magro.[15]

---

14. Pousio é o período (geralmente de um ano) em que as terras são deixadas sem semeadura, para repousar. (N.E.)

15. Trata-se do poema "Baker Farm", de Ellery Channing. *In: The Woodman and other poems* (1849), citado no capítulo "Baker Farm", mais adiante.

Os verdadeiros atrativos do sítio do Hollowell, para mim, eram: o completo isolamento, a quase duas milhas da cidade, meia milha do vizinho mais próximo, e separado da estrada por um campo largo; a proximidade do rio, que o dono disse protegê-lo, com seus nevoeiros, contra geadas na primavera, embora isso não fosse relevante para mim; a cor cinzenta e o estado arruinado da casa e do celeiro, e as cercas dilapidadas, que impunham um intervalo entre mim e o último ocupante; as macieiras ocas e cobertas de líquen, roídas pelos coelhos, mostrando o tipo de vizinhos que eu teria; mas acima de tudo a lembrança que eu tinha das minhas primeiras viagens rio acima, quando a casa se escondia atrás de um denso bosque de bordos vermelhos, através do qual eu ouvia o cachorro latindo na casa. Estava com pressa de comprá-lo, antes que o proprietário terminasse de tirar algumas rochas, cortasse as macieiras ocas e arrancasse algumas bétulas que haviam nascido no pasto, ou, em suma, que fizesse mais alguma melhoria. Para desfrutar essas vantagens eu estava disposto a tocá-lo sozinho; como Atlas, carregar o mundo nos ombros – nunca soube de nenhuma recompensa pelo que ele fez –; e fazer todas aquelas coisas que não teriam por que ser feitas ou nenhuma desculpa, além do fato de eu ter pago por aquilo, e que ninguém me incomodasse em minha propriedade; pois eu sabia o tempo todo que ali nasceria a safra mais abundante da espécie que eu quisesse se eu simplesmente me permitisse deixá-lo em paz. Mas não foi o que aconteceu, como eu já disse.

A única coisa que eu poderia dizer, então, a respeito de agricultura em grande escala – sempre tive horta – seria que sempre usei sementes prontas. Muitos pensam que as sementes melhoram com o tempo. Não tenho dúvida de que o tempo diferencia entre bom e ruim; e quando por fim eu plantar, haverá menos chance de me frustrar. Mas eu diria aos meus companheiros, de uma vez por todas: vivam o máximo possível livres e desimpedidos. Não faz muita diferença se o empecilho é um sítio ou uma prisão.

O velho Catão, cujo *De re rustica* é o meu *Cultivator* diário, diz – e a única tradução que conheço não faz nenhum sentido na passagem: "Quando pensar em ter um sítio, tenha em mente o seguinte: não compre às pressas; dê-se ao trabalho de vê-lo primeiro, não pense que basta percorrê-lo uma vez. Quanto mais você o visitar, mais gostará do lugar, se for bom". Acho que não devo comprá-lo às pressas, mas percorrê-lo muitas e muitas vezes enquanto eu viver, e ser enterrado ali, primeiro, para que me dê ainda o máximo prazer no final.

Este foi meu segundo experimento desse tipo, que proponho descrever em mais detalhe, por conveniência, fundindo a experiência de dois anos em um. Como eu disse, não pretendo escrever uma ode ao desalento, mas bravatear voluptuosamente como um galo da madrugada, em seu poleiro, ainda que só para acordar os vizinhos.

Quando fui morar pela primeira vez na floresta, isto é, comecei a passar também as noites, além dos dias, lá, que, por acaso, foi no dia da Independência, 4 de julho, de 1845, minha casa só ficaria pronta para o inverno, e não passava de uma proteção da chuva, sem acabamento, sem lareira, com paredes rústicas de tábuas manchadas, cheias de frestas, que a deixavam fria à noite. As colunas brancas posicionadas e a porta e as janelas recém-pintadas davam-lhe um aspecto limpo e arejado, especialmente de manhã, quando a madeira estava saturada de orvalho, de modo que fantasiei que ao meio-dia alguma resina doce dali transpiraria. Na minha imaginação, a casa conservava ao longo do dia um tanto do seu caráter de aurora, lembrando-me de certa casa em uma montanha que eu tinha visitado um ano antes. Era uma cabana arejada e sem reboco, própria para abrigar um deus em viagem, e onde uma deusa poderia arrastar seu manto. Os ventos que passavam pela minha casa varriam as serras de montanhas, trazendo fragmentos de sons, ou apenas as partes celestiais, da música terrestre. O vento da manhã sopra eternamente, o poema da criação é ininterrupto; mas poucos são os ouvidos que o escutam. O Olimpo é apenas a superfície da terra em qualquer lugar.

A única casa da qual eu tinha sido dono antes, com exceção de um bote, foi uma tenda, que usava às vezes em excursões no verão, e que ainda está enrolada em meu sótão; mas o bote, após passar de mão em mão, perdi-o no rio do tempo. Com este abrigo mais substancial à minha volta, fiz algum progresso em me estabelecer no mundo. Esta moldura, de trajes tão tênues, era uma espécie de cristalização ao meu redor, e teve efeitos em seu construtor. Era sugestiva como o esboço de um quadro. Eu não precisava sair para tomar ar, pois a atmosfera lá dentro não perdia nunca o frescor. E eu não ficava tanto da porta para dentro, mas protegido pela porta, mesmo no tempo mais chuvoso. O Harivamsa diz: "Casa sem pássaros é como carne sem tempero".[16] A minha casa não era assim, pois me vi subitamente vizinho dos pássaros; não por ter aprisionado algum, mas por ter me engaiolado perto deles. Fiquei próximo não só daqueles que costumam frequentar horta e pomar, mas também daqueles menores e mais canoros da floresta, que nunca, ou raramente, fazem serenata para alguém da cidade – o tordo, o zorzal, o sanhaço-escarlate, o pardal-do--campo, o bacurau ou noitibó, e muitos outros.

Eu estava à beira de um pequeno lago, a cerca de uma milha e meia do centro de Concord e em altitude um pouco acima da cidade, em meio a uma mata extensa entre esta e Lincoln, e cerca de duas milhas ao sul de nosso único campo famoso, o Campo de Batalha de Concord; mas eu estava tão embrenhado na mata, que a margem oposta, a meia milha de lá, como todo o resto, coberta de árvores, era o meu horizonte mais distante. Na primeira semana, sempre que eu olhava para o lago, ele me impressionava como um lago em plena encosta de uma montanha, cujo leito ficava muito acima da superfície dos outros lagos, e, quando sol nascia, via-o despir-se de seu traje noturno de névoa, e aqui e ali, gradativamente, suaves ondulações ou sua superfície lisa se revelavam, enquanto as brumas, feito fantasmas, furtivamente se escondiam no bosque, como um conventículo noturno que se dispersasse. O próprio orvalho parecia durar mais tempo, dia adentro, suspenso nas árvores, como nas vertentes das montanhas.

Este pequeno lago era muito valioso como vizinho nos intervalos das chuvas de agosto, quando – ambos, ar e água, perfeitamente imóveis, mas com o céu carregado – o meio da tarde tinha toda a serenidade do anoitecer, e o tordo do bosque cantava seu número, que era ouvido de costa a costa. Um lago como este nunca é mais liso do que nessa hora; e a parte clara do ar acima dele sendo estreita e escurecida por nuvens, a água, cheia de luz e reflexos, torna-se ela mesma um céu mais baixo mas ainda mais

---

16. *Harvansa ou História da família de Hari*. 64ª leitura. Tradução francesa de Alexandre Langlois (1834), diretamente do sânscrito, que Thoreau usou para traduzir alguns trechos, "un sejour sans oiseaux est comme un mets sans assaisonnement".

altivo. Do alto de uma colina, ao lado, onde as árvores foram cortadas recentemente, havia uma vista aprazível do sul, além do lago, através de uma larga indentação entre as colinas que formam a costa naquele ponto, onde as vertentes pareciam convergir, sugerindo a existência de um curso d'água fluindo naquela direção, através de um vale de floresta, mas não havia esse curso d'água. Para lá, eu olhava, através e pelo alto das serras verdes mais próximas, para outras mais remotas e mais altas no horizonte, tingidas de azul. Na verdade, ficando na ponta dos pés eu conseguia vislumbrar alguns picos das serras ainda mais azuis e remotas do noroeste, legítimas moedas cunhadas do metal celeste, e também parte da cidade. Mas nas outras direções, daquele mesmo lugar, não se enxergava nada além ou acima da floresta que me cercava. É bom ter um pouco de água na vizinhança, para lhe dar flutuação, deixar a terra boiar. Um benefício que até o menor dos poços proporciona é que, quando olha dentro dele, você vê que a terra não é continental, mas insular. Isto é tão importante quanto o fato de o poço conservar a manteiga fresca. Quando olhei, por sobre o lago, desse pico, em direção aos prados de Sudbury, que na época das cheias eu distinguia, elevado talvez por uma miragem, no vale caudaloso, como uma moeda em uma bacia, toda a terra, além do lago, parecia não passar de uma pequena crosta isolada e flutuante sobre uma fina camada de água que se interpunha, e com isso me lembrei de que ali também onde eu vivia era apenas o que se chamava de *terra firme*.[17]

Embora a vista da minha porta fosse ainda mais reduzida, eu não me sentia nem minimamente cercado ou confinado. Havia pasto suficiente para a minha imaginação. O platô baixo de arbustos de carvalho-anão de onde se erguia a margem oposta estendia-se rumo às pradarias do oeste e às estepes da Tartária, fornecendo amplo espaço para todas as famílias humanas itinerantes. "Ninguém no mundo é mais feliz do que aquele que desfruta livremente um vasto horizonte", disse Damodara,[18] quando seus rebanhos exigiam novas e maiores pastagens.

---

17. Gênesis 1:9.

18. *Harvansa*, epíteto de Krishna. Tradução direta de Langlois (1834), que Thoreau usou para fazer a tradução do trecho: "Il n'y a d'heureux dans le monde que les êtres qui jouissent librement d'un vaste horizon".

Tanto o espaço quanto o tempo se alteraram, e passei a viver mais perto daquelas partes do universo e daquelas eras da história que sempre me atraíram mais. Onde eu morava era tão remoto quanto uma região observada à noite pelos astrônomos. Somos tentados a imaginar lugares raros e adoráveis em algum recanto mais longínquo e mais celestial do sistema, atrás da constelação do Trono de Cassiopeia, longe da balbúrdia e dos distúrbios. Descobri que minha casa se localizava justamente nesse ermo mas sempre novo e imaculado rincão do universo. Se valia a pena viver em uma região próxima às Plêiades ou às Híades, de Aldebará ou Altair, então eu estava no lugar certo, ou à mesma distância da vida que eu deixara para trás, minguante e cintilante como um raio visível apenas pelo meu vizinho mais próximo, e apenas por ele, em noites sem lua. Assim era a parte da criação que ocupei:

> *Era uma vez um pastor que vivia*
> *Tão alto quanto seu pensamento,*
> *Tão alto quanto a montanha*
> *Onde seu rebanho buscava alimento.*

O que deveríamos pensar da vida do pastor se seu rebanho sempre buscasse pastos mais altos que seus pensamentos?

Cada manhã era um convite alegre para viver em simplicidade, e até mesmo inocência, igual à da própria natureza. Sempre fui um adorador sincero da aurora, como os gregos. Acordava cedo e entrava no lago; era um exercício religioso, e uma das melhores coisas que já fiz. Dizem que havia caracteres gravados na banheira do rei Tchingthang: "Renova-te completamente a cada dia; e depois novamente, e novamente, e assim eternamente". Entendo o que ele quis dizer. A manhã traz de volta as eras heroicas. Incomodava-me o fraco zumbido de um mosquito fazendo seu passeio invisível e inimaginável pela minha casa de madrugada, enquanto eu estava de porta e janelas abertas, tanto quanto qualquer trombeta proclamando famas. Era um réquiem de Homero; em si mesmo uma *Ilíada* e uma *Odisseia* no ar, cantando a própria ira e as próprias viagens. Havia algo de cósmico naquilo; uma divulgação constante, até mesmo proibida, dos eternos vigor e fertilidade do mundo. A manhã, que é a estação mais memorável do dia, é a hora do despertar. Então existe menos sonolência dentro de nós; e durante uma hora, ao menos, algumas partes de nós, que cochilam o resto do dia e da noite, acordam. Pouco se pode esperar de um dia, se é que se pode chamá-lo de dia, em que não somos despertados por nosso gênio, mas pelas cutucadas mecânicas de algum criado, em que não somos despertados por nossas forças e aspirações novamente adquiridas a partir de dentro, acompanhados pelas ondulações da música celestial, em vez dos apitos da fábrica, e uma fragrância enchendo o ar – para uma vida mais elevada do que aquela em que havíamos adormecido; e assim tanto a escuridão tem seu fruto, que se prova bom, quanto a luz também. Aquele que não acredita que cada dia contém uma hora de aurora anterior, mais sagrada, do que aquela já profanada por ele, este se desesperou da vida, e está seguindo um caminho descendente e obscuro. Após uma interrupção parcial de sua vida sensual, a alma do homem ou, antes, seus órgãos são revigorados a cada dia, e seu gênio experimenta outra vez a vida nobre que é capaz de viver. Todos os acontecimentos memoráveis, eu diria, transcorrem pela manhã, em uma atmosfera matinal. Os Vedas dizem: "Todas as inteligências despertam com a manhã". A poesia e a arte, e os atos mais belos e memoráveis dos homens, datam desta hora. Todos os poetas e heróis, como Mêmnon, são filhos da aurora, e emitem sua música ao nascer do sol. Para aquele cujo pensamento elástico e vigoroso acompanha o ritmo do sol, o dia é uma manhã perpétua. Não importa o que dizem os relógios ou as atitudes e atividades dos homens. A manhã é quando estou desperto e dentro de mim existe uma alvorada. A reforma moral é o esforço de se espreguiçar para se livrar do sono. Por que será que os homens pouco se dão conta do dia quando não dormiram? Eles não são tão ruins em fazer contas. Se não estivessem dominados pela letargia, teriam feito alguma coisa. Milhões estão acordados o suficiente para o trabalho físico; mas apenas um em um milhão está acordado o suficiente para um esforço intelectual efetivo, e apenas um em cem milhões para uma vida poética ou divina. Estar desperto é estar vivo. Ainda não conheci ninguém tão desperto. Como eu poderia olhar em seus olhos?

Devemos aprender a redespertar e a nos manter despertos não por auxílio mecânico, mas por uma expectativa infinita da aurora, que não nos abandone em nosso sono mais pesado. Não sei de fato mais estimulante que a inquestionável capacidade humana de elevar sua vida por meio de um esforço consciente. Uma coisa é ser capaz de pintar um quadro específico, ou esculpir uma estátua, e assim fazer alguns objetos belos; mas é muito mais glorioso esculpir e pintar a própria atmosfera, o meio através do qual olhamos, algo que somos moralmente capazes de fazer. Afetar a qualidade do dia, eis a arte mais elevada. Todo homem tem a tarefa de fazer sua vida, até os mínimos detalhes, digna da contemplação de sua hora mais elevada e mais crítica. Se recusarmos as informações triviais, ou antes nos acostumarmos às poucas que recebermos, os oráculos nos informarão como isso pode ser feito.

Fui morar na floresta porque desejava viver deliberadamente, enfrentar apenas os fatos essenciais da vida, e ver se conseguia aprender o que ela tinha a ensinar, em vez de descobrir só na hora da morte que não tinha vivido. Não queria viver o que não fosse vida, sendo a vida tão preciosa; nem desejava praticar a resignação, a não ser que fosse muito necessário. Eu queria viver profundamente e sugar a medula da vida, viver de maneira vigorosa e espartana a ponto de eliminar tudo o que não fosse vida, abrir uma faixa larga e cortar rente, levar a vida para um canto, e reduzi-la a seus termos mais elementares, e, se ela se mostrasse mesquinha, ora, então captar toda essa mesquinhez genuína e divulgá-la ao mundo; ou, se fosse sublime, sabê-lo por experiência própria, e ser capaz de fazer um relato verdadeiro a respeito disso em minha próxima excursão. Pois a maioria dos homens, ao que me parece, vive uma estranha incerteza, sobre se a vida é obra do Diabo ou de Deus, e conclui *algo apressadamente* que o principal objetivo do homem na Terra é "louvar a Deus e gozar sua presença eternamente".

Ainda assim vivemos de forma mesquinha, como formigas; embora a fábula nos diga que muito tempo atrás fomos transformados em homens; feito pigmeus lutamos contra os grous; erro atrás de erro, remendo sobre remendo, e nossa melhor virtude é ocasionada por uma desgraça supérflua e evitável. Nossa vida se dilapida nos detalhes. Um homem honesto mal precisa saber contar além de seus dez dedos, ou em casos extremos pode acrescentar os dez dos pés e misturar ao resto. Simplicidade, simplicidade, simplicidade! Eu diria: ocupe-se de dois ou três assuntos, e não de cem ou mil; em vez de um milhão, conte meia dúzia, e não perca a conta. Em meio ao mar proceloso da vida civilizada, são essas nuvens e tempestades e areias movediças e mil e uma coisas com que lidar que um homem precisa viver se não quiser ir a pique, naufragar e sumir do mapa, e deve ser mesmo um grande calculador quem quiser chegar a bom porto. Simplifique, simplifique. Em vez de três refeições ao dia, se necessário apenas uma; em vez de cem pratos, cinco; e reduza as outras coisas na mesma medida. Nossa vida é como uma confederação germânica, feita de pequenos principados, de fronteiras sempre flutuantes, de modo que nem mesmo um alemão sabe dizer quais são a cada momento. O país em si, com todos os chamados avanços internos, que, aliás, são todos externos e superficiais, é uma instituição tão descomunal e exageradamente crescida, atravancada de mobília, presa nas próprias armadilhas, arruinada pelo luxo e pela gastança desenfreada, pela falta de cálculo e de um objetivo digno, com um milhão de lares; e a única cura para a nação, segundo eles, está em uma rígida economia, uma austera e mais que espartana simplicidade de vida e uma elevação de propósitos. Vive-se muito depressa. As pessoas acham essencial que o *país* faça comércio, e exporte gelo, e se comunique por telégrafo, e corra trinta milhas por hora, sem dúvida, mesmo que *elas* mesmas não façam nada disso; mas não se sabe ao certo ainda se deveríamos viver como babuínos ou como homens. Se não buscarmos nossos dormentes, e forjarmos nossos trilhos, e dedicarmos dias e noites ao trabalho, mas ficarmos remendando nossa *vida* tentando melhorá-la, quem construirá nossas ferrovias? E se a ferrovia não ficar pronta, como chegaremos ao céu a tempo? Mas se ficarmos em casa e cuidarmos de nossa própria vida, quem haverá de querer ferrovia? Nós não usamos a ferrovia; a ferrovia é que nos usa. Você alguma vez pensou no que são aqueles dormentes embaixo dos trilhos? Cada dormente é um homem, um irlandês, ou um ianque. Os trilhos foram postos sobre eles, e eles estão cobertos de areia, e os vagões deslizam suavemente por cima deles. São dormentes pesados, eu garanto. E a cada par de anos um novo lote é deitado e lhe passam por cima; de modo que, se alguns têm o prazer de correr sobre os trilhos, outros têm a infelicidade de passar por cima deles. E quando atropelam um sonâmbulo, um dormente extranumerário na posição errada, e o acordam, subitamente freiam o trem, e fazem alarde e choram, como se fosse uma exceção. Fico contente em saber que é preciso um bando de homens para cada cinco milhas a fim de manter os dormentes deitados e posicionados em seus leitos, pois isso é um sinal de que podem um dia vir a se levantar de novo.

Por que devemos viver nessa pressa e nesse desperdício de vida? Estamos dispostos a morrer de fome antes mesmo de sentir fome. Dizem que um ponto dado a tempo evita nove pontos depois, e assim eles dão mil pontos hoje para economizar nove amanhã. Quanto ao trabalho, não temos nenhum que seja relevante. Sofremos da dança de são Vito, e não conseguimos manter nossa cabeça parada de maneira nenhuma. Se eu fosse tocar o sino da paróquia, como em um incêndio, isto é, sem repique, dificilmente alguém em seu sítio nos arredores de Concord, não obstante a pressão dos compromissos que haviam servido de desculpa tantas vezes pela manhã, nem nenhum menino ou mulher, eu diria, deixaria de largar tudo e vir atrás daquele som, não tanto para salvar uma propriedade das chamas, mas, verdade seja dita, muito mais para vê-la queimar, uma vez que vai acabar queimando mesmo, e não fomos nós, saibam todos, que acendemos o fogo – ou para vê-lo apagar, e até mesmo ajudar no final, se tudo correr bem; sim, mesmo que o incêndio fosse na própria igreja da paróquia. Dificilmente um homem cochila meia hora depois do jantar, mas quando ele acorda, ergue a cabeça e pergunta: "Alguma novidade?" – como se o resto da humanidade tivesse ficado de sentinela. Algumas pessoas pedem para ser acordadas a cada meia hora, sem dúvida com o mesmo intuito; e então, como recompensa, contam-nos seus sonhos. Após uma noite de sono, as novidades são tão indispensáveis quanto o desjejum. "Por favor, alguma novidade que tenha acontecido com alguém em algum lugar do mundo" – e ele lê durante o café com pão que um sujeito teve os olhos arrancados hoje de manhã no rio Wachito; sem sequer sonhar que ele mesmo vive na escuridão da caverna insondável deste mundo, e também tem apenas olhos rudimentares.

Quanto a mim, poderia facilmente ficar sem correio. Penso que pouquíssimas comunicações importantes são feitas através dele. Para ser mais crítico, nunca recebi mais do que uma ou duas cartas na minha vida – escrevi isto alguns anos atrás – que valessem o selo. O serviço postal, geralmente, é uma instituição por meio da qual de fato você oferece com seriedade uma moeda pelos pensamentos de alguém como se costuma oferecer de brincadeira. E tenho certeza de nunca ter lido no jornal nada de memorável. Se você já leu alguma notícia sobre alguém que foi roubado, ou assassinado, ou morto por acidente, sobre um incêndio de uma casa, um naufrágio de um navio, um vapor que explodiu, uma vaca atropelada na Western Railroad, um cachorro louco que mataram ou um bando de gafanhotos no inverno – não precisa ler nenhuma outra. Uma já é o suficiente. Se você já entendeu o princípio, que importância têm miríades de casos e aplicações? Para um filósofo, qualquer *notícia*, como se diz, é mero boato, e quem as edita e quem as lê são todos como velhas senhoras durante o chá. No entanto, não são poucos os leitores ávidos justamente por esses boatos. Houve tanto alvoroço, pelo que fiquei sabendo, outro dia em uma agência para saber as últimas notícias do estrangeiro, que até quebraram as imensas vitrines do estabelecimento, tamanho o afã – notícias que, penso seriamente, qualquer sujeito sagaz poderia ter escrito doze meses, ou doze anos antes até, com certa precisão. Sobre a Espanha, por exemplo, se você souber enfiar dom Carlos e a infanta, e dom Pedro e Sevilha e Granada, aqui e ali, na medida certa – pode ser que tenham mudado um pouco os nomes desde a última vez que li os jornais –, e recorrer a uma tourada, na falta de outro entretenimento, já será tão fiel, e nos dará uma ideia tão boa do exato estado ou da ruína das coisas na Espanha, quanto o mais sucinto e lúcido relato sob essa rubrica no jornal; e quanto à Inglaterra, praticamente a única notícia significativa daquela região foi a revolução de 1649; e se você já estudou a história de suas safras médias anuais, não precisará nunca mais voltar ao assunto, a não ser que suas especulações sejam de caráter meramente pecuniário. Se alguém que raramente lê jornal puder opinar, nada nunca acontece no estrangeiro, o que não exclui nenhuma revolução francesa.

Que novidade! Quão mais importante é saber aquilo que nunca ficou velho! "Kieou-he-yu (grande dignitário da província de Wei) enviou um mensageiro a Khoung-tseu para saber as novidades. Khoung-tseu pediu que o mensageiro se sentasse perto dele, e perguntou o seguinte: O que o seu senhor anda fazendo? O mensageiro respondeu com respeito: Meu senhor deseja diminuir o número de seus defeitos, mas são tantos que ele nunca consegue dar cabo de todos. Depois que o mensageiro foi embora, o filósofo comentou: Que mensageiro valioso! Que mensageiro valioso!" O pregador, em vez de atormentar os ouvidos sonolentos dos agricultores em seu dia de descanso ao final da semana – pois o domingo é a conclusão apropriada de uma semana mal vivida, e não o início revigorado e corajoso de uma nova – com esse sermão arrastado, deveria berrar com voz tonitruante: "Parem! Chega! Por que aparentam tanta pressa, mas vivem mortalmente tão devagar?".

Engodos e ilusões são tomados por verdades sólidas, enquanto a própria realidade já é em si fabulosa. Se os homens observassem constantemente apenas as realidades, e não se deixassem enganar, a vida, para comparar com coisas que conhecemos, seria como os contos de fadas e os entretenimentos das mil e uma noites. Se respeitássemos apenas o que é inevitável e tem razão de ser, música e poesia ecoariam pelas ruas. Quando estamos sem pressa e somos sábios, percebemos que apenas coisas grandiosas e valiosas têm existência permanente e absoluta, que medos mesquinhos e prazeres mesquinhos são apenas a sombra da realidade. Esta é sempre exultante e sublime. Fechando os olhos e adormecendo, e consentindo em ser enganados por aparências, os homens estabelecem e confirmam sua vida diária de rotinas e hábitos em toda parte, que ainda assim se constrói sobre fundamentos puramente ilusórios. As crianças, que brincam de vida real, distinguem suas leis e relações verdadeiras com mais clareza que os adultos, que não conseguem vivê-la dignamente, mas julgam ficar mais sábios com a experiência, isto é, com seus fracassos. Li em um livro hindu que "era uma vez o filho de um rei, que, tendo sido expulso de sua cidade natal ainda na infância, foi criado por um guarda florestal, e, tendo crescido até a maturidade naquelas condições, imaginava pertencer àquela raça bárbara com que vivia. Um dos ministros do pai o descobriu, revelou ao rapaz quem ele era, e a confusão sobre sua identidade foi removida, ele ficou sabendo que era um príncipe. De modo que a alma", continua o filósofo hindu, "a partir das circunstâncias em que é colocada, engana-se sobre a própria identidade, até que a verdade lhe seja revelada por algum professor sagrado, e então a alma fica sabendo que é Brahma".[19] Noto que nós moradores da Nova Inglaterra levamos essa vida cruel que levamos porque nossa visão não penetra a superfície

---

19. *The Sankhya Karika, or Memorial Verses on the Sankhya Philosophy by Iswara Krishna.* Tradução para o inglês por Henry Colebrooke (1837).

das coisas. Nós achamos que é aquilo que parece ser. Se uma pessoa caminhasse pela cidade e visse apenas a realidade, como você acha que ele descreveria o nosso "Mill Dam"?[20] Se nos fizesse um relato das realidades ali contempladas, nós mesmos não reconheceríamos o lugar pela descrição. Olhe bem para uma igreja, um tribunal, uma prisão, uma loja, uma pensão, e diga o que é afinal aquilo que tem diante de si, e o lugar ficará esfacelado em seu relato. Os homens consideram a verdade algo remoto, nos arrabaldes do sistema, além da estrela mais distante, anterior a Adão e posterior à extinção do último homem. Existe de fato algo verdadeiro e sublime na eternidade. Mas todas essas épocas e esses lugares e ocasiões são aqui e agora. Deus culmina no momento presente, e jamais seremos mais divinos, nem no decurso de todas as eras, do que agora. E adquirimos a capacidade de apreender tudo o que é sublime e nobre apenas por meio da perpétua instilação e do encharcamento causados pela realidade que nos cerca. O universo reage constante e obedientemente às nossas concepções; quer viajemos depressa ou devagar, o caminho já está lá pronto para nós. Passemos então mais tempo concebendo em nossa vida. O poeta ou o artista sempre tiveram essa intenção, boa e nobre, de que alguém em sua posteridade ao menos o consiga.

Passemos um dia deliberadamente como a natureza, e não nos deixemos afastar do caminho por qualquer casca de noz ou asa de mosquito encontrada nos trilhos. Levantemos cedo, em jejum, ou façamos o desjejum, delicadamente e sem qualquer perturbação; com companhia ou sem, deixemos que os sinos toquem e as crianças chorem – decididos a fazer valer aquele dia. Por que haveríamos de nos deixar abater e seguir a corrente? Não nos deixemos irritar e atordoar pela terrível corredeira, aquele redemoinho que chamam de refeição, situado nas águas rasas do meio-dia. Passe por esse perigo e estará salvo, pois o restante do caminho é ladeira abaixo. Com nervos que não relaxam, com vigor matinal, navegue, procure outro caminho, amarrado ao mastro como Ulisses. Se a locomotiva apita, deixe que apite até ficar rouca de tanto apitar. Se o sino toca, por que deveríamos sair correndo? Consideremos que tipo de música eles

---

20. Literalmente, "dique do moinho"; Concord era em sua origem um entroncamento de estradas.

tocam. Que nos estabeleçamos, e que trabalhemos e finquemos o pé na lama e no lodo da opinião, do preconceito e da tradição, e da ilusão e da aparência, dessa aluvião que cobre o mundo, através de Paris e Londres, através de Nova York e Boston e Concord, por intermédio da Igreja e do Estado, por meio da poesia e da filosofia e da religião, até chegar ao fundo duro e rochoso que possamos chamar de *realidade* e dizer: agora sim, aí está, não resta dúvida – e então começar, tendo um *point d'appui*, abaixo das cheias do degelo e das geadas e dos incêndios, um lugar onde se possa lançar as fundações de um muro ou de um estado, ou fincar com segurança um poste de luz, ou talvez um medidor, não um nilômetro, mas um realômetro, que as gerações futuras possam usar para saber quão profundas foram as inundações do engodo e da aparência em determinada época. Se você ficar em pé, parado, encarando um fato de frente, verá que o sol cintila dos dois lados, como se fosse uma cimitarra, e sentirá seu gume suave dividindo-o pelo coração e pela medula, e assim concluirá feliz sua carreira mortal. Seja vida ou seja morte, ansiamos apenas por realidade. Se estamos realmente morrendo, escutemos o estertor na garganta e sintamos frio nas extremidades; se estamos vivos, cuidemos de nossa própria vida.

O tempo é apenas o rio onde pescamos. Eu bebo desse rio; mas enquanto bebo vejo a areia do fundo e noto como é raso. Seu fio de água desliza e passa, mas a eternidade permanece. Eu gostaria de beber mais do fundo; pescar no céu, cujo leito tem seixos de estrelas. Não consigo contá-las. Não sei nem a primeira letra desse alfabeto. Sempre lamentei não ser mais tão sábio quanto no dia em que nasci. O intelecto é um cutelo; ele distingue e abre caminho dentro do segredo das coisas. Não desejo ocupar as mãos mais do que o necessário. Minha cabeça tem pés e mãos. Sinto todas as minhas melhores faculdades concentradas nela. O instinto me diz que a cabeça é um órgão para fazer buracos, como algumas criaturas usam o focinho e as patas dianteiras, e com ela farei minas e escavarei meu caminho através dessas colinas. Acho que o veio mais rico está em algum lugar por aqui; então, com a vareta de rabdomante e a fina bruma que se evola, avalio; e aqui começo minha mina.

LEITURAS

Com um pouco mais de deliberação na escolha de seus objetivos, todos os homens talvez se tornassem em essência estudantes e observadores, pois decerto sua natureza e seu destino são igualmente do interesse de todos. Ao acumular propriedades para nós mesmos ou para nossos descendentes, ao fundar uma família ou um estado, ou mesmo ao alcançar a fama, somos mortais; mas ao lidar com a verdade somos imortais, e não precisamos temer nenhuma transformação, nem nenhum acidente. O mais antigo filósofo, egípcio ou hindu, ergueu uma ponta do véu da estátua da divindade; e o pano trêmulo ainda permanece erguido, e contemplo a glória viva que ele contemplou, pois era eu dentro dele quem ousava, e agora é ele dentro de mim quem revê a própria visão. Nenhuma poeira se acumulou nesse véu; nenhum tempo passou desde que a divindade foi revelada. O tempo que realmente aproveitamos, ou que é aproveitável, não é o passado, nem o presente, nem o futuro.

Minha residência era mais favorável, não apenas ao pensamento, mas também à leitura séria, do que a universidade; e embora eu estivesse fora do alcance da biblioteca circulante, estive mais do que nunca sob influência daqueles livros que circulam ao redor do mundo, cujas frases foram escritas pela primeira vez em cascas de árvore e são hoje em dia apenas copiadas em papel de linho. Diz o poeta Mir Qamar-uddin Minnat: "Sentado, correr pelas regiões do mundo espiritual; eis a vantagem que tirei dos livros. Ficar embriagado por um único cálice de vinho; experimentei esse prazer ao beber do elixir das doutrinas esotéricas". Deixei a *Ilíada*, de Homero, em cima da mesa o verão inteiro, embora olhasse para suas páginas só de vez em quando. O trabalho incessante com as mãos, a princípio, pois eu precisava terminar minha casa e cuidar dos meus feijões ao mesmo tempo, tornou impossível estudar mais. No entanto, eu me alimentava da perspectiva dessa leitura no futuro. Li um ou dois livros fúteis de viagem nos intervalos do trabalho, até que senti vergonha de mim mesmo, e me perguntei onde afinal *eu* vivia.

Um estudante pode ler Homero ou Ésquilo em grego sem risco de dissipação ou luxúria, pois essa leitura implica que ele em alguma medida imite seus heróis, e consagre horas matinais a suas páginas. Os livros heroicos, mesmo que impressos em caracteres de nossa língua materna, sempre serão em uma língua morta para tempos decadentes; e devemos procurar arduamente o significado de cada palavra e cada linha, conjecturando um sentido maior do que o uso comum permite a partir do tanto de sabedoria e valor e generosidade que tivermos. A imprensa moderna, barata e fértil, com todas as suas traduções, pouco fez para nos tornar mais próximos dos autores heroicos da Antiguidade. Eles parecem tão solitários, e a letra em que são impressos tão rara e peculiar, quanto sempre foram. Vale a pena gastar dias de juventude e horas preciosas, se você aprender apenas algumas palavras de uma língua antiga que brotam da trivialidade das ruas e se tornam eternas sugestões e provocações. Não é em vão que o agricultor relembra e repete as poucas palavras latinas que ouve dizer. As pessoas às vezes falam como se o estudo dos clássicos fosse acabar abrindo caminho para estudos mais modernos e práticos; mas o estudante aventureiro sempre estudará os clássicos, não importando a língua e por mais antigos que sejam. Pois o que são os clássicos senão registros dos pensamentos mais nobres do homem? São os únicos oráculos que não entraram em decadência, e há neles respostas às mais modernas perguntas que Delfos e Dodona nunca responderam. Poderíamos também omitir o estudo da natureza por ela ser velha? Ler bem, isto é, ler livros verdadeiros com verdadeiro espírito, é um exercício nobre que obrigará o leitor a um exercício maior do que os hábitos valorizados por seus contemporâneos. Pois requer um treinamento comparável ao dos atletas, a intenção firme de uma vida inteira dedicada a esse objeto. Os livros devem ser lidos tão deliberada e reservadamente quanto foram escritos. Não basta ser capaz de falar a língua do país em que foram escritos, pois existe um considerável intervalo entre a língua falada e a escrita, a língua ouvida e a língua lida. Uma é geralmente transitória, um som, um linguajar, mero dialeto, quase selvagem, e aprendemos inconscientemente, como os selvagens, com nossas mães. A outra é o amadurecimento e a experiência dessa primeira; se aquela é nossa língua materna, esta é nossa língua paterna, uma expressão reservada e seleta, significativa demais para aprender de ouvido, e que devemos nascer de novo para aprender a falar. Multidões de homens que meramente *falavam* grego e latim na Idade Média não sabiam, pelo acaso do nascimento, *ler* as obras dos gênios escritas nessas línguas; pois eram escritas não no grego ou latim que eles conheciam, mas na seleta linguagem da literatura. Não haviam aprendido os dialetos mais nobres da Grécia e de Roma, mas o próprio material em que foram escritos era lixo para eles, pois valorizavam a literatura barata de seus contemporâneos. Mas quando as diversas nações da Europa desenvolveram línguas escritas próprias, ainda que rudes, suficientes para o propósito de suas literaturas em ascensão, então, a princípio, as escolas foram revividas, e os eruditos puderam distinguir naqueles textos remotos os tesouros da Antiguidade. O que a multidão romana e grega não conseguia *ouvir*, passadas as eras alguns eruditos conseguiram *ler*, e alguns poucos eruditos continuam lendo.

Por mais que admiremos surtos ocasionais de eloquência em um orador, as mais nobres palavras escritas em geral ficam muito aquém, ou além, da flutuante linguagem falada, como o firmamento com suas estrelas por trás das nuvens. *Existem* estrelas, e existem aqueles capazes de lê-las. Os astrônomos ficam eternamente falando sobre elas e observando-as. Elas não são exalações como os nossos colóquios diários ou o vapor de nossos alentos. O que chamam de eloquência no tribuno geralmente se revela retórica no erudito. O orador cede à inspiração de uma ocasião passageira, e fala à multidão diante de si, àqueles capazes de *ouvi-lo* dali; mas o escritor, cuja ocasião é sua vida equilibrada, e que ficaria distraído pelo evento e pela multidão que inspiram o orador, fala ao intelecto e ao coração da humanidade, a qualquer um, de qualquer idade, capaz de *entendê-lo*.

Não espanta que Alexandre levasse a *Ilíada* consigo em suas expedições dentro de um cofre precioso. Uma palavra escrita é a mais rara das relíquias. É ao mesmo tempo a mais íntima e a mais universal das obras de arte. É a obra de arte mais íntima da vida. Pode ser traduzida para qualquer língua, e não só lida como também exalada por todos os lábios humanos

– não representada em tela ou mármore apenas, mas esculpida a partir do sopro da vida em si. O símbolo do pensamento de um homem antigo se torna o discurso de um homem moderno. Dois mil verões agregaram aos monumentos da literatura grega, assim como a seus mármores, apenas um dourado mais maduro e um tom outonal, pois eles transportaram sua própria atmosfera, serena e celestial, a todos os países para protegê-los contra a corrosão do tempo. Os livros são o tesouro das riquezas do mundo e a herança apropriada para todas as gerações e todos os países. Os livros, os mais antigos e os melhores, estão naturalmente e por direito nas estantes de qualquer casa. Os livros não têm eles mesmos nenhuma causa própria a defender, mas na medida em que esclarecem e alimentam o leitor seu bom senso não lhes faltará. Os autores formam uma aristocracia natural e irresistível em toda sociedade, e, mais do que reis ou imperadores, exercem uma influência sobre a humanidade. Quando o comerciante analfabeto e talvez desdenhoso conquista por empenho e indústria seu cobiçado ócio e sua independência e é admitido nos círculos dos ricos e elegantes, inevitavelmente ele acaba se voltando para aqueles círculos ainda mais elevados mas ainda inacessíveis do intelecto e do gênio, e se torna sensível apenas à imperfeição de sua cultura e à vaidade e à insuficiência de todas as suas riquezas, e comprova ainda mais seu bom senso com o esforço que empenha em garantir aos filhos aquela cultura intelectual cuja falta ele sente tão agudamente; e assim ele se torna o fundador de uma família.

Quem não aprender a ler os antigos clássicos na língua em que foram escritos terá um conhecimento muito imperfeito da história da raça humana; pois é notável que nenhuma transcrição jamais tenha sido feita em nenhuma língua moderna, a não ser que a própria civilização em si seja considerada essa transcrição. Homero ainda não foi publicado em inglês, nem Ésquilo, nem mesmo Virgílio – obras refinadas, solidamente construídas, quase tão belas quanto a própria manhã; quanto a autores posteriores, digamos o que quisermos de seu gênio, raramente, ou nunca, se equiparam à beleza elaborada e bem-acabada e ao engenho literário heroico dos antigos. Só diz que se deve esquecê-los quem ainda não os conhece. Será cedo para esquecê-los ainda quando tivermos o conhecimento e o gênio que nos permita frequentá-los e apreciá-los. Serão tempos de riqueza de fato quando essas relíquias que chamamos de clássicos, e outras mais antigas e mais clássicas mas ainda menos conhecidas, Escrituras de todos os países, tiverem se acumulado mais um tanto, quando as vaticanas estiverem cheias de Vedas e Zendavestas e Bíblias, de Homeros e Dantes e Shakespeares, e todos os séculos futuros tiverem sucessivamente depositado seus troféus no fórum do mundo. Com tamanha torre de livros, poderemos ter esperança de conseguir enfim escalar até o céu.

As obras dos grandes poetas ainda não foram lidas pela humanidade inteira, pois apenas os grandes poetas são capazes de lê-las. Foram lidas apenas como a multidão lê as estrelas, no máximo da perspectiva astrológica, não da astronômica. A maioria aprendeu a ler para servir a uma conveniência mesquinha, assim como aprendeu a contar para registrar e não se deixar enganar no comércio; mas da leitura como nobre exercício intelectual pouco ou nada conhecem; e no entanto apenas esta é a verdadeira leitura, em sentido elevado, não aquela que nos embala como um luxo e adormece nossas faculdades mais nobres, mas aquela que precisamos ficar na ponta dos pés para ler e à qual devotar nossas horas de vigília mais alertas.

Penso que depois de aprendermos as letras devemos começar a ler o que há de melhor na literatura, e não ficar para sempre repetindo os beabás, e palavras de uma sílaba, do quarto e do quinto ano, sentados nos bancos mais baixos da primeira fila a vida toda. A maioria dos homens se satisfaz se ler ou ouvir alguém ler, e talvez se convença pela sabedoria de um único bom livro, uma Bíblia, e pelo resto da vida vegete e dissipe suas faculdades naquilo que se chama de leitura fácil. Existe uma obra em diversos volumes na nossa biblioteca circulante intitulada *Little Reading*,[21] que achei que se referisse a uma cidade com esse nome aonde eu nunca tivesse ido. Existem aqueles que, feito o cormorão e a avestruz, são capazes de digerir tudo, até a refeição mais completa de carne e verdura, pois não gostam de desperdiçar nada.[22] Se outros são as máquinas que fornecem essa forragem, eles são as máquinas que a digerem. Eles leem as nove

---

21. "Um pouco de leitura".

22. Alusão ao capítulo XXII, "Da avestruz", da *Pseudodoxia epidemica, ou Erros vulgares* (1646), de Thomas Browne.

mil histórias sobre Zebulom e Sofronia, sobre como se amaram, como ninguém nunca antes se amou, como nunca é tranquilo o caminho do amor verdadeiro – seja como for, como transcorreu, tropeçou, tornou a se levantar e seguiu em frente! Como um pobre infeliz subiu até uma torre, sendo que teria sido melhor não chegar ao campanário; e então, depois de fazê-lo subir inutilmente até lá em cima, o feliz romancista toca o sino para que todo mundo se aproxime e escute: Ó céus! Como ele fez para descer de lá! Da minha parte, penso que teria sido melhor metamorfosear todos esses aspirantes a heróis da novelística universal em cataventos, assim como costumavam transformar heróis em constelações, e deixá-los girar lá no alto até enferrujarem, e não deixá-los descer nunca mais para incomodar os homens honestos com suas traquinagens. Da próxima vez que o romancista tocar o sino não me abalarei até lá nem que o salão paroquial esteja em chamas. "*O passo do salto na ponta*, um romance da Idade Média, pelo celebrado autor de *Pingo-paga-pega*, breve em folhetins mensais; um grande sucesso; evitem filas."[23] Tudo isso leem com olhos arregalados, e curiosidade hirta e primitiva, e com suas moelas incansáveis, cujas vilosidades nem precisam ser afiadas, como se fossem criancinhas de escola com sua edição de capa dourada de *Cinderela* de dois centavos – sem nenhum proveito, que eu possa notar, para a pronúncia, nas tônicas ou nas ênfases, nem qualquer habilidade em extrair ou inserir a moral. O resultado é o embotamento da visão, uma estagnação das circulações vitais, e uma deliquescência generalizada e o descarte de todas as faculdades intelectuais. Esse tipo de pão de gengibre é assado todos os dias e mais assiduamente que o pão integral de trigo ou de centeio e milho em quase todos os fornos, e tem fregueses mais cativos.

Os melhores livros não são lidos nem por aqueles ditos bons leitores. O que constitui afinal nossa cultura em Concord? Não existe nessa cidade, com raríssimas exceções, nenhum gosto nem pelos melhores livros, ou por livros muito bons da literatura inglesa, cujas palavras todos saberiam ler e soletrar. Até os que fizeram faculdade e os chamados homens de educação liberal, aqui e alhures, mesmo eles têm na verdade pouca ou nenhuma familiaridade com os clássicos ingleses; e quanto aos registros

---

23. *The Skip of the Tip-toe Hop* e *Tittle-Tol-Tan*.

da sabedoria da humanidade, os clássicos antigos e as Bíblias, que são acessíveis a todos que quiserem conhecê-los, foram mínimos os esforços nesse sentido em todo o mundo. Conheço um lenhador, de meia-idade, que lê um jornal em francês não para saber as notícias, como ele disse, pois já não se interessa por isso, mas para "continuar praticando", sendo ele, por nascimento, canadense; e quando perguntei o que ele considerava a melhor coisa que poderia fazer na vida, ele respondeu, além de praticar o francês, manter e melhorar o seu inglês. É praticamente a mesma coisa que os formados fazem ou aspiram a fazer, em geral, com um jornal em inglês. Alguém que acabou de ler talvez um dos melhores livros jamais escritos em inglês encontrará quantas pessoas com quem conversar a respeito? Ou suponhamos que ele tenha acabado de ler um clássico grego ou latino no original, cujos elogios são conhecidos até pelos chamados analfabetos; ele não encontrará alguém com quem conversar sobre o livro, mas deverá se calar a respeito. Na verdade, mal existe nas nossas faculdades o professor que, se já dominou as dificuldades da língua, domine proporcionalmente as sagacidades e a poesia de um poeta grego e ainda saiba transmitir alguma simpatia ao leitor atento e heroico; e quanto às sagradas Escrituras, ou Bíblias da humanidade, quem nesta cidade saberia sequer me dizer os títulos desses livros? A maioria não sabe nem que outros povos além dos hebreus tiveram suas próprias Escrituras. Um homem, qualquer homem, sairia bastante do caminho por um dólar de prata; mas essas são palavras de ouro, pronunciadas pelos mais sábios da Antiguidade, e de cujo valor os sábios de todas as eras sucessivas nos asseguraram – e no entanto aprendemos apenas leituras fáceis, primárias, cartilhas de escola, e quando saímos da escola, almanaques como esse *Little Reading*, e livros de histórias, que são para meninos e iniciantes; e nossas leituras, nossas conversas e nossos pensamentos se dão em um nível muito baixo, digno apenas de pigmeus e marionetes.

Minha aspiração era conhecer homens mais sábios do que estes que a nossa terra de Concord produziu, cujos nomes mal são conhecidos por aqui. Ou deveria ouvir falar em Platão e nunca ler seu livro? Como se Platão fosse meu conterrâneo e eu nunca o tivesse visto – como se fosse meu vizinho mais próximo, e eu jamais tivesse ouvido Platão falar nem frequentado a sabedoria de suas palavras. Mas o que acontece de fato? Seus

Diálogos, que contêm tudo o que havia de imortal dentro dele, estão na estante ao lado, e no entanto eu jamais os li. Somos mal-educados, marginais e analfabetos; e quanto a isso confesso não fazer muita diferença entre o analfabetismo dos meus conterrâneos que não sabem mesmo ler nada e o analfabetismo daquele que lê apenas coisas próprias para crianças e intelectos débeis. Deveríamos ser bons como os grandes da Antiguidade, mas também, primeiro, precisamos saber quão bons eles eram. Somos uma raça de homens raquíticos, passarinhos cujos voos intelectuais não passam da altura das colunas de jornal.

Nem todos os livros são tolos como seus leitores. Existem palavras que provavelmente foram escritas justo sobre a nossa condição, palavras que se pudessem de fato ser ouvidas e entendidas seriam mais saudáveis que a manhã ou a primavera para nossa vida, e possivelmente dariam um novo aspecto à face das coisas para nós. Quantas pessoas não definiram uma nova era em sua vida por meio da leitura de um livro! O livro existe para nós, talvez, como aquilo que explicará nossos milagres e revelará outros novos. Podemos encontrar neles, de certa forma ditas, coisas indizíveis no presente. Essas mesmas perguntas que nos perturbam e intrigam e confundem ocorreram por sua vez a todos os homens sábios; nenhuma delas foi omitida; e cada um deles respondeu de acordo com a própria capacidade, com as próprias palavras e a própria vida. Além do mais, com a sabedoria aprenderemos a liberalidade. O lavrador solitário em um sítio nos arrabaldes de Concord, que teve seu segundo nascimento e sua experiência religiosa peculiar, e se sente movido, segundo acredita, rumo à gravidade silenciosa e ao isolamento, por sua fé, pode até pensar que não é verdade; mas Zoroastro, milhares de anos atrás, viajou por essa mesma estrada e teve a mesma experiência; porém, sendo sábio, ele sabia que era algo universal, e tratou seus vizinhos da maneira apropriada, e dizem até que foi ele quem inventou e estabeleceu a celebração do culto entre os homens. Que o lavrador comungue então humildemente com Zoroastro, e, através da influência liberalizadora de todos os grandes homens, com o próprio Jesus Cristo, e que a "nossa igreja" seja abandonada.

Nós nos gabamos de pertencer ao século XIX e de estar avançando a passos mais rápidos do que qualquer outro país. Mas considere como é pouco o que esta cidade faz pela própria cultura. Não tenho intenção de lisonjear meus conterrâneos, nem de ser lisonjeado por eles, pois isso não adiantaria nada para nenhum de nós. Precisamos ser provocados – aguilhoados feito gado, como somos, para trotar. Temos um sistema comparativamente decente de ensino público universal, para crianças apenas; mas, com exceção do liceu que passa à míngua no inverno e, recentemente, com a sugestão de uma pequena biblioteca do estado, não temos escolas para nós mesmos. Gastamos mais com qualquer alimento ou sofrimento do nosso corpo que com a alimentação da nossa mente. Está na hora de termos escolas *incomuns*, peculiares, de não abandonar nossa educação quando começamos a virar homens e mulheres. Chegou a hora de as aldeias virarem universidades, e os moradores mais antigos se tornarem professores, com tempo de sobra – se estiverem mesmo bem de vida – para fazer estudos liberais pelo resto da vida. Por que o mundo deveria se restringir a uma única Paris e uma única Oxford para sempre? Os estudantes não poderiam morar aqui e ter uma educação liberal sob os céus de Concord? Não poderíamos contratar um Abelardo para nos dar aulas? Ora! Dando de comer ao gado e cuidando do comércio, ficamos tempo demais longe da escola, e nossa educação é tristemente negligenciada. Neste país, a aldeia deveria em alguns aspectos tomar o lugar da nobreza da Europa. A aldeia deveria ser a mecenas das belas-artes. Ela é suficientemente rica. Só lhe falta magnanimidade e refinamento. Ela pode gastar dinheiro em coisas que agricultores e comerciantes valorizam, mas considera utópico propor gastar com coisas que homens mais inteligentes sabem valer muito mais. Esta cidade gastou dezessete mil dólares na sede da prefeitura, graças à prosperidade ou à política, mas provavelmente não gastará tanto em inteligência viva, a verdadeira carne a ser colocada naquela concha, nem em cem anos. Os cento e vinte e cinco dólares anuais destinados ao liceu no inverno são mais bem empregados do que qualquer outra quantia arrecadada na cidade. Se vivemos no século XIX, por que não deveríamos desfrutar as vantagens oferecidas pelo século XIX? Por que nossa vida deveria ser em qualquer aspecto provinciana? Se vamos ler jornais, por que não deixamos de lado os boatos de Boston e lemos logo o melhor jornal do mundo? – em vez de ficar mamando nos jornais "neutros e familiares", ou virando as folhas de jornais religiosos, "Olive Branches"[24] da Nova Inglaterra. Que os relatos de todas as sociedades eruditas cheguem até nós, e veremos se eles sabem mesmo alguma coisa. Por que haveríamos de deixar que os Harper & Brothers e Redding & Co. escolham nossas leituras? Como o nobre de gosto cultivado se cerca de tudo aquilo que conduz à sua cultura – gênio – erudição – espírito – livros – pinturas – esculturas – música – instrumentos filosóficos e coisas do gênero; que seja assim também com a aldeia – que esta não se contente com um pedagogo, um pastor, um sacristão, uma biblioteca paroquial e três edis, porque nossos antepassados peregrinos atravessaram uma vez um inverno frio sobre um rochedo desolado só com isso. Agir coletivamente está de acordo com o espírito das nossas instituições; e tenho certeza de que, assim como nossas circunstâncias são mais florescentes, os meios de que dispomos são mais vastos que os da nobreza. A Nova Inglaterra pode contratar todos os sábios do mundo para virem lhe dar aulas, e hospedá-los e alimentá-los por aqui enquanto isso, e não ser nem um pouco provinciana. Essa é a escola incomum, a outra escola pública que queremos. Em vez de homens da nobreza, tenhamos aldeias nobres de homens. Se necessário, em vez de construir uma ponte sobre o rio, demoremos mais um pouco ali, e lancemos ao menos um arco por sobre o golfo mais escuro da ignorância que nos cerca.

---

24. Literalmente, "Ramos de Oliveira"; *The Boston Olive Branch* era um semanário metodista.

SONS

Mas enquanto estamos confinados aos livros, ainda que os mais seletos e clássicos, e lemos apenas algumas línguas escritas em particular, que são por sua vez dialetos provincianos, corremos o risco de esquecer a língua que todas as coisas e os acontecimentos falam sem metáfora, que por si já é copiosa e padronizada. Muito se publica, pouco fica impresso. Os raios filtrados pelas frestas da veneziana não serão lembrados por muito tempo quando a veneziana inteira for removida. Nenhum método ou disciplina pode suplantar a necessidade de estar sempre alerta. O que é um curso de história ou filosofia, ou poesia, por melhor que seja a seleção, ou a sociedade, ou a mais admirável rotina de vida, em comparação com a disciplina de sempre olhar para aquilo que há para ver? Você prefere ser um leitor, um mero estudioso, ou um visionário? Leia seu próprio destino, veja o que tem diante de si, e caminhe rumo ao futuro.

Não li nenhum livro no primeiro verão; cuidei dos meus feijões. Não, muitas vezes fiz melhor do que isso. Houve momentos em que eu não podia me permitir sacrificar o florescer do presente por nenhum tipo de trabalho, fosse da cabeça ou das mãos. Gosto de viver com uma boa margem. Às vezes, nas manhãs de verão, depois do meu banho de costume no lago, eu me sentava em minha soleira ensolarada e ali ficava até o meio-dia, arrebatado em devaneio, em meio a pinheiros e nogueiras e sumagres, em imperturbável solidão, imóvel, enquanto os pássaros cantavam ao redor ou saltitavam silenciosos pela casa, até que o sol começava a cair em minha janela do oeste, ou o som de alguma carroça vinha da estrada ao longe, e eu me lembrava da passagem do tempo. Cresci nessas instâncias como o milho cresce à noite, e elas foram muito melhores do que qualquer trabalho manual teria sido.

Não eram tempo subtraído da minha vida, mas algo muito maior e superior à minha prestação usual. Entendi o que os orientais queriam dizer com a contemplação e o abandono do trabalho. Na maior parte do tempo, eu não me importava que as horas passassem. O dia avançava como se iluminasse algum trabalho meu; era de manhã, e de repente, veja só, era tarde, e nada de memorável havia sido realizado. Em vez de cantar como os pássaros, eu sorria em silêncio diante de minha incessante boa sorte. Como o pardal com seu trinado, sentado na nogueira diante da minha porta, eu também tinha o riso abafado ou o gorjeio reprimido que ele podia ouvir escapar de meu ninho. Meus dias não eram dias de semana, trazendo o selo de alguma divindade pagã, nem eram picados em horas nem atravancados pelo tique-taque de um relógio; pois eu vivia como os índios *puri*, de quem se diz que "possuem uma única palavra para ontem, hoje e amanhã, e expressam a variedade de significados apontando para trás para ontem, para a frente para amanhã, e para cima para o dia de hoje".[25] Isso seria considerado pura preguiça pelos meus conterrâneos; mas se os pássaros e flores me pesassem na balança deles, eu não seria achado em falta. O homem deve encontrar suas motivações em si mesmo, é verdade. O dia natural é muito calmo, e dificilmente reprovará sua indolência.

Tive essa vantagem, ao menos, em meu modo de vida, sobre aqueles que eram obrigados a procurar diversão fora, na sociedade e no teatro, que minha vida em si mesma se tenha tornado minha diversão e nunca deixasse de ser uma novidade. Era um drama com muitas cenas e sem final. Se estivermos sempre, de fato, ganhando a vida, e regrando nossa vida de acordo com o último e melhor modo de viver que aprendemos, jamais precisaremos nos preocupar com o tédio. Siga seu gênio de perto o suficiente, e ele não deixará de lhe mostrar uma perspectiva nova a cada hora. O trabalho doméstico era um passatempo agradável. Quando o chão estava sujo, eu acordava cedo e colocava toda a mobília lá fora, na grama, cama e cabeceira compondo um único objeto, depois jogava água no chão e espalhava nele a areia branca do lago, e então, com uma vassoura, esfregava e alvejava a casa inteira; e quando na cidade estavam fazendo o desjejum, o sol da

---

25. Ida Pfeiffer, *Viagem de uma mulher pelo mundo* (1850). Os puris viviam no sudeste do Brasil, e foram representados por Spix e por Rugendas.

manhã já havia secado minha casa o suficiente para eu entrar de novo, e as minhas meditações eram quase ininterruptas. Era agradável ver meus utensílios domésticos na grama, formando uma pequena pilha, semelhante a uma trouxinha de cigano, e minha mesa de três pernas, de onde eu não tirava os livros, a pena e o tinteiro, de pé em meio aos pinheiros e nogueiras. Eles também pareciam felizes por sair um pouco, e era como se voltassem para dentro de casa um tanto contrariados. Senti-me algo tentado a estender um toldo sobre eles e me sentar lá. Valia a pena ver o sol brilhar sobre aquelas coisas, e ouvir o vento soprando livremente sobre elas; os objetos mais familiares parecem muito mais interessantes fora do que dentro de casa. Um passarinho senta no galho ao lado, sempre-vivas crescem embaixo da mesa, e ramos de amoreira envolvem suas pernas; pinhas, ouriços das castanheiras, e folhas de morango se espalham ao seu redor. Era como se todos esses elementos acabassem assim se transferindo de alguma forma para a mobília, mesa, cadeira, cabeceira da cama – por terem estado em sua presença.

Minha casa ficava na vertente de um aclive, bem no limite de um bosque maior, em meio a uma floresta jovem de pinheiros e nogueiras, e a uns trinta metros do lago, ao qual se chegava descendo uma trilha estreita. No quintal da frente, cresciam morangos, amoras-pretas e sempre-vivas, ervas-de-são-joão, varas-de-ouro, carvalhos-anões, cerejas-da-areia, mirtilos e amendoins. Perto do fim de maio, a cereja-da-areia (*Cerasus pumila*) enfeitava as bordas da trilha com suas flores delicadas arranjadas em umbelas, cilindricamente, na ponta dos ramos curtos, que enfim, no outono, ficavam carregados de belas cerejas de bom tamanho, e pendiam em guirlandas de raios por todo lado. Provei-as em deferência à natureza, embora não chegassem a ser palatáveis. O sumagre (*Rhus glabra*) crescia exuberante em volta da casa, avançando sobre o aterro que eu havia feito, e crescendo entre um metro e meio e dois metros na primeira temporada. Sua folha tropical, larga e penada, era aprazível embora estranha ao olhar. Os brotos grandes, abrindo-se de repente, no final da primavera, de talos secos que pareciam mortos, desenvolviam-se como por mágica em graciosos e tenros ramos verdes, até atingirem uma polegada de diâmetro; e às vezes, sentado à minha janela, cresciam tão distraídos e exigiam tanto de suas frágeis articulações, que eu ouvia um galho ainda verde e tenro de repente vergar como um leque até o chão, sem que houvesse sequer uma brisa, e rachar sob o próprio peso. Em agosto, as grandes massas de bagas, que, quando em flor, haviam atraído muitas abelhas silvestres, gradualmente assumiram seu matiz carmesim-claro, aveludado, e novamente por seu peso envergaram e partiram seus caules tenros.

[26]Enquanto estou sentado junto à minha janela nesta tarde de verão, falcões rodeiam minha clareira; a revoada de pombos selvagens, aos pares e aos trios, ao fundo, ou empoleirados, inquietos, nos galhos de pinheiro-branco atrás da minha casa, dá uma voz ao ar; um gavião-pescador faz ondular a superfície lisa do lago e traz consigo um peixe; uma marta se esgueira para fora do brejo diante da minha porta e captura uma rã junto da margem; o junco pende sob o peso das tristes-pias e escrevedeiras e balança para lá e para cá; e na última meia hora fiquei ouvindo o matraquear dos vagões da ferrovia, ora sumindo na distância, ora revivendo como o bater de asas da perdiz, levando passageiros de Boston ao interior. Pois eu não morava tão longe do mundo quanto aquele menino que, pelo que fiquei sabendo, mandaram morar com um fazendeiro a leste da cidade, mas que logo voltou para casa, muito abatido e saudoso do lar. Ele nunca tinha visto lugar mais entediante e longe de tudo; não havia ninguém por lá; ora, não dava nem para ouvir o apito do trem! Duvido que hoje em dia exista algum lugar assim em Massachusetts:

> *Na verdade, nossa cidade virou alvo*
> *de uma seta de frotas ferroviárias, e nessa*
> *nossa plácida planície seu sibilante som diz – Concord.*[27]

A ferrovia de Fitchburg chega até o lago a pouco mais de quinhentos metros ao sul de onde moro. Geralmente vou à cidade por seu aterro, e, nesse sentido, relaciono-me com a sociedade por esse vínculo.

---

26. O trecho a seguir foi publicado em 1852 na *Sartain's Union Magazine* sob o título "The Iron Horse".

27. Ellery Channing. "Walden Spring". *In: The Woodman and other poems*.

Os homens nos trens de carga, que percorrem toda a extensão da ferrovia, cumprimentam-me como se eu fosse um velho conhecido, passam por mim amiúde, aparentemente me tomam por um dos funcionários; e, nesse sentido, eu sou. Eu também seria de bom grado um consertador de trilhos algures na órbita da Terra.

O apito da locomotiva penetra meus bosques no verão e no inverno, soando como o grito de uma águia que plana sobre um terreiro, informando-me que há muitos comerciantes da cidade, incansáveis, chegando à região, ou agricultores tentando a sorte, que se aproximam pelo outro lado. Quando aparecem no mesmo horizonte, gritam seus avisos para que os outros saiam do caminho, e esses gritos às vezes são ouvidos em duas cidades. Olha a novidade chegando, povo da roça; eis aqui suas rações, meus conterrâneos! Tampouco existe alguém tão independente na própria terra capaz de lhes dizer não. E aqui está o seu pagamento!, estridula o assobio do campônio; toras que parecem aríetes a vinte milhas por hora se chocam contra os muros da cidade, e cadeiras suficientes para que todos os sujeitos cansados e oprimidos que ali vivem possam se sentar. Com essa imensa civilidade rústica, o campo oferece à cidade uma cadeira. Todas as colinas de mirtilos indígenas foram devassadas, todos os campos de arando foram rastelados em benefício da cidade. Sobe o algodão, desce o tecido; sobe a seda, desce a lã; sobem os livros, mas lá se vai a inteligência que os escreve ladeira abaixo.

Quando vejo a locomotiva e seus vagões em movimento planetário – ou melhor, como um cometa, pois o observador não sabe se ela voltará a visitar este sistema naquela velocidade e naquela direção, pois sua órbita não parece uma curva de retorno – com sua nuvem de vapor feito um estandarte, com seu rastro de guirlandas douradas e prateadas, como muitas nuvens felpudas que eu já vi, altas no céu, revelando suas massas à luz – como se essa semideusa viajante, essa ajuntadora de nuvens, fosse logo tomar o céu do ocaso como estábulo de seu trem; quando escuto o cavalo de ferro ecoar nas colinas seu resfolegar de trovão, tremendo a terra com os pés, soltando fogo e fumaça pelas ventas (que tipo de cavalo alado ou dragão flamejante eles acrescentarão à nova mitologia, ainda não sei), é como se a terra tivesse agora uma raça digna de habitá-la. Se tudo fosse como parece, e os homens transformassem os elementos em seus servos para finalidades nobres! Se a nuvem sobre a locomotiva fosse a transpiração de feitos heroicos, ou se fosse tão benfazeja quanto a que flutua sobre a lavoura, então os elementos e a própria natureza alegremente acompanhariam os homens em suas empreitadas e seriam sua escolta.

Observo a passagem dos vagões da manhã com a mesma sensação com que vejo o sol nascer, e quase com a mesma regularidade. Seu rastro de nuvens ficando para trás e subindo cada vez mais alto, indo até o céu enquanto os vagões vão a Boston, esconde o sol por um minuto e lança na sombra meu campo distante, um trem celestial, diante do qual os míseros vagões que abraçam a terra são apenas a ponta de uma lança. O cavalariço do cavalo de ferro acordou cedo esta manhã de inverno com a luz das estrelas em meio às montanhas, para dar alimento e arreio ao seu corcel. O fogo também acordou bem cedo, para acender o calor vital dentro dele e fazê-lo andar. A empreitada começa tão cedo – quem dera fosse tão inocente! Se a neve é profunda, eles calçam suas botas de neve e, com o arado gigantesco, abrem uma faixa das montanhas ao litoral, onde os vagões, como uma semeadeira arrastada, dispersam homens inquietos e mercadorias flutuantes pelo país à guisa de sementes. O dia inteiro o corcel de fogo avança através do país, parando apenas para o dono descansar, e sou acordado por seus solavancos e seu resfolegar desafiador à meia-noite, quando em remota clareira nos bosques ele enfrenta os elementos, enclausurado em gelo e neve; e ele só chegará a sua cabana com a estrela da manhã, para recomeçar suas viagens sem descanso ou repouso. Ou talvez, ao anoitecer, eu o escute em seu estábulo bufar para extravasar toda a energia supérflua, e acalmar seus nervos e refrescar seu fígado e seu cérebro com algumas horas em sono ferrenho. Quem dera empreitada tão demorada e incansável fosse o mesmo tanto heroica e altiva!

Longe, através de bosques a fio sem ninguém nos confins das cidades, onde apenas uma vez um caçador entrou de dia, na noite mais escura cintilam esses salões iluminados sem o conhecimento de seus ocupantes; ora parando na estação acesa de alguma vila ou cidade, onde ocorre algum evento social, ora no Dismal Swamp,[28] assustando a coruja e a raposa. As partidas e chegadas do trem marcam agora o tempo no dia da aldeia. Eles vão e vêm com tamanha regularidade e precisão, e seu apito pode ser ouvido de tão

---

28. Literalmente, "Brejo Triste".

longe, que os agricultores acertam o relógio por eles, e assim uma instituição bem conduzida regula um país inteiro. Não é verdade que os homens melhoraram um pouco sua pontualidade desde a invenção da ferrovia? Não falam e pensam mais depressa na estação do que na parada da diligência? Existe algo eletrizante na atmosfera da primeira. Fiquei impressionado com os milagres por ela ensejados; alguns vizinhos meus, que eu seria capaz de jurar que jamais iriam a Boston em transporte tão veloz, já estão ali a postos quando o sino toca. Fazer as coisas "à maneira da ferrovia", expressamente, é moda hoje em dia; e é bom que nos avisem com tamanha frequência e sinceridade por todos os meios para sair da frente. Não há tempo para ler a ordem de dispersar, nem tiros para o alto diante da multidão, neste caso. Construímos uma fatalidade, uma Átropos, que não se desvia. (Que seja Átropos o nome de nossa locomotiva.) Os homens são advertidos de que em determinada hora e determinado minuto esses raios serão disparados em direção a determinados pontos do quadrante; e no entanto isso não interfere nos afazeres de ninguém, e as crianças vão à escola pelo outro trilho. Assim vivemos com mais firmeza. Somos educados como filhos de Guilherme Tell. O ar está cheio de setas invisíveis. Fora do seu próprio caminho, todos os outros são fatais. Continue no seu, portanto.

O que me agrada no comércio são a empreitada e a bravura. O comércio não fica de mãos postas rezando para Júpiter. Vejo esses homens todo dia cuidando de seus negócios com mais ou menos coragem e contentamento, fazendo ainda mais do que desconfiam, e talvez mais bem empregados do que conscientemente poderiam ter imaginado. Sou menos afetado pelo heroísmo de meia hora no *front* da batalha de Buena Vista do que pelo valor de homens perseverantes e entusiasmados que usam o arado de neve como abrigo de inverno; que não têm apenas a coragem das três da madrugada, que Bonaparte considerava a mais rara, mas sim uma coragem que não dorme tão cedo, que só adormece se passou a tempestade ou se os tendões de seu corcel de ferro congelaram. Nessa manhã da grande nevasca, talvez, que ainda ruge e gela o sangue dos homens, escuto o toque abafado do sino da locomotiva através do nevoeiro de seu hálito congelado, que anuncia a *chegada* dos vagões, sem demora, não obstante o veto de uma nevasca de noroeste da Nova Inglaterra, e vejo os homens no arado de neve, limpando os trilhos, cobertos de neve e geada, espiando por trás das lâminas, que não arrancam margaridas e ninhos de arganaz do campo, mas algo como rochas de Sierra Nevada, que ocupam um lugar ao ar livre no universo.

O comércio é inesperadamente seguro e sereno, alerta, aventureiro, e incansável. É, além do mais, muito natural em seus métodos, muito mais do que muitas empreitadas fantásticas e experimentos sentimentais, daí seu sucesso singular. Sinto-me revigorado e expansivo quando o trem de carga passa por mim, e sinto o cheiro dos vagões que vão espalhando seus odores por todo o caminho de Long Wharf a Lake Champlain, lembrando-me do estrangeiro, de recifes de coral, e oceanos Índicos, e climas tropicais, e toda a extensão do globo. Sinto-me mais um cidadão do mundo quando vejo a folha de palmeira que cobrirá tantas cabeças loiras da Nova Inglaterra no próximo verão, o cânhamo-de-manilha e as cascas de coco, trastes velhos, sacos de juta, sucata de ferro, pregos enferrujados. Este vagão cheio de velas rasgadas é mais legível e interessante agora do que se fosse convertido em papel e livros impressos. Quem poderia escrever tão vivamente a história das tempestades enfrentadas quanto esses trapos rasgados? São laudas de provas que não precisam de revisão. Aqui estão as toras dos bosques do Maine, que não foram ao mar na cheia do último degelo, subindo a quatro dólares o milhar devido ao que se perdeu ou se rachou; pinheiro, abeto, cedro – de primeira, segunda, terceira e quarta categorias, até recentemente todos igualmente bons, para se agitar acima do urso, do alce e do caribu. Logo atrás vem a cal de Thomaston, um belo lote, que irá muito além das serras antes de ser diluída. Esses fardos de trapos, de todas as cores e qualidades, a condição mais baixa a que degeneram o algodão e o linho, o resultado final da roupa – de modelos que ninguém mais queria, a não ser em Milwaukee, e de esplêndidos tecidos, de estamparia inglesa, france-sa, americana, guingão, musselina etc., reunidos de todos os quadrantes da moda e da pobreza, indo virar papel de uma cor só ou de algumas poucas tonalidades, no qual, deveras, serão escritas histórias da vida real, elevadas e mundanas, baseadas em fatos reais! Esse vagão fechado tem cheiro de peixe salgado, aquele aroma forte e comercial da Nova Inglaterra, lembrando-me dos Grandes Bancos e da pesca em Terra Nova. Quem nunca viu um peixe salgado, inteiramente curado para durar neste mundo, de modo que nada poderá estragá-lo, e fazendo corar a perseverança dos santos? – com o qual você pode tanto varrer quanto pavimentar as ruas, rachar lenha e proteger o carreteiro e sua carga do sol, do vento e da chuva; e o comerciante, como um vendedor de Concord fez uma vez, pendurava o peixe na porta à guisa de placa quando abria a loja, até que por fim nem seu freguês mais antigo sabia ao certo se aquilo era animal, vegetal ou mineral, e ainda assim continuava puro como um floco de neve, e se você pusesse numa panela e cozinhasse teria um excelente ensopado para o sábado. Em seguida, os couros espanhóis, com os rabos ainda torcidos e conservando o ângulo da elevação que tinham quando os bois que os vestiam ainda pastavam nos pampas das Ilhas e Terra Firme espanholas – um exemplo de obstinação, que demonstra como os vícios constitucionais são praticamente incuráveis e irreversíveis. Confesso que, na prática, quando descubro a verdadeira índole de uma pessoa, não tenho esperança de mudá-la para melhor ou para pior em sua situação existencial. Como dizem os orientais, "o rabo do cachorro pode ser aquecido, apertado, amarrado com ligaduras, e depois de doze anos de trabalho ainda assim conservará sua forma natural". A única cura efetiva para tais obstinações como a demonstrada por esses rabos é fazer cola com eles, que é o que acredito ser a coisa mais comum que se faz deles, e só assim eles param no lugar e ali ficam. Agora vem um barril de melado ou de conhaque endereçado a John Smith, Cuttingsville, Vermont, algum comerciante das Green Mountains, que importa para os produtores da sua região, e que agora talvez esteja em sua banca pensando nas últimas remessas no litoral, como poderiam afetar o seu preço, contando a seus fregueses neste momento, como já fez vinte vezes antes hoje cedo, que ele está esperando um produto de primeira no próximo trem. Deu no *Cuttingsville Times*.

Enquanto essas coisas sobem, outras coisas caem. Avisado pelo zunido, tiro os olhos do meu livro e vejo um pinheiro alto, serrado em montanhas mais ao norte, que atravessou as Green Mountains e o rio Connecticut, como uma flecha atravessando a cidade em dez minutos, e dificilmente alguém mais o contempla; a caminho de

tornar-se o mastro
de algum grande almirante.[29]

---

29. John Milton. *Paraíso perdido*, vv. 1293-4.

E atenção! Aí vem o vagão do gado trazendo gado de mil colinas, currais, redis e apriscos ao ar livre, vaqueiros com suas varas, e meninos pastores em meio ao rebanho, todos menos os que pastam nas montanhas, espalhados feito folhas sopradas pelas ventanias de setembro. O ar se enche de balidos de bezerros e ovelhas, e do alvoroço dos bois, como se estivessem passando por um vale de pastagem. Quando o velho caprino da frente balança o cincerro, as montanhas de fato saltam como carneiros, e as colinas, como cordeirinhos. Um vagão de vaqueiros também, de permeio, no mesmo plano que seus bois agora, esquecida sua vocação, mas ainda apegados a suas varas inúteis, como insígnias de seu ofício. Mas onde estarão seus cães pastores? Aquilo para eles é um estouro da boiada; debandam; perdem o faro. Penso ouvi-los latir detrás da serra de Peterboro, ou ofegar subindo a vertente ocidental das Green Mountains. Não estarão presentes na morte. Sua vocação também foi esquecida. Sua fidelidade e sua sagacidade estão em baixa. Voltarão aos canis em desgraça, ou talvez se tornem selvagens e fujam e firmem um pacto com o lobo e a raposa. E assim rapidamente passa sua vida pastoril e vai embora. Porém o sino toca, e devo sair dos trilhos e deixar o trem passar.

O que é para mim a ferrovia?
Nunca vou ver
Onde termina.
Preenche lacunas,
Serve de leito à andorinha,
Faz a areia virar nuvem,
E as amoreiras – que se curvem.

Mas eu a atravesso como se fosse uma trilha de carroça no meio dos bosques. Não quero embaçar meus olhos e estragar meus ouvidos com sua fumaça, seu vapor e seu apito.[30]

---

30. Fim do trecho publicado em 1852 na *Sartain's Union Magazine* sob o título "The Iron Horse".

Agora que os vagões passaram e com eles todo o mundo inquieto, e nem os peixes no lago sentem mais seu rumor, eu me sinto mais sozinho do que nunca. No resto da longa tarde, talvez, minhas meditações são interrompidas apenas pelo ruído remoto de uma carroça ou de uma tropa de bois na estrada distante.

Algumas vezes, aos domingos, ouvi os sinos de Lincoln, Acton, Bedford ou Concord, quando o vento soprava a favor, tocarem uma melodia longínqua, doce, a bem dizer natural, digna de ser importada para a natureza selvagem. A uma distância suficiente dos bosques esse som adquire certa vibração murmurada, como se as agulhas de pinheiros no horizonte fossem cordas de uma harpa sendo tocada. Todo som ouvido da maior distância possível produz um único e mesmo efeito, uma vibração da lira universal, assim como a atmosfera interposta torna uma elevação da terra interessante aos nossos olhos graças à tonalidade azul que lhe confere. Chegou-me dessa vez uma melodia tensionada pelo ar, e que havia conversado com cada uma das folhas e agulhas do bosque, aquela porção de som que os elementos haviam aprendido e modulado e ecoado de vale em vale. O eco é, em certa medida, um som original, daí sua magia e seu encanto. Não é meramente uma repetição daquilo que valia a pena ser repetido no toque do sino, mas em parte a voz da floresta; as mesmas palavras e notas triviais cantadas por uma ninfa do bosque.

Ao anoitecer, o mugido distante de uma vaca no horizonte além da floresta soou doce e melodioso, e a princípio eu o confundiria com as vozes de certos menestréis cujas serenatas ouvira algumas vezes, que podiam estar se apresentando para lá da colina e do vale; mas logo me decepcionei, não sem desagrado, quando o som se prolongou revelando a música barata e natural da própria vaca. Não tenho intenção de ser satírico, mas sim de expressar meu apreço por aqueles rapazes cantores, quando afirmo que percebi claramente a afinidade com a música da vaca, e que eles eram enfim como uma fala da natureza.

Regularmente, às sete e meia, em determinada parte do verão, depois que o trem da tarde havia passado, os noitibós entoavam suas vésperas durante meia hora, pousados em um cepo junto à minha porta, ou na cumeeira da casa. Eles começavam a cantar quase com a mesma precisão de um relógio, com uma variação de cinco minutos, antes ou depois do pôr do sol, todas as tardes. Tive a rara oportunidade de me familiarizar com seus hábitos. Às vezes, ouvia quatro ou cinco noitibós em diferentes partes do bosque, cada um deles, acidentalmente, um compasso atrasado em relação ao outro, e tão perto de mim que eu distinguia não só o gorgolejo ao final de cada nota, mas também muitas vezes o zumbido singular como o de uma mosca em uma teia de aranha, só que proporcionalmente mais alto. Às vezes um deles ficava me rodeando, passeando pelos bosques a poucos metros de mim, como que preso por um cordão, quando provavelmente eu me aproximava de seus ovos. Eles cantavam com intervalos ao longo da noite inteira, e eram novamente musicais como sempre pouco antes e pouco depois da aurora.

Quando outros pássaros param de cantar, o chilrear da coruja assume, como carpideiras com seu ancestral u-lu-lar. Seu grito penoso é genuinamente benjonsoniano. Sábias bruxas da meia-noite! Não é o honesto e brutal *tu-whit tu-who* dos poetas, mas, sem brincadeira, um hino fúnebre mais solene, os consolos mútuos de amantes suicidas recordando as dores e delícias do amor sobrenatural nos antros infernais. E no entanto adoro escutar seus lamentos, seus responsos dolentes, trinados na borda da mata; lembrando-me às vezes da música e do canto dos pássaros canoros; como se fosse o lado escuro e lacrimal da música, os lamentos e suspiros que de bom grado se prestam ao canto. Elas são os espíritos, os baixos espíritos e pressentimentos melancólicos, de almas caídas que quando tinham forma humana percorriam a terra à noite e faziam o trabalho das trevas, agora expiando seus pecados com hinos elegíacos ou trenodias no mesmo cenário de suas transgressões. Elas me dão uma nova sensação da variedade e da capacidade dessa natureza que é nosso lar comum. Se eu *nu-u-u-unca* tivesse nascido, *nu-uuun-ca*!, suspira uma deste lado do lago, e alça voo com inquietação desesperada até um novo poleiro nos carvalhos cinzentos. Então *nu-uuuunca!* ecoa outra vez da outra margem ao longe com trêmula sinceridade, e não nascer *nu-uuunca!* vem pelo ar como um resquício dos distantes bosques de Lincoln.

Ouvi também a serenata de um mocho-orelhudo. Naquela região, era possivelmente o som mais melancólico de toda a natureza, como se tentasse fazer um estereótipo, em seu coro contínuo, dos gemidos moribundos de um ser humano – pobre e frágil relíquia de um mortal que deixou a esperança para trás, e uiva como um animal, ainda que com soluços humanos, ao penetrar o vale das trevas, ainda mais horrendo em virtude de um gorgolejar melodioso –, e me pego outra vez com as letras *gl* tentando imitá-lo – expressivo de um estado de espírito que atingiu o estágio gelatinoso, putrefato, na mortificação de todo pensamento são e corajoso. Lembrava-me de necrófagos, demônios mortos-vivos e uivos de idiotas e insanos. Mas agora outro responde de um bosque remoto com um som que realmente fica melodioso com a distância – *Uuu uuu uuu*; e de fato a maior parte do canto sugeria apenas associações agradáveis, ouvidas de dia ou de noite, no verão ou no inverno.

Alegra-me que existam corujas. Que façam seu canto idiota e maníaco vaiando os homens. Trata-se de um som admiravelmente apropriado para pântanos e bosques crepusculares que o dia não ilumina, sugerindo uma natureza vasta e erma que os homens não reconhecem. Representam os crepúsculos austeros e os pensamentos insatisfeitos que todos temos. O sol brilhou o dia inteiro na superfície de algum pântano selvagem, onde o abeto solitário se ergue coberto de liquens, e pequenos gaviões circulam no alto do céu, e os chapins pipilam em meio ao verdor dos pinheiros perenes, onde a perdiz e o coelho se escondem; mas agora amanhece um dia mais desolado e apropriado, e uma raça diferente de criaturas desperta para expressar o significado da natureza ali.

Mais tarde, ouvi o rumor distante dos vagões passando nas pontes – um som ouvido quase sempre ou muito mais à noite –, os latidos dos cachorros, e às vezes outra vez o mugido algo desconsolado de uma vaca em um curral distante. Nesse ínterim, toda a margem vibrou com o trompetear das rãs, espíritos robustos de antigos farristas beberrões de vinho, jamais arrependidos, tentando cantar um cânon no Estige – se as ninfas do Walden me perdoarem a comparação, pois embora não haja por lá quase vegetação, há muitas rãs – que de bom grado seguiriam as regras hilariantes de seus antigos banquetes, embora suas vozes tenham ficado roucas, com sua gravidade solene, zombando da alegria, e o vinho tenha perdido o sabor, e se convertido em mera aguardente para lhes encher a pança, e a doce embriaguez jamais chegue a afogar a lembrança do passado, mas se torne mera saturação e encharcamento e distensão.

A mais senatorial, com o queixo sobre uma folha em forma de coração, que lhe serve de guardanapo para sua baba, nesta margem setentrional, deglute um gole longo da água até então desprezada, e passa a taça com uma elocução, *gr-r-r-oogue, gr-r-r-oogue, gr-r-r-oogue!*, e logo vem por sobre a água de algum recanto distante a mesma senha repetida, onde a rã seguinte, mais próxima em idade e cintura, assume o posto; e depois que essa observação completa o circuito das margens, então profere o mestre de cerimônias, com satisfação, *gr-r-r-oogue!*, e cada um na sua vez repetia a mesma coisa até o menos distendido, o mais permeável, da pança mais flácida, até que não reste nenhuma dúvida; e então o uivo começa a circular incessantemente, até que o sol disperse a bruma da manhã, e reste apenas o patriarca fora do lago, mas em vão berrando *groogue* de quando em quando, pausando, esperando resposta.

Não sei se cheguei a ouvir algum dia um galo cantar do meu terreiro, e pensei que poderia valer a pena ter um galo nem que fosse apenas pelo seu canto, como ave canora. O canto desse faisão indiano outrora selvagem é seguramente o mais notável entre todas as aves, e se eles pudessem conviver conosco sem ser domesticados logo se tornaria o som mais famoso dos nossos bosques, suplantando o clangor do ganso e a vaia da coruja; e então imagine o cacarejar das galinhas enchendo as pausas dos clarins de seus senhores! Não é de espantar que o homem tenha agregado essa ave às suas criações domésticas – sem falar nos ovos e nas coxas assadas. Imagine caminhar em uma manhã de inverno por um bosque onde abundassem essas aves, seus bosques nativos, e ouvir os galos selvagens cantarem nas árvores, de modo claro e estridente, ecoando por quilômetros pela terra, afogando os cantos mais fracos das outras aves – imagine só isso! Colocaria países inteiros em alerta. Quem não acordaria cedo, e cada vez mais cedo sucessivamente a cada dia de sua vida, até se tornar indizivelmente saudável, rico e sábio? O canto dessa ave estrangeira foi celebrado por poetas de todos os países ao lado do canto de suas aves canoras nativas. Todos os climas são bons para o bravo galo da madrugada. Ele é ainda mais nativo que os indígenas. Sua saúde está sempre tão boa, seus pulmões tão firmes, seu ânimo nunca arrefece. Até o marinheiro no Atlântico e no Pacífico acorda com sua voz; mas seu som estridente nunca me fez acordar. Eu não tinha cachorro, gato, vaca, porco, nem galinha, de modo que se poderia dizer que havia uma deficiência de sons domésticos; nem a batedeira, nem a roca, nem mesmo o apito da chaleira, nem o sibilar da cafeteira, nem criança chorando, para consolar. Um homem de outros tempos teria perdido a razão ou morrido de tédio diante disso. Nem mesmo ratos nas paredes, pois teriam morrido de fome, ou talvez nunca tenham se sentido atraídos – apenas esquilos no telhado e embaixo da casa, um noitibó na cumeeira, uma gralha-azul berrando embaixo da janela, uma lebre ou uma marmota embaixo de casa, uma coruja ou mocho atrás, um bando de gansos selvagens ou uma mobelha gargalhando no lago, e uma raposa latindo à noite. Nem mesmo uma cotovia ou um corrupião, aqueles passarinhos amenos de fazenda, nunca visitavam meu terreiro. Sem galo cantor, nem galinha cacarejante no quintal. Sem quintal!, mas a natureza sem cercas chegando literalmente até a sua porta. Uma floresta jovem crescia no terreno, e sumagres e amoras selvagens invadiam o porão; pinheiros cheios de seiva roçavam e rachavam as telhas por falta de espaço, suas raízes chegavam até bem embaixo da casa. Em vez de portinholas ou persianas arrancadas pela ventania – um pinheiro rachado ou arrancado pela raiz atrás de casa para fazer lenha. Em vez de não ter apenas uma trilha até o portão da frente na Grande Nevasca – não tinha nenhum portão – nenhum quintal da frente – e nenhuma trilha para o mundo civilizado.

SOLIDÃO

Está uma noite deliciosa, em que o corpo inteiro é um único sentido, e embebe-se de prazer por todos os poros. Vou e venho com uma estranha liberdade na natureza, como parte dela. Enquanto caminho pela margem rochosa do lago em mangas de camisa, embora esteja frio e nublado e ventando, e não vejo nada de especial que me atraia, para mim todos os elementos parecem estranhamente afins. As rãs trompeteiam para anunciar a noite, e o canto do noitibó é levado pelo vento que ondula as águas. A simpatia pelo amieiro esvoaçante e pelas folhas de salgueiro quase me deixa sem fôlego; no entanto, como o lago, minha serenidade ondula, mas não se agita. Essas ondas pequenas erguidas pelo vento da noite são tão distantes de uma tempestade quanto a superfície lisa refletora. Embora agora esteja escuro, o vento ainda sopra e ruge nos bosques, as ondas ainda batem, e algumas criaturas embalam as outras com seus acalantos. O repouso nunca é completo. Os animais mais selvagens não repousam, mas buscam suas presas agora; a raposa, e o cangambá, ou jaritataca, e o coelho agora percorrem os campos e bosques sem medo. São sentinelas da natureza – elos da corrente dos dias da vida animada.

Quando volto para casa, vejo que algumas visitas estiveram ali e deixaram seus cartões, ora um punhado de flores, ou uma guirlanda de pinheiro, ora um nome a lápis em uma folha amarelada de castanheira ou em uma lasca de madeira. Pessoas que raramente vêm aos bosques costumam levar pedacinhos da floresta nas mãos para brincar enquanto caminham, que deixam para trás, intencional ou acidentalmente. Alguém descascou um ramo de salgueiro, curvou até formar um anel, e deixou na minha mesa. Eu sempre sabia se tinha sido visitado na minha ausência, por gravetos e capins dobrados, ou pelos rastros dos sapatos, e geralmente de que sexo ou idade ou condição eram por algum mínimo resquício dos visitantes, como uma flor deixada, ou um punhado de mato arrancado e atirado longe, desde muito longe, desde a ferrovia, meia milha distante, ou pelo aroma persistente de um charuto ou de um cachimbo. Não, eu costumava perceber a passagem de um viajante na estrada a trezentos metros pelo aroma do cachimbo.

Geralmente há espaço suficiente à nossa volta. Nosso horizonte nunca está exatamente ao alcance de nossos cotovelos. O bosque cerrado não fica exatamente à nossa porta, nem o lago, mas de alguma forma há sempre uma clareira, familiar e usada por nós, apropriada e cercada de alguma maneira, e reivindicada à natureza. Por que motivo tenho esse vasto espectro e circuito, de alguns quilômetros quadrados de floresta intocada, para minha privacidade, abandonado para mim pelos homens? Meu vizinho mais próximo está a uma milha de distância, e não há nenhuma casa visível, exceto do topo da colina, em um raio de meia milha da minha. Tenho meu horizonte cercado de floresta só para mim; uma vista distante da ferrovia, no ponto em que toca o lago, de um lado, e da cerca que separa a estrada da floresta, do outro. Mas na maior parte do tempo aqui onde vivo é tão solitário quanto nas pradarias. Aqui podia ser tanto Ásia e África quanto Nova Inglaterra. Tenho, a bem dizer, meus próprios sol e lua e estrelas, e um pequeno mundo inteiro só para mim. À noite, nenhum viajante jamais passava pela minha casa, ou batia à minha porta, como se eu fosse o primeiro ou o último dos homens; a não ser na primavera, quando a longos intervalos alguém aparecia vindo da cidade para pescar bagre – que claramente pescavam muito mais no lago Walden de suas próprias naturezas, e usavam a escuridão como isca em seus anzóis – mas eles logo iam embora, com suas cestas geralmente leves, e deixavam "o mundo às escuras e só para mim",[31] e o cerne negro da noite não era nunca profanado por qualquer vizinhança humana. Acredito que os homens em geral ainda tenham um pouco de medo do escuro, embora as bruxas tenham sido todas enforcadas, e a cristandade e as velas, introduzidas.

---

31. Thomas Gray. "Elegy Written in a Country Churchyard" (1751).

No entanto provei algumas vezes que a sociedade mais doce e terna, a mais inocente e estimulante, pode ser encontrada em qualquer objeto natural, até mesmo pelo pobre misantropo e o mais melancólico dos homens. Não pode haver propriamente melancolia negra para aquele que vive em meio à natureza e mantém os sentidos em alerta. Nunca houve tempestade que não fosse música eólica aos ouvidos saudáveis e inocentes. Nada tem o direito de compelir um homem simples e corajoso a uma tristeza vulgar. Enquanto desfruto a amizade das estações, acredito que nada é capaz de transformar a vida em um fardo para mim. A delicada chuva que molha meus feijões e hoje me mantém dentro de casa não é soturna e melancólica, mas boa também para mim. Embora me impeça de cuidar deles, é muito mais valiosa que os meus cuidados. Se ela continuar por muito tempo, a ponto de apodrecer as sementes na terra e destruir as batatas nos baixios, ainda assim seria boa para a relva das terras altas, e, sendo boa para a relva, seria boa para mim. Às vezes, quando me comparo a outros homens, parece que sou mais favorecido pelos deuses do que eles, além de qualquer merecimento de que eu tenha consciência; como se eu tivesse um mandado e uma fiança da parte deles que meus semelhantes não têm, e fosse por eles especialmente guiado e guardado. Não estou me gabando, mas, se isso for possível, eles é que me lisonjeiam. Nunca me senti solitário, ou minimamente oprimido por alguma sensação de solidão, senão uma única vez, e isso foi algumas poucas semanas depois de eu ter me mudado para o bosque, quando, durante uma hora, tive minhas dúvidas se a vizinhança dos homens não seria essencial para uma vida serena e saudável. Estar sozinho foi algo desagradável. Entretanto eu estava ao mesmo tempo consciente de uma ligeira insanidade em meu temperamento, e parecia já prever minha recuperação. Em meio a uma chuva delicada, enquanto esses pensamentos prevaleceram, subitamente fiquei sensível à doce e benéfica companhia da própria natureza, do tamborilar das gotas e de cada som e visão ao redor da minha casa, uma amabilidade de tudo ao mesmo tempo, como uma atmosfera que me suspendia, de modo que as fantasiadas vantagens da vizinhança humana se tornaram insignificantes, e nunca mais pensei nelas desde então. Cada mínima agulha de pinheiro se expandia e se inchava de simpatia e se tornava minha amiga. Fiquei tão nitidamente consciente da presença dessa afinidade, até mesmo em cenários que costumamos chamar de selvagens e soturnos, e também de que a coisa mais próxima do sangue e a mais humana para mim não era uma pessoa ou um morador da aldeia, que pensei que nenhum lugar jamais me seria estranho outra vez.

> *O luto desmedido consome os tristes;*
> *São contados os dias na terra dos vivos,*
> *Bela filha de Toscar.*[32]

Algumas de minhas horas mais aprazíveis eram durante as longas tempestades da primavera ou do outono, que me confinavam em casa a tarde inteira, assim como as manhãs, embalado pela chuva e seus estrondos incessantes; quando o pôr do sol prematuro introduzia o longo anoitecer em que muitos pensamentos tinham tempo de se arraigar e de desabrochar. Naquelas fortes tempestades de nordeste que tanto exigiam das casas da vila, quando as empregadas ficavam prontas com esfregão e balde na entrada para afastar o dilúvio, sentava-me junto da soleira da minha casinha, que não passava, a casa inteira, de uma entrada, e desfrutava plenamente sua proteção. Durante uma tempestade, sob muita trovoada, um raio atingiu um pinheiro enorme do outro lado do lago, abrindo no tronco de cima a baixo um sulco espiral muito evidente e perfeitamente regular, de uns três centímetros de profundidade e uns dez de largura, como se fosse esculpir um cajado. Passei novamente por ele outro dia, e senti um temor reverente ao olhar para cima e contemplar aquela marca, agora mais distinta que nunca, onde um raio terrível e irresistível desceu de um céu inofensivo oito anos atrás. As pessoas costumam me dizer: "Eu acho que você deve se sentir sozinho lá, e querer ficar perto das pessoas, especialmente nos dias de chuva ou nas noites de neve". Sinto-me tentado a responder assim: todo este planeta que habitamos não passa de um ponto no espaço. A que distância, você diria, vivem os dois vizinhos mais distantes daquela estrela, em órbitas cujo diâmetro nossos instrumentos não saberiam avaliar? Por que eu deveria me sentir sozinho? Nosso planeta não está na Via Láctea? Esta que você me faz não parece ser a pergunta mais importante. Que tipo de espaço

---

32. Trecho da versão de Patrick MacGregor do poema "Croma" (1841), atribuído a Ossian.

é esse que separa o homem de seus semelhantes e o torna solitário? Descobri que nenhum exercício das pernas pode aproximar duas mentes além de certo ponto. Gostaríamos de morar perto do quê? Para muitos, certamente não perto da estação, do correio, do bar, do templo, da escola, da loja, da sede do governo em Beacon Hill, ou do crime em Five Points, onde a maioria se congrega, mas perto da fonte perene de nossa vida, de onde, segundo toda a nossa experiência, descobrimos que ela brota, assim como o salgueiro vive perto da água e lança raízes em sua direção. Isso pode variar conforme a natureza de cada pessoa, mas este é o lugar onde um homem sábio cavaria seu porão... Certa tarde, encontrei um conterrâneo que havia acumulado o que se chamava de uma "uma bela propriedade" – embora eu nunca tenha dado uma boa olhada nela – na estrada do lago, levando uma parelha de bois para vender, que me perguntou por que eu havia decidido abrir mão de tantos confortos da vida. Respondi que eu tinha certeza de que estava passando razoavelmente bem; e que eu não estava brincando. E então voltei para casa e me deitei na minha cama, e o deixei seguindo seu caminho através da noite e da lama até Brighton – ou Bright-town –,[33] aonde ele deveria chegar pela manhã.

Não ter a perspectiva de acordar ou voltar à vida, para um homem morto, torna todos os momentos e lugares indiferentes. O lugar onde isso pode ocorrer é sempre o mesmo, e indescritivelmente agradável a todos os nossos sentidos. Na maior parte do tempo, permitimos apenas que circunstâncias externas e transitórias ensejem nossas oportunidades. Elas são, na verdade, a causa da nossa distração. O poder mais íntimo de todas as coisas é aquele que lhes dá forma. *Perto de nós*, as maiores leis estão sendo executadas continuamente. *Perto de nós*, não está o trabalhador que contratamos, com quem adoramos conversar, mas o trabalhador cujo trabalho somos nós.

"Quão vasta e profunda é a influência dos poderes sutis do céu e da terra!"

"Tentamos percebê-los, e não os vemos; tentamos ouvi-los, e não os escutamos; identificados com a substância das coisas, eles não podem ser delas separados."

---

33. Cidade vizinha a Boston, famosa pelo mercado e pelos matadouros; *Bright*, "brilhante", até hoje é um nome comum para bois nos Estados Unidos.

"Eles são a causa de no universo inteiro os homens purificarem e santificarem seu coração, e se vestirem em trajes especiais para oferecer sacrifícios e oblações a seus ancestrais. É um oceano de inteligências sutis. Eles estão em toda parte, acima de nós, à nossa esquerda, à nossa direita; eles nos envolvem por todos os lados."[34]

Somos objetos de um experimento que não é de pouco interesse para mim. Não podemos prescindir um pouco da sociedade dos nossos boatos em tais circunstâncias – e contar com nossos próprios pensamentos para nos alegrar? Confúcio diz verdadeiramente: "A virtude não fica sozinha como uma órfã abandonada; ela tem necessidade de vizinhos".

Pensando, a pessoa pode em sã consciência ficar fora de si. Por um esforço mental consciente, podemos ficar alheios às ações e às suas consequências; e todas as coisas, boas e ruins, passam por nós feito uma torrente. Não estamos inteiramente envolvidos na natureza. Posso ser a madeira que flutua à deriva no rio, ou Indra no céu olhando para ela lá embaixo. Talvez *seja* afetado por uma apresentação teatral; por outro lado, posso *não ser* afetado por um acontecimento real que aparentemente me preocuparia muito mais. Só conheço a mim mesmo como entidade humana; como palco, por assim dizer, dos pensamentos e dos afetos; e sensível a uma certa duplicidade pela qual sou capaz de ficar longe tanto de mim mesmo quanto de um outro. Por mais intensa que seja a minha experiência, sou consciente da presença e da crítica de uma parte de mim que, a bem da verdade, não faz parte de mim, mas é um espectador, que não compartilha nenhuma experiência, mas que se dá conta dela, e que não é você nem eu. Quando a peça, talvez uma tragédia, da vida, acaba, o espectador vai embora. Era uma espécie de ficção, uma obra apenas da imaginação, no que diz respeito a ele. Essa duplicidade pode facilmente nos transformar em maus vizinhos e maus amigos às vezes.

Considero saudável ficar só a maior parte do tempo. Estar com companhia, mesmo a melhor, logo se torna cansativo e dispersivo. Adoro ficar sozinho. Nunca encontrei companhia tão boa companheira quanto a solidão. Ficamos quase sempre mais sozinhos quando estamos entre os

---

34. Confúcio. "Doutrina do meio", com base na tradução francesa de M. J. Pauthier, *Confucius et Mencius* (1841).

homens do que quando ficamos em nosso quarto. Um homem pensando ou trabalhando está sempre sozinho, esteja onde estiver. A solidão não se mede em milhas como o espaço entre um homem e seus semelhantes. O estudante realmente diligente nas colmeias abarrotadas da Universidade de Cambridge é tão solitário quanto um dervixe no deserto. O agricultor pode trabalhar sozinho no campo ou no mato o dia inteiro, cavando ou cortando, e não se sentir solitário, porque está ocupado; mas quando ele volta para casa à noite não consegue ficar sozinho, à mercê dos próprios pensamentos, mas deve ir aonde pode "encontrar gente", distrair-se, e, segundo ele pensa, recompensar-se pela solidão de seu dia; e assim ele se pergunta como um estudante consegue ficar sentado sozinho em casa a noite inteira e a maior parte do dia sem tédio e sem *"blues"*;[35] mas ele não se dá conta de que o estudante, embora esteja em casa, ainda está trabalhando em seu campo, e cortando lenha em seu bosque, assim como o agricultor o seu, e por sua vez busca a mesma diversão e companhia que ele, embora seja uma forma mais condensada da mesma coisa.

A sociedade é geralmente banal demais. Encontramo-nos a intervalos breves, sem ter tido tempo de adquirir nenhum novo valor um para o outro. Encontramo-nos nas refeições três vezes ao dia, e oferecemos uns aos outros um pouco daquele queijo velho e bolorento que somos nós mesmos. Precisamos concordar com um determinado conjunto de regras, as chamadas etiqueta e polidez, para tornar esses encontros tão frequentes toleráveis e para que não precisemos chegar à guerra declarada. Encontramo-nos no correio, na vida social, e junto à lareira toda noite; vivemos a pleno e atravancamos o caminho um do outro, tropeçamos uns nos outros, e penso que assim perdemos um pouco o respeito uns pelos outros. Seguramente, uma frequência menor seria o bastante para todas as comunicações importantes e substanciais. Pense nas meninas na fábrica – quase nunca sozinhas, nem em seus sonhos. O ideal seria que houvesse um habitante por milha quadrada, como é onde eu moro. O valor de um homem não está em sua pele, de um modo que se possa tocar.

---

35. Azuis, *blues*, em inglês, desde o século XVIII, eram demônios azuis cuja possessão se associava à lividez e à tristeza.

Ouvi falar de um homem que se perdeu na floresta, que morreu de fome e exaustão embaixo de uma árvore, cuja solidão era aliviada pelas grotescas visões com as quais, devido à debilidade física, sua imaginação doentia o cercava, e que ele acreditava serem reais. Assim, também por uma questão de saúde mental e física, talvez sejamos continuamente estimulados por uma companhia como essa, apenas mais normal e natural, e acabemos nos dando conta de que nunca estamos sozinhos.

Tenho sempre muita companhia em minha casa; especialmente pela manhã, quando não vem ninguém. Permita-me sugerir algumas comparações, para que se tenha uma ideia da minha situação. Não sou mais solitário que a mobelha no lago que gargalha tão alto, ou que o próprio lago Walden em si. Quem faz companhia ao lago tão solitário?, eu pergunto. E no entanto ele não tem demônios azuis, mas anjos azuis dentro de si, na tinta azul de suas águas. O sol é sozinho, exceto no tempo nublado, quando às vezes parece haver dois, mas um desses sóis é uma cópia. Deus é sozinho – mas o demônio, este está longe de ficar só; ele tem sempre muita companhia; ele é legião. Não sou mais solitário que o verbasco ou o dente-de-leão no pasto, ou que uma folha de feijão, ou que a vinagreira, ou que a mutuca ou o mamangá. Não sou mais sozinho do que as águas do Mill Brook, ou que um galo de catavento, ou que a estrela do norte, ou que o vento sul, ou que as chuvas de abril, e o degelo de janeiro, ou que a primeira aranha em uma casa nova.

Tenho visitas ocasionais nas longas noites de inverno, quando a neve cai depressa e o vento uiva no bosque, de um velho colono e dono original, que dizem ter ele mesmo cavado o lago Walden, revestido de pedras, e contornado por pinhais; que me conta histórias dos velhos tempos e da nova eternidade; e entre nós dois conseguimos passar uma noite animada com alegria e convívio e opiniões agradáveis sobre as coisas, mesmo sem maçã ou cidra – um amigo muito sábio e bem-humorado, que eu amo muito, que se esconde melhor até do que Goffe ou Whalley;[36] e embora pensem que ele está morto, ninguém sabe dizer onde ele foi enterrado. Uma senhora de idade, também, mora nessa região, invisível à maioria

---

36. Regicidas procurados pela morte do rei Charles I (1642), fugiram para os Estados Unidos e viveram escondidos em Connecticut e Massachusetts.

das pessoas, em cuja perfumada horta de ervas adoro passear às vezes, colhendo plantas e ouvindo suas fábulas; pois ela tem um gênio de incomparável fertilidade, e sua memória remonta a ainda antes da mitologia, e ela me conta o original de cada fábula, e em que fato se funda cada uma delas, pois os incidentes ocorreram quando ela era moça. Uma velha dama corada e voluptuosa, que se delicia em qualquer tempo ou estação, e provavelmente ainda viverá mais que seus filhos.

As indescritíveis inocência e beneficência da natureza – do sol e do vento e da chuva, do verão e do inverno – tamanha saúde, tamanho entusiasmo nos oferecem eternamente! – e tamanha simpatia sempre demonstram à nossa raça, de modo que toda a natureza seria afetada, e o brilho do sol se apagaria, e os ventos suspirariam humanamente, e as nuvens choveriam lágrimas, e as florestas soltariam suas folhas e ficariam de luto em pleno verão, quando algum homem sofre por uma causa justa. Não devo viver em boa inteligência com a terra? Não sou também em parte folhas e húmus?

Qual será a pílula que nos manterá bem, serenos e contentes? Não será a do meu ou do teu avô, mas os remédios universais, vegetais, botânicos de nossa bisavó natureza, com os quais ela se conservou sempre jovem, sobreviveu a tantos Parrs da época,[37] e alimentou a própria saúde com a degradação da gordura deles. Para a minha panaceia, em vez de uma daquelas garrafadas milagrosas de misturas de águas do Aqueronte e do mar Morto, que chegam naqueles vagões que parecem escunas compridas e escuras e que às vezes consideramos próprios para carregar garrafas, deixe-me tragar o ar da manhã sem diluição. Ar da manhã! Se os homens não tomam um trago desse ar na fonte do dia, por que não engarrafá-lo e vendê-lo nas lojas, para aqueles que perderam o ingresso das horas matinais neste mundo? Mas lembre-se: ele não dura até o meio-dia, mesmo na cave mais fresca, mas estoura as rolhas muito antes disso e vai para o oeste seguindo os passos da aurora. Não sou adorador de Higeia, que era filha daquele velho curandeiro Esculápio, e que é representada nos monumentos segurando uma serpente em uma mão e na outra uma taça, da qual a

---

37. Thomas Parr (1483-1635), inglês que teria vivido 152 anos e que daria o nome às pílulas vitais Parr, uma famosa panaceia do século XIX.

serpente às vezes bebe; mas de Hebe, copeira de Júpiter, que era filha de Juno com a alface silvestre, e que tinha o poder de restaurar o vigor da juventude a deuses e homens. Ela provavelmente foi a única moça em perfeita boa forma, saudável, jovem e forte que jamais caminhou neste planeta, e aonde quer que ela fosse era primavera.

VISITAS

Acho que gosto de companhia tanto quanto a maioria, e estou sempre disposto o suficiente para me grudar feito um sanguessuga em qualquer homem de puro sangue que passar por meu caminho. Naturalmente não sou nenhum eremita, e talvez suplantasse o frequentador mais resistente do bar se meus afazeres para lá me levassem.

Eu tinha três cadeiras em minha casa; uma para solidão, duas para amizade, três para sociedade. Quando vinham visitas mais numerosas e inesperadas, só havia a terceira cadeira para todos, mas eles geralmente economizavam espaço ficando de pé. É surpreendente quantos grandes homens e mulheres uma pequena casa poderá conter. Tive vinte e cinco ou trinta almas, com seus corpos, ao mesmo tempo sob meu teto, e ainda assim costumávamos nos despedir sem nos dar conta de termos ficado tão próximos uns dos outros. Muitas de nossas casas, públicas e privadas, com seus quase inumeráveis ambientes, seus imensos salões e seus porões para armazenar vinho e outras munições de paz, parecem extravagantemente grandes para seus moradores. São tão vastas e magníficas que as pessoas parecem vermes a infestá-las. Fico surpreso quando o mensageiro, diante de hotéis como o Tremont ou o Astor ou o Middlesex House, anuncia o nome de um hóspede, ao ver surgir rastejante pela praça um camundongo ridículo, que logo se esgueira por algum buraco na calçada.

A única inconveniência que experimentei algumas vezes em uma casa tão pequena foi a dificuldade de manter distância suficiente de meu convidado quando começávamos a usar palavras grandiloquentes para ideias grandiosas. A pessoa precisa de espaço para seus pensamentos enfunarem as velas e seguirem um curso ou dois antes de chegar ao porto.

A bala do seu pensamento deve superar o movimento de ricochete lateral e até acertar seu curso definitivo e constante antes de acertar no ouvido do ouvinte; do contrário, pode entrar e sair de novo pelo outro lado da cabeça. Também nossas frases precisavam de espaço para se desenvolver e formar suas colunas com intervalos. Indivíduos, assim como países, precisam de espaço adequado e fronteiras naturais, até mesmo algo considerado território neutro, entre eles. Considero um luxo singular conversar através do lago com um companheiro que está na margem oposta. Na minha casa ficávamos tão próximos que não conseguíamos ouvir – não conseguíamos falar baixo o suficiente para sermos ouvidos; como quando se joga duas pedras na água parada, tão próximas uma da outra que uma anula a ondulação da outra. Se fôssemos meramente loquazes e falássemos alto, então poderíamos nos permitir ficar bem perto um do outro, lado a lado, e sentir o hálito um do outro; mas se falamos discreta e ponderadamente, gostamos de mais distância, para que todo o calor animal e a umidade tenham oportunidade de evaporar. Se quiséssemos desfrutar a mais íntima sociedade com aquilo que em cada um de nós fica de fora, ou está acima, daquilo de que estamos falando, deveríamos não só ficar em silêncio, mas em geral tão afastados fisicamente que não conseguíssemos nem mesmo ouvir a voz um do outro. Segundo esse padrão, a fala serviria à conveniência daqueles que escutam mal; mas existem muitas coisas boas que não conseguiríamos dizer se tivéssemos que gritar. Quando a conversa começava a assumir esse tom mais elevado e grandioso, aos poucos íamos afastando nossas cadeiras até encostarmos na parede, de lados opostos, e então geralmente não havia mais espaço suficiente.

Meu "melhor" cômodo, no entanto, minha sala de visitas, sempre pronta para companhia, em cujo tapete o sol raramente pisava, era o pinhal atrás da casa. Para lá, nos dias de verão, quando convidados distintos apareciam, eu os levava, e o criado voluntário varria o chão e espanava a mobília e mantinha as coisas em ordem.

Se aparecia uma visita, às vezes a pessoa dividia comigo minhas refeições frugais, e não interrompíamos a conversa, enquanto eu batia um mingau, ou observava o crescimento e o amadurecimento de um filão de pão sobre as cinzas, nesse ínterim. Mas se vinham vinte e se sentavam à minha mesa, não se falava em comer, embora talvez houvesse pão suficiente para dois, como se comer fosse um hábito esquecido; praticávamos naturalmente a abstinência; e nunca se sentia que isso era uma ofensa contra a hospitalidade, mas sim a conduta mais apropriada e ponderada. O desperdício e a degradação da vida física, que tantas vezes precisa ser consertada, pareciam miraculosamente retardados em tal caso, e o vigor vital assumia seu território. Assim, eu poderia receber tanto mil quanto vinte visitas; e se alguém foi embora decepcionado ou faminto da minha casa quando eu me encontrava lá, foi com a certeza de que ao menos lhe fui solidário no jejum. É muito fácil, embora muitos donos de casa duvidem, adotar costumes novos e melhores no lugar dos antigos. Ninguém precisa estabelecer uma reputação pelos jantares que oferece. Da minha parte, nunca nada foi tão eficaz em me impedir de frequentar a casa de alguém, nem nenhum tipo de Cérbero, quanto o alvoroço feito em torno do que me dar para jantar, que considerei uma sugestão muito educada e evasiva de que eu nunca mais fosse incomodá-lo. Acho que nunca mais voltarei a esses lugares. Eu deveria me orgulhar de ter como lema da minha cabana esses versos de Spenser que um visitante inscreveu em uma folha de nogueira como cartão:

> *Ali chegando, encheram a pequena casa,*
> *Sem procurar diversão onde não havia nenhuma;*
> *O repouso é seu banquete, e deixar tudo à vontade:*
> *A mente mais nobre com isso se contenta.*

Quando Winslow, que mais tarde seria governador da colônia de Plymouth, foi com um acompanhante fazer uma visita oficial a Massasoit, líder dos Wampanoag, a pé através das florestas, e chegou tarde e faminto em seu alojamento, eles foram bem recebidos pelo rei, mas não se falou em comida naquele dia. Quando anoiteceu, segundo suas próprias palavras: "Ele nos pôs na cama consigo e a esposa, eles de um lado e nós do outro, que eram apenas tábuas dispostas a uns trinta centímetros do chão e um tapete fino por cima delas. Dois outros líderes, por falta de espaço, espremeram-se ao nosso lado e por cima de nós; de modo que ficamos mais exauridos pela hospedagem do que pela viagem". A uma da tarde do dia seguinte, Massasoit "trouxe dois peixes que ele havia flechado", do triplo do tamanho de uma brema. "Enquanto os peixes eram cozidos, havia pelo menos quarenta pessoas esperando um pedaço; a maioria comeu. Esta foi a única refeição que fizemos em duas noites e um dia; e se um de nós não tivesse comprado uma perdiz, teríamos viajado em jejum." Receando que começassem a delirar pela falta de comida e também de sono, devido à "bárbara cantoria dos selvagens (pois eles costumam cantar para dormir)", e acreditando que conseguiriam chegar em casa enquanto ainda tinham força para viajar, eles partiram. Quanto à hospedagem, é verdade que a acolhida foi pobre, embora o que eles consideraram uma inconveniência tenha sido sem dúvida oferecido como uma honra; mas quanto à alimentação, não vejo como os índios poderiam ter agido melhor. Eles mesmos não tinham nada para comer, e foram sábios de não achar que um pedido de desculpas seria capaz de substituir o alimento para seus hóspedes, de modo que apertaram os cintos e não tocaram no assunto. Quando Winslow os visitou em outra ocasião, sendo época de fartura entre eles, não houve queixas a esse respeito.

Em se tratando de homens, eles dificilmente abandonam os outros em qualquer parte. Tive mais visitas enquanto morei nos bosques do que em qualquer outro período da minha vida; quero dizer que tive algumas. Encontrei mais pessoas por lá em circunstâncias mais favoráveis do que encontraria em qualquer outro lugar. Mas poucas vinham me procurar por assuntos triviais. Quanto a isso, as companhias eram peneiradas pela mera distância da cidade. Eu havia me retirado para tão longe, tão adentro do oceano da solidão, onde se esvaziam os rios da sociedade, que na maior parte das vezes, no tocante às minhas necessidades, apenas o sedimento mais fino se depositava à minha volta. Além disso, chegavam-me evidências flutuantes de continentes inexplorados e jamais cultivados do outro lado.

Quem viria esta manhã à minha morada senão um verdadeiro homérico ou paflagônio? – ele tem um nome tão apropriado e poético que lamento não poder registrá-lo aqui. Um canadense, lenhador e fabricante de postes, capaz de fincar cinquenta postes em um dia, cujo único jantar foi uma marmota que seu cachorro caçou. Ele também ouviu falar de Homero, e, "se não fossem os livros", não "saberia o que fazer nos dias de chuva", embora talvez não tenha lido nenhum inteiro ao longo de muitas temporadas chuvosas. Um padre que sabia grego lhe ensinou a ler versículos das Escrituras em sua longínqua paróquia natal; e agora devo lhe traduzir, enquanto ele segura o livro, a reprimenda de Aquiles diante da expressão tristonha de Pátroclo: "Por que choras, Pátroclo, igual a uma garotinha?".

Ou será que só tu soubeste notícias de Ftia?
Dizem que Menetes ainda vive, filho de Actor,
e Peleu, filho de Éaco, entre os mirmidões.
Houvesse morrido um deles, lamentaríamos muito.

Ele disse: "Ficou bonito". Ele está levando um grande feixe de cascas de carvalho-branco embaixo do braço para um homem doente, colhidas nesta manhã de domingo. "Imagino que não haja mal nenhum em ir atrás desse tipo de coisa aos domingos", diz. Para ele, Homero foi um grande escritor, embora não soubesse sobre o que ele escrevia. Homem mais simples e natural seria difícil de encontrar. O vício e a doença, que lançam essa sombra moral sobre o mundo, mal pareciam existir para ele. Tinha por volta de vinte e oito anos, e havia deixado o Canadá e a casa do pai doze anos antes para vir trabalhar nos Estados Unidos e ganhar dinheiro para comprar uma terra, um dia, talvez em seu país natal. Era de molde rústico; um corpo forte mas indolente, ainda que de porte gracioso, com um pescoço grosso e bronzeado, cabelos escuros e crespos, e olhos azuis sonolentos e insensíveis, que só de quando em quando se acendiam com alguma expressão. Usava um boné simples de pano, cinza, um sobretudo sujo de lã, e botas de couro de boi. Era um grande consumidor de carne, geralmente levava a comida para o trabalho, a mais de três quilômetros da minha casa – pois ele cortava lenha o ano inteiro –, em um balde de lata; carnes frias, quase sempre marmotas frias, e café em uma garrafa de louça amarrada por um barbante em seu cinto; e às vezes ele me oferecia um gole. Chegou cedo, atravessou meu campo de feijões, embora sem a ansiedade ou a pressa ianque de chegar no serviço. Ele não costumava se ferir. Não se incomodava de ganhar apenas o suficiente para comer. Costumava deixar a comida no mato, quando o cachorro caçava uma marmota no caminho, e voltava dois quilômetros para preparar a carne e deixar no porão da casa onde dormia, depois de deliberar por meia hora se não poderia mergulhá-la no lago com segurança antes de anoitecer – e adorava se demorar sobre esses temas. Ele diria, enquanto ia embora de manhã:

"Quanto pombo! Se trabalhar todos os dias não fosse meu negócio, eu poderia comer toda a carne que quisesse caçando pombo, marmota, coelho e perdiz – que coisa! Eu conseguiria caçar tudo de que preciso para uma semana em um único dia".

Ele era um lenhador habilidoso, e se permitia alguns floreios e ornamentos em sua arte. Cortava as árvores por igual e rente ao chão, para que os brotos viessem mais vigorosos e um trenó pudesse deslizar sobre os cepos; e em vez de deixar as árvores inteiras para amarrar os lotes, ele as cortava em achas mais finas ou lascas, até ser possível rachá-las com a mão.

Ele me interessava por ser tão sereno e solitário e ainda assim tão feliz; um poço de bom humor e contentamento que transbordava pelos olhos. Sua alegria era sem mácula. Às vezes eu o via trabalhando na floresta, derrubando árvores, e ele me cumprimentava com um sorriso de indescritível satisfação, e com uma saudação em francês canadense, embora também falasse inglês. Quando me aproximei, ele interrompeu o trabalho, e com alegria quase incontida se sentou sobre o tronco de um pinheiro que acabara de derrubar, e, arrancando-lhe a casca interna, enrolou-a na forma de uma bola e começou a mascá-la, enquanto dava risada e conversava. Possuía tamanha exuberância de instintos animais que às vezes caía no chão e rolava de rir diante de alguma coisa que o fazia pensar ou o provocava. Olhando para o alto em meio às árvores, ele exclamava: "Por São Jorge! Posso me divertir bastante aqui cortando lenha; não conheço esporte melhor". Às vezes, em seu lazer, ele se divertia o dia inteiro na floresta com uma pistola de bolso, disparando salvas para si mesmo em intervalos regulares enquanto caminhava. No inverno, fazia uma fogueira na qual ao meio-dia esquentava o café em uma chaleira; e, quando sentava em um tronco para comer, os chapins às vezes se aproximavam e pousavam em seu braço e bicavam a batata das mãos dele; e ele dizia que "gostava de ter aqueles *amiguinhos* por perto".

Nele, o homem animal era o mais desenvolvido. Em termos de resistência física e contentamento, ele era primo do pinheiro e da rocha. Uma vez perguntei se ele às vezes não se sentia cansado à noite, depois de trabalhar o dia inteiro; e ele respondeu, com um olhar sincero e sério: "Misericórdia! Nunca senti cansaço na vida!". Mas o homem intelectual e o que se chama de espiritual, nele, estavam adormecidos, como em uma criança. Ele só havia sido instruído daquela maneira inocente e ineficaz como os padres católicos ensinam os nativos, segundo a qual o aluno nunca é educado a ponto de adquirir consciência, mas apenas a ponto de acreditar e reverenciar, e assim a criança não se transforma em um homem, mas continua criança. Quando a natureza o fez, deu a ele um corpo forte e contentamento por seu quinhão, e encheu-o por todos os lados de reverência e confiança, para que ele pudesse viver seus oitenta anos como uma criança. Era tão genuinamente desprovido de sofisticação que nenhum tipo de apresentação serviria para apresentá-lo, seria como apresentar uma marmota ao seu vizinho. Este precisaria conhecê-la sozinho, assim como você. Ele não representaria nenhum papel jamais. As pessoas pagavam pelo seu trabalho, e assim o ajudavam a comer e a se vestir; mas ele nunca compartilhava opiniões com elas. Era tão simples e naturalmente humilde – se pode ser chamado de humilde quem não tem aspirações –, que a humildade não era uma qualidade que nele se destacasse, nem sequer que chegasse a conceber. Os sábios para ele eram semideuses. Se você dissesse que alguém assim estava chegando, ele agia como se achasse que alguém tão grandioso não esperaria nada dele, mas tomava toda a responsabilidade sobre si, e que o deixassem em paz. Ele nunca ouviu o som de um elogio. Reverenciava particularmente escritores e pregadores. Suas apresentações eram milagres. Quando lhe contei que eu também escrevia razoavelmente, ele pensou por muito tempo que estivesse me referindo apenas à caligrafia, porque ele também tinha uma letra incrivelmente bonita. Encontrei algumas vezes o nome de sua paróquia natal lindamente escrito na neve junto à estrada, com o acento francês correto, e sabia que ele havia passado por ali. Perguntei se ele algum dia pensara em escrever seus pensamentos. Ele disse que havia lido e escrito cartas para pessoas que não sabiam fazê-lo, mas jamais tentara escrever pensamentos – não, ele não poderia, não saberia o que escrever primeiro, uma coisa acabaria matando a outra, e além disso precisaria prestar atenção à ortografia!

Ouvi dizer que um famoso sábio e reformador perguntou se ele não queria que o mundo fosse transformado; mas ele respondeu com uma gargalhada de surpresa em seu sotaque canadense, sem conceber que essa pergunta pudesse ter sido formulada antes: "Não, gosto como está". Seria muito sugestivo para um filósofo conversar com ele. Para um desconhecido, ele parecia não saber nada sobre as coisas em geral; no entanto às vezes eu via nele um homem que eu nunca tinha visto antes, e não sabia se ele era sábio como Shakespeare ou simplesmente ignorante como uma criança, se havia nele uma refinada consciência poética ou estupidez. Um conterrâneo me disse que quando o encontrou vagando pela vila com seu chapeuzinho apertado, assobiando sozinho, ele lhe pareceu um príncipe disfarçado.

Seus únicos livros eram um almanaque e uma aritmética, que ele razoavelmente dominava. O primeiro era para ele uma espécie de enciclopédia, que ele supunha conter um resumo do conhecimento humano, como de fato contém, até certo ponto. Eu adorava perguntar sobre as diversas mudanças de nossa época, e ele nunca deixava de observá-las sob a luz mais simples e prática. Ele nunca tinha ouvido falar de tais coisas. Ele poderia viver sem fábricas? – perguntei. Usava até gastar seu cinza Vermont feito em casa, e achava bom. Ele abriria mão do chá e do café? Aquela região tinha alguma outra bebida além de água? Ele mergulhava folhas de abeto na água e bebia, e dizia que aquilo era melhor que água no calor. Quando perguntei se ele conseguiria viver sem dinheiro, ele demonstrou a conveniência do dinheiro de tal maneira que sugeria e coincidia com os relatos mais filosóficos sobre a origem dessa instituição, e a própria etimologia da palavra *pecúnia*. Se tivesse um boi, e quisesse comprar agulhas e linha na loja, ele acharia inconveniente e logo impossível ir hipotecando partes da criatura a cada vez até completar o total. Era capaz de defender muitas instituições melhor do que qualquer filósofo, porque, ao descrevê-las na medida em que lhe diziam respeito, ele fornecia o verdadeiro motivo de suas vigências, e não fazia nenhuma especulação a respeito. Em outra ocasião, ouvindo a definição que Platão deu do homem – um bípede implume – e que um sujeito mostrara um frango depenado e o chamara de homem de Platão, ele observou uma importante diferença, que os *joelhos* se dobravam ao contrário. Ele às vezes exclamava: "Como gosto de conversar! Por São Jorge, seria capaz de passar o dia inteiro conversando!". Perguntei uma vez, depois de muitos meses sem vê-lo, se ele tivera alguma ideia nova naquele verão. "Santo Deus", ele disse, "alguém que precisa trabalhar como eu, se não esquece as ideias que teve, está perdido. Às vezes a pessoa que trabalha com você tem uma tendência a competir; então, Jesus, você precisa estar com a cabeça bem ali; você só pensa em ervas daninhas." Ele às vezes me perguntava primeiro, nessas ocasiões, se eu havia feito alguma benfeitoria. Certo dia de inverno perguntei se ele estava sempre satisfeito consigo mesmo, no intuito de lhe sugerir um substituto interior para o padre exterior, e algum motivo mais elevado para viver. "Satisfeito!", ele disse. "Alguns se satisfazem com uma coisa, e alguns com outra. Um homem, talvez, se tiver o suficiente, ficará satisfeito de sentar o dia inteiro de costas para a lareira e com a barriga na mesa, por São Jorge!" No entanto, jamais, por nenhuma manobra, consegui fazê-lo adotar uma visão espiritual das coisas; o mais elevado que ele parecia conceber era um expediente simples, como se esperaria que fosse agradar um animal; e isto, na prática, é verdade para a maioria dos homens. Se eu sugeria alguma melhoria em seu modo de vida, ele meramente respondia, sem expressar nenhum remorso, que era tarde demais. Mas acreditava inteiramente em honestidade e virtudes semelhantes.

Havia certa originalidade positiva, ainda que tênue, que podia ser detectada nele, e algumas vezes observei-o absorto nos próprios pensamentos e expressando sua opinião, fenômeno tão raro que eu seria capaz de caminhar dez milhas para observá-lo em qualquer tempo, e que equivalia a uma reformulação de muitas instituições da sociedade. Embora hesitasse, e talvez não conseguisse se expressar distintamente, ele sempre tinha um pensamento apresentável por trás do que dizia. Mas seu pensamento era tão primitivo e mergulhado em sua vida animal que, embora mais promissor do que meramente um homem educado, raramente amadurecia a ponto de se tornar algo que se possa relatar. Sugeria que podia haver homens de gênio até nos níveis mais baixos da vida, mesmo que permanentemente humildes e quase analfabetos, que têm sempre seus próprios pontos de vista, ou que não fingem nunca ver de outro modo; que são tão profundos quanto se pensava ser o lago Walden, ainda que escuros e turvos.

Muitos viajantes se afastavam do caminho para vir me visitar e conhecer minha casa por dentro, e, como desculpa para a visita, pediam um copo de água. Eu dizia que bebia do lago, e apontava para lá, e oferecia uma concha emprestada. Mesmo isolado como eu vivia, não estava isento das visitas anuais que ocorrem, creio, por volta do 1º de abril, quando tudo se põe em movimento; e tive minha cota de boa sorte, embora houvesse espécimes curiosos entre os visitantes. Velhos senis de asilos e de outros lugares vieram me visitar; mas consegui exigir deles que exercitassem toda a consciência que tinham, e que me fizessem confissões; nesses casos, fazendo que a consciência fosse o tema da nossa conversa; e fui assim recompensado. Na verdade, achei alguns deles mais sábios do que os chamados *supervisores* dos pobres e do que os respeitáveis cidadãos, e pensei que estava na hora de virar a mesa. Em se tratando da consciência, descobri que não havia muita diferença entre a parcial e a total. Um dia, em particular, um mendigo inofensivo, simplório, que muitas vezes vi, entre outros, sendo usado como cerca, ou parado, de pé ou sentado, em uma moita nos campos para impedir que o gado e ele mesmo se extraviassem, veio me visitar, e expressou o desejo de viver como eu vivia. Ele me disse, com a máxima simplicidade e verdade, com toda a superioridade, ou melhor, *inferioridade*, com tudo o que se pode chamar de humildade, que ele era "deficiente mental". Essas foram suas palavras. Deus tinha feito ele assim, mas acreditava que Deus se importava com ele como com qualquer outra pessoa. "Sempre fui assim", ele disse, "desde criança; nunca fui bom da cabeça; eu era diferente das outras crianças; sou fraco da cabeça. Foi vontade de Deus, eu acho." E lá estava ele para provar a veracidade de suas palavras. Ele era para mim um enigma metafísico. Raramente encontrei um semelhante em condição tão promissora – tão singelo e sincero e verdadeiro era tudo o que ele dizia. E, verdade seja dita, na mesma medida em que parecia se rebaixar, ele era exaltado. A princípio, eu não sabia, mas isso se revelaria uma política sábia. Parecia que, a partir daquela base de verdade e franqueza que o pobre mendigo louco lançara, nossa relação poderia avançar para algo melhor do que uma relação entre sábios.

Tive alguns convidados dentre aqueles geralmente não reconhecidos entre os pobres da cidade, mas que deveriam sê-lo; que estão entre os pobres do mundo, de qualquer modo; convidados que apelam não à nossa hospitalidade hoteleira, mas à nossa hospitalidade *hospitalar*; aqueles que sinceramente desejam ser ajudados, e antecedem seus pedidos com a informação de que estão decididos, antes de qualquer coisa, a nunca ajudar a si mesmos. Exijo de uma visita apenas que não esteja exatamente morrendo de fome, embora possa estar com o melhor apetite do mundo, se for esse o caso. Um objeto de caridade não é um convidado. Pessoas que não sabem quando a visita terminou, mesmo depois de eu já ter retomado meus afazeres, respondendo a suas perguntas de maneira cada vez mais remota. Homens de praticamente todos os níveis de consciência vieram me visitar na época da migração. Alguns tinham bastante sagacidade mas não sabiam bem o que fazer com ela; escravos fugitivos com modos adquiridos no eito, que me ouviam de quando em quando, como a raposa na fábula, como se ouvissem os cachorros latindo em seu rastro, e olhassem suplicantes para mim e dissessem:

Ó cristão, você vai me mandar de volta?

Um verdadeiro escravo fugitivo, em meio ao resto, a quem ajudei a transportar rumo à estrela do norte. Homens de uma única ideia, como uma galinha com um único pinto, e mesmo este é um patinho; homens de mil ideias, e cabeleiras desgrenhadas, como aquelas galinhas que acabam tendo de cuidar de cem pintinhos, todos perseguindo um único inseto, sendo que vinte deles se perdem no orvalho de cada manhã – e que ficam todas eriçadas e piolhentas em consequência; homens de ideias em vez de pernas, uma espécie de centopeia intelectual que nos faz rastejar por tudo. Um homem propôs um livro em que os visitantes deveriam escrever seus nomes, como nas White Mountains; mas, ai!, tenho uma memória boa demais para precisar disso.

Eu não podia deixar de notar algumas peculiaridades de meus visitantes. Meninas e meninos e moças geralmente pareciam contentes por estar na floresta. Olhavam para o lago e para as flores, e aproveitavam seu tempo ali. Homens de negócios, até mesmo agricultores, pensavam apenas na solidão e no trabalho, e na grande distância em que eu vivia de uma coisa e de outra; e embora dissessem adorar caminhar a esmo pelo bosque de quando em quando, era óbvio que não adoravam. Homens ocupados e inquietos, cujo tempo era gasto em ganhar a vida ou sobreviver; ministros que falavam de Deus como se gozassem de um monopólio no assunto, que não podiam suportar todos os tipos de opinião; doutores, advogados, donas de casa aflitas que espiavam meu armário e minha cama quando eu estava fora – como tal senhora teria ficado sabendo que meus lençóis não eram tão limpos quanto os dela? –, rapazes que deixaram de ser jovens e que concluíram que era mais seguro seguir a estrada batida das profissões – todos eles geralmente diziam que, na minha posição, não era possível fazer o bem aos outros. Ora!, eis a divergência. Os velhos e fracos e os tímidos, de qualquer idade ou sexo, pensavam mais em doenças, acidentes e morte súbita; para eles, a vida parecia cheia de perigos – que perigo pode existir se você não pensa nele? –, e achavam que um homem prudente escolheria cuidadosamente a posição mais segura, aonde o doutor Fulano pudesse chegar em caso de urgência. Para eles, a vila era literalmente uma *co-munidade*, uma liga de defesa mútua, e era de supor que não saíssem para colher mirtilos sem uma valise de remédios. Em suma, se a pessoa está viva, sempre há o risco de morrer, embora a princípio se possa supor que esse risco diminua de fato quando a pessoa é em vida já, antes de qualquer coisa, um morto-vivo. Um homem sentado corre tanto risco quanto um homem correndo. Enfim, havia os reformadores de estilo próprio, os mais enfadonhos de todos, que achavam que eu vivia eternamente cantando:

> *Esta é a casa que eu fiz;*
> *Este é o homem que mora na casa que eu fiz;*

mas eles não sabiam que o terceiro verso era:

> *E esses são os sujeitos que preocupam o homem*
> *Que mora na casa que eu fiz.*

Não temia os ladrões de galinhas, pois eu não criava galinhas; mas temia os ladrões de homens, isso sim.

Tive mais visitantes animados do que deste último tipo. Crianças vinham colher amoras, funcionários da ferrovia caminhando nas manhãs de domingo com camisas limpas, pescadores e caçadores, poetas e filósofos; em suma, todo tipo de peregrino honesto, voltando à floresta em nome da liberdade, e que realmente deixava a vila para trás, eu estava sempre pronto para saudar com um "Sejam bem-vindos, ingleses! Bem-vindos, ingleses!", pois me comunicava bem com aquela raça.

O CAMPO DE FEIJÕES

Nesse ínterim, meus feijões, cujas fileiras somadas dariam sete milhas já plantadas, estavam impacientes para ser colhidos, pois os primeiros já haviam crescido consideravelmente antes de os últimos terem sido semeados; na verdade, não era fácil tirá-los da terra. Qual era o significado desse trabalho tão constante e respeitoso, esse pequeno trabalho de Hércules, eu não sabia. Vim a amar minhas fileiras, meus feijões, embora tivessem nascido muitos além do que eu queria. Eles me ligaram à terra, e então fiquei forte como Anteu. Mas por que deveria cultivá-los? Só Deus sabe. Eis meu curioso trabalho durante todo o verão – fazer que essa porção da superfície da terra, que até então dera apenas quinquefólios, amoras, erva-de-são-joão e coisas do gênero, doces frutos silvestres e flores aprazíveis, produzisse, em vez disso, esta leguminosa. O que eu deveria aprender sobre feijões e os feijões sobre mim? Eu os adoro, eu os colho, cedo ou tarde, estou de olho neles; e esse é o meu dia de trabalho. É uma folha larga e bonita de ver. Minhas assistentes são as brumas e as chuvas que molham o solo seco, e alguma fertilidade existente no próprio solo, que em sua maior parte é árido e estéril. Meus inimigos são as lagartas, os dias frios, e sobretudo as marmotas. Estas me devoraram um quarto de acre. Mas que direito eu tinha de desalojar a erva-de-são-joão e as demais, e desmanchar seu herbário antigo? Logo, contudo, os feijões remanescentes ficarão duros demais para elas, e seguirão em frente em busca de novos inimigos.

Quando eu tinha quatro anos de idade, segundo me lembro, fui trazido de Boston para esta minha cidade natal, através desses mesmos bosques e deste campo, até o lago. É um dos cenários mais antigos que tenho estampados na memória. E agora, hoje à noite, minha flauta despertou ecos sobre a mesma água. Os pinheiros aqui ainda são mais velhos que eu; ou, se alguns foram derrubados, cozinhei meu jantar com seus cepos, e uma nova leva está crescendo por toda a volta, preparando outro aspecto para novos olhos infantis. Praticamente a mesma erva-de-são-joão brota da mesma raiz perene neste pasto, e eu mesmo aos poucos ajudei a revestir aquela fabulosa paisagem dos meus sonhos infantis, um dos resultados da minha presença e influência se vê nessas folhas do feijão, do milho e da batata.

Plantei cerca de um hectare de terra alta; e como fazia apenas uns quinze anos que a terra havia sido limpa, e eu mesmo arranquei quase dez metros cúbicos de lenha, não acrescentei nenhum adubo; mas ao longo do verão descobri, pelo tanto de pontas de flecha que encontrei enquanto capinava, que uma nação inteira tinha vivido aqui e plantado milho e feijão antes que os brancos viessem explorar a terra, e assim, em certa medida, tinham exaurido o solo para essas mesmas culturas.

Antes que a marmota ou o esquilo atravessassem a estrada, ou que o sol estivesse acima dos arbustos de carvalho-anão, enquanto todo o orvalho ainda estava ali, embora contrariasse os conselhos dos sitiantes – eu aconselharia a fazer todo o trabalho se possível enquanto ainda houver orvalho –, comecei a nivelar faixas de ervas daninhas e jogar poeira sobre as suas cabeças. Bem cedo pela manhã, eu trabalhava descalço, pisando como um artista plástico a areia orvalhada e friável, mas ao longo do dia o sol faria bolhas nos meus pés. Ali o sol me iluminou para colher feijões, lentamente, um passo para frente e outro para trás, sobre aquela terra alta amarelada com cascalhos, entre as longas fileiras verdes, setenta e cinco metros, com uma das pontas terminando em uma capoeira de carvalhos- -anões onde eu podia descansar à sombra, e a outra em um campo de amoras cujas bagas verdes iam ficando mais escuras a cada investida minha. Mondar, arrancar pragas, adubar perto das hastes dos feijões, e encorajar a planta que eu havia semeado, fazer o solo amarelado expressar seu pensamento de verão em folhas e flores de feijão em vez de em losna, rabo-de- -gato e painço, fazer a terra dizer feijão em vez de capim – este era o meu trabalho diário. E como eu tinha pouco auxílio de cavalos ou bois, ou homens ou meninos contratados, ou implementos agrícolas avançados, fui muito mais devagar, e fiquei muito mais íntimo dos meus feijões do que é o costume. Mas o trabalho das mãos, mesmo quando beira a exaustão, não é das piores formas de ócio. Tem uma moral constante e imperecível, e ao erudito fornece um resultado clássico. Um verdadeiro *agricola laboriosus* para os viajantes que seguiam rumo ao oeste passando por Lincoln e Wayland em direção a sabe lá onde; eles sentados à vontade em suas charretes, com os cotovelos apoiados nos joelhos, as rédeas frouxas como festões; eu em casa, laborioso nativo daquele solo. Mas logo minha casa desaparecia da visão e do pensamento deles. Era o único campo aberto e cultivado em uma grande distância de cada lado da estrada, de modo que as pessoas aproveitavam ao máximo; e às vezes o homem no campo ficava sabendo de mais boatos e comentários dos viajantes do que seu ouvido precisaria ouvir: "Feijão nessa época do ano! Já passou a época da ervilha!" – pois eu continuava plantando quando outros já haviam começado a colher –, o lavrador aprendiz nem desconfiava. "Milho, meu filho, para forragem; planta milho para forragem." "Será que ele mora aí?", perguntou o de chapéu preto e paletó cinza; e o sitiante de traços marcantes puxa as rédeas de seu cavalo manso e agradecido para perguntar o que você está fazendo porque ele não estava vendo nenhum esterco nos sulcos, e recomenda um pouco de terra com estrume, ou algum tipo de compostagem, ou ainda cinzas ou gesso. Mas aqui estavam dois acres e meio de lavoura, e apenas uma enxada e um carrinho e duas mãos para manejá-los – havendo uma aversão à ideia de outras carroças e outros cavalos, e o estrume ficava muito longe. Companheiros de viagem conversando comparavam em voz alta os campos por onde passavam, de modo que fiquei sabendo em que pé estava no mundo da agricultura. Este campo não constava do relatório do senhor Coleman. E, por falar nisso, quem calcula o valor da safra que a natureza oferta nos campos ainda mais selvagens e inexplorados pelo homem? A safra do feno inglês é cuidadosamente pesada, a umidade calculada, silicatos e potassas; mas em todos os vales e lagos nos bosques e pastagens e pântanos cresce uma safra rica e variada jamais colhida pelo homem. O meu era, na verdade, o elo entre os campos selvagens e os cultivados; assim como alguns países são civilizados, e outros semicivilizados, e outros selvagens ou bárbaros, também era o meu campo, embora não no mau sentido, semicultivado. Os feijões que eu havia cultivado estavam alegremente retornando a seu estado selvagem e primitivo, e minha enxada era o *Ranz des Vaches* para eles.

Bem ao lado, no topo de um galho de bétula, canta o sabiá-do-campo – ou tordo vermelho, como alguns o chamam – a manhã inteira, contente com a sua companhia, ele que poderia escolher o campo de outro sitiante se o seu não estivesse aqui. Enquanto você está plantando a semente, ele grita: "Solta, solta... cobre, cobre... arranca, arranca, arranca". Mas aquilo não era milho, e portanto estava a salvo de inimigos como ele. Você pode se perguntar o que suas ladainhas, seus números de Paganini amador em uma corda ou em vinte, têm a ver com a sua plantação, e no entanto preferi-las à lixívia de cinzas ou gesso. Foi um tipo mais barato de implemento no qual confiei plenamente.

Conforme fui cavando a terra mais fresca em volta das fileiras com minha enxada, revolvi as cinzas de nações sem registros que em tempos primordiais viveram sob este céu, e seus pequenos instrumentos de guerra e caça foram trazidos à luz desta era moderna. Jaziam ali misturados com outras rochas naturais, algumas das quais tinham marcas de terem sido queimadas em fogueiras indígenas, e algumas pelo sol, e também fragmentos de cerâmica e vidro trazidos à tona pelos cultivadores mais recentes do solo. Quando minha enxada batia em alguma pedra, essa música ecoava pelos bosques e pelo céu, e era um acompanhamento para o meu trabalho que resultava em uma safra instantânea e imensurável. Já não eram mais feijões que eu cultivava, nem era eu quem cultivava aqueles feijões; e me lembrei com pena e o mesmo tanto de orgulho, se bem me recordo, de meus conhecidos que haviam ido à cidade assistir aos oratórios. O bacurau rodeava do alto nas tardes de sol – pois às vezes eu ficava o dia inteiro assim – como um argueiro no olho, ou no olho do céu, descendo de quando em quando, despencando com um som como se o céu se rasgasse e por fim virasse trapos e farrapos e, no entanto, permanecesse a túnica inconsútil; pequenos demônios que enchem o ar e deixam seus ovos na terra nua ou nas pedras no alto das colinas, onde alguns poucos já os encontraram; graciosos e esguios como ondulações vindas do lago, como folhas erguidas pelo vento para flutuar nos céus; assim são os parentescos e afinidades na natureza. O bacurau é o irmão aéreo da onda que ele sobrevoa inspecionando, com aquelas asas perfeitamente infladas de ar em resposta às rêmiges implumes do mar. Ou às vezes eu assistia a uma dupla de bacuraus rodeando no alto do céu, alternadamente subindo e descendo, aproximando-se, e separando-se, como se fossem a encarnação de meus próprios pensamentos. Ou era atraído pela passagem de pombos selvagens deste bosque para aquele, com um leve som ruflado e soprado e uma pressa de pombos-correios; ou debaixo de um cepo apodrecido minha enxada descobria uma preguiçosa salamandra pintada, portentosa e exótica, remanescente do Egito e do Nilo, embora fosse nossa contemporânea. Quando eu fazia uma pausa e me apoiava em minha enxada, ouvia e via esses sons e visões por todo lugar entre as fileiras, parte dos inesgotáveis entretenimentos oferecidos pelo campo.

Nos dias de gala, a cidade disparava seus canhões, que ecoavam como espingardas nestes bosques, e alguns resquícios de música marcial eventualmente penetravam nessa distância. Para mim, bem longe em meu campo de feijões na outra extremidade da cidade, os canhões soavam como bufas-de-lobo estouradas; e quando havia alguma movimentação militar que eu ignorava, às vezes, tinha o dia todo a vaga sensação de haver uma espécie de coceira ou doença no horizonte, como se alguma erupção fosse irromper a qualquer momento, uma escarlatina ou ulcerações, até que por fim uma rajada de vento favorável, soprando sobre os campos e até a estrada para Wayland, trazia-me informações sobre os "treinamentos". Parecia, pelo zumbido distante, que as abelhas de alguém tinham formado um enxame, e que os vizinhos, seguindo o conselho de Virgílio, fazendo um rústico tintinábulo com seus utensílios domésticos mais sonoros, estivessem tentando chamá-las de volta à colmeia. E quando o som morria na distância, e o zumbido havia passado, e as brisas mais favoráveis não me diziam mais nada, eu sabia que os homens haviam conseguido levar até o último zangão em segurança de volta à colmeia em Middlesex, e que agora seus pensamentos estavam voltados para o mel que a besuntava.

Senti orgulho ao saber que as liberdades de Massachusetts e de nossa pátria eram conservadas com tamanha segurança; e quando voltei para minha enxada me enchi de indescritível confiança, e continuei alegremente meu trabalho com uma fé serena no futuro.

Quando havia diversas bandas de músicos, soava como se toda a vila fosse um vasto fole e todos os edifícios se expandissem e colapsassem alternadamente com algazarra. Mas às vezes era um acorde realmente nobre e inspirador que chegava a estes bosques, a trombeta que canta a fama, e eu me sentia como se pudesse devorar um mexicano no espeto com um bom molho – pois por que sempre nos bateremos por ninharias? – e procurava uma marmota ou um cangambá em quem descarregar minha bravura. Esses acordes marciais soavam remotos como a Palestina, e lembravam uma marcha de cruzados no horizonte, com o trote discreto e o trêmulo movimento das copas dos olmos, como elmos, por sobre a vila. Este foi um dos *grandes* dias; embora o céu visto da minha clareira tivesse a mesma aparência eternamente grandiosa que tem todos os dias, e eu não notasse nenhuma diferença.

Foi uma experiência singular, essa longa amizade que cultivei com os feijões, plantar, cavar, colher, debulhar, escolher ou vender – isto era o mais difícil –, e eu poderia acrescentar comer, pois também os provava. Estava decidido a entender de feijão. Enquanto eles cresciam, eu costumava trabalhar das cinco horas da manhã até o meio-dia, e em geral passava o resto do dia ocupado com outros afazeres. Considere a amizade íntima e curiosa que se forma com vários tipos de plantas – haverá um tanto de repetições, pois não são poucas as repetições envolvidas no trabalho –, perturbando suas organizações delicadas de maneira tão cruel, e fazendo distinções desagradáveis com a enxada, arrancando faixas inteiras de uma mesma espécie, e conscientemente cultivando outra. Isso é absinto romano – isso é amaranto – isso é azedinha – isso é rabo-de-gato – arranque, corte, vire as raízes para o sol, não deixe nem uma fibra na sombra; se você deixar, o mato se virará de novo e estará verde como o alho-poró em dois dias. Uma longa guerra não com os grous,[38] mas com os matos, esses troianos que tinham o sol e a chuva e o orvalho a seu favor. Diariamente, os feijões me viram vir em seu socorro armado com minha enxada e reduzir as fileiras de seus inimigos, enchendo as trincheiras de matos defuntos. Muitos Heitores vigorosos de penachos ondeantes, que resistiam trinta centímetros acima da multidão de seus camaradas, caíram sob minha arma e no pó rolaram vencidos.[39]

Aqueles dias de verão que alguns de meus contemporâneos dedicaram às belas-artes em Boston ou Roma, e outros à contemplação na Índia, e outros ao comércio em Londres ou Nova York, eu, assim como outros sitiantes da Nova Inglaterra, dediquei à lavoura. Não que quisesse feijões para comer, pois tenho a natureza de um pitagórico, no tocante aos fei-

---

38. Homero. *Ilíada*, canto III.
39. Homero. *Ilíada*, canto XXII.

jões, seja como alimento, seja como contagem de votos, e os troquei pelo arroz; mas, talvez, como alguns precisam trabalhar nos campos ainda que apenas pelos tropos e expressões, para servir algum dia a um criador de parábolas. Era em geral uma rara diversão, que, se continuasse por muito tempo, poderia se tornar uma dissipação. Embora não tivesse adubado, nem colhesse tudo de uma vez, tive uma safra incrivelmente boa até o ponto em que cheguei, e fui pago por ela no final, "não havendo a bem da verdade", como diz Evelyn, "nenhum composto ou felicidade comparável a esse contínuo movimento, ao revolver do húmus com a pá". "A terra", ele acrescenta mais adiante, "especialmente quando fresca, tem certo magnetismo em si, pelo qual atrai o sal, a força, ou a virtude (como se quiser chamar) que lhe dá vida, e é a lógica de todo o trabalho e alvoroço que fazemos, para nos alimentar; todos os estrumes e outros temperos sórdidos sendo apenas sucedâneos vicários dessa benfeitoria." Além do mais, sendo este um desses "campos exauridos e gastos, de pousio, que desfrutam seu período sabático", talvez, como sir Kenelm Digby acha provável, tenham atraído "espíritos vitais" do ar. Colhi doze balaios de feijão.

Contudo, para ser mais exato, pois há uma queixa de que o senhor Coleman registrou principalmente experimentos caros de fazendeiros ricos, meus gastos foram:

Uma enxada	$0,54
Arar, gradar, lavrar	7,50 Excessivo.
Feijão para semear	3,12½
Batata para semear	1,33
Ervilha para semear	0,40
Semente de nabo	0,06
Arame para cerca contra corvo	0,02
Lavrador com cavalo e menino por três horas	1,00
Cavalo e carroça para colheita.	0,75
Total	.$14,72½

Minha renda foi (*patrem familias vendacem, non emacem esse oportet*):[40]

---

40. Catão. *De Agri Cultura*. "O dono da casa deve ter o hábito de vender, não o de comprar."

Nove balaios e doze quartos de feijão vendidos . . . $16,94

Cinco balaios de batatas grandes 2,50

Nove balaios de batatas pequenas 2,25

Hortaliças. 1,00

Mudas de hortaliças. 0,75

Total $23,44

Deixando um lucro pecuniário, como eu já disse antes, de $8,71 ½

Eis o resultado da minha experiência em cultivar feijões: plante o tipo comum, pequeno, de flores brancas, por volta de 1º de junho, em fileiras de mais ou menos um metro, a cada quarenta e cinco centímetros, tomando o cuidado de escolher sementes frescas, redondas e sem misturas. Primeiro, veja se há gorgulhos no chão, e plante onde não houver. Depois, veja se há marmotas, se for um local exposto, pois elas roem as primeiras folhas tenras praticamente assim que brotam; e, mais uma vez, quando os talos aparecem, elas os detectam, e vêm podar folhas e vagens, e ficam eretas como esquilos. Mas, acima de tudo, colha o mais cedo possível, para escapar de geadas e obter uma safra boa e vendável; pode-se evitar muitas perdas assim.

Esta outra experiência, também a ganhei; eu disse a mim mesmo: não vou plantar feijão e milho com tanto empenho no próximo verão, mas sementes, já que a semente não se perde, de sinceridade, verdade, simplicidade, fé, inocência e coisas do gênero, e vou ver se brotam neste solo, mesmo que com menos trabalho e adubo, e se poderão me sustentar, pois certamente o solo não está exaurido para tais lavouras. Ai!, eu disse comigo; mas agora outro verão passou, e mais outro, e mais outro, e sou obrigado a lhe dizer, leitor, que as sementes que eu plantei, se eram de fato as sementes daquelas virtudes, foram devoradas pelo gorgulho ou perderam a vitalidade, e portanto não vingaram. Em geral, os homens herdam a bravura de seus pais, ou a timidez. Esta geração age com muita convicção ao plantar milho e feijão todos os anos, exatamente como os índios faziam séculos atrás e ensinaram os primeiros colonos a fazer, como se houvesse nisso uma espécie de fatalidade. Vi um velho outro dia, para o meu espanto, fazendo buracos com uma enxada pela sétima vez pelo menos, e não era para cavar sua cova! Mas por que os homens da Nova Inglaterra não experimentam novas aventuras, em vez de exigir tanto de seus grãos, suas batatas, suas pastagens, seus pomares – não cultivam outras coisas além dessas? Por que nos preocupamos tanto com os feijões para semente, e não nos preocupamos nem um pouco com uma nova geração de homens? Devemos nos dar por satisfeitos e nos animar se encontrarmos um homem em quem seguramente vemos algumas dessas qualidades que mencionei – que todos valorizamos mais do que aquelas outras safras, mas que são em geral difundidas e espalhadas pelo ar – enraizadas, crescidas dentro dele. Eis uma qualidade sutil e inefável, por exemplo, a verdade ou a justiça, ainda que em mínima quantidade ou uma nova variedade delas, vindo pela estrada. Nossos embaixadores deveriam ser instruídos a nos enviar sementes assim, e o Congresso deveria ajudar a distribuí-las por todo o país. Jamais deveríamos fazer cerimônia com a sinceridade. Jamais trapacearíamos nem insultaríamos nem baniríamos ninguém por maldade, se o cerne do valor e da amizade estivesse preservado. Não nos encontraríamos com tanta pressa. A maioria dos homens, nunca os encontro, pois eles parecem nunca ter tempo; estão ocupados com seus feijões. Não lidaríamos com homens assim, sempre na labuta, apoiados à enxada ou à pá, para descansar em meio ao trabalho, não como cogumelos, mas parcialmente saindo da terra, um pouco mais do que eretos, como andorinhas pousadas andando no chão –

E quando ele falava, suas asas iam, de quando em quando,
se abrindo, como se quisesse voar, e se fechando.[41]

– de tal modo que desconfiaríamos estar falando com um anjo. O pão pode nem sempre nos alimentar; mas sempre nos faz algum bem, até retira a rigidez das nossas articulações, e nos torna aptos e otimistas, quando não sabemos o que nos faz mal, para identificar uma generosidade no homem ou na natureza, e compartilhar uma alegria sem mácula e heroica.

A poesia antiga e a mitologia sugerem, pelo menos, que a agricultura foi um dia uma arte sagrada; mas é por nós tratada com pressa e desatenção irreverentes, uma vez que nosso objetivo é meramente possuir grandes propriedades e obter grandes safras. Não temos nenhuma festividade, nenhuma procissão, nem cerimônia, exceto as feiras pecuárias e o chamado dia de

---

41. Francis Quarles. *Oráculos do pastor*. Quinta écloga, 1633.

Ação de Graças, em que o agricultor expressa uma ideia da sacralidade de sua vocação, ou é lembrado de sua origem sagrada. Ele é tentado pelo prêmio e pelo banquete. Ele faz sacrifícios não a Ceres e ao Jove terrestre, mas antes ao infernal Plutão. Por avareza e egoísmo, e um hábito abjeto, do qual nenhum de nós está isento, de considerar o solo sua propriedade, ou o principal meio de adquirir propriedade, a paisagem é deformada, a lavoura degradada conosco, e o agricultor vive a vida mais mesquinha. Para ele, a natureza é uma ladra. Catão diz que os lucros da agricultura são particularmente pios ou justos (*maximeque pius quaestus*), e segundo Varrão os antigos romanos "chamavam ao mesmo tempo a terra de mãe e de Ceres, e pensavam que aqueles que a cultivavam levavam vidas piegas e úteis, e que eram os únicos remanescentes da raça do rei Saturno".

Tendemos a esquecer que o sol olha para nossos campos cultivados e para as pradarias e florestas indistintamente. Todos refletem e absorvem seus raios igualmente, e os primeiros formam apenas uma pequena parte do glorioso quadro que ele contempla em seu trajeto diário. A seus olhos a terra é inteiramente cultivada como um jardim. Portanto deveríamos receber o benefício de sua luz e seu calor com confiança e generosidade correspondentes. Que importa se eu valorizo a semente desses feijões ou se colho no outono do outro ano? Este campo vasto que vejo há tanto tempo não olha para mim como seu principal cultivador, mas para além de mim, para influências mais afins consigo mesmo, que lhe dão água e o tornam verde. Estes feijões dão safras que não serão colhidas por mim. Os feijões não crescem em parte para as marmotas? A espiga do trigo (em latim, *spica*, obsoleto, *speca*, de *spe*, esperança) não deveria ser a única esperança do lavrador; seu cerne ou grão (*granum* de *gerendo*, gerar) não é a única coisa que ele gera. Como então poderia fracassar nossa colheita? Não devo me alegrar com a abundância das ervas daninhas cujas sementes são o celeiro dos pássaros? Comparativamente, pouco importa se os campos conseguem encher os silos do fazendeiro. O verdadeiro agricultor deixará de lado a ansiedade, assim como os esquilos não demonstram preocupação se os bosques darão castanhas ou não, e encerram seu trabalho a cada dia, renunciando a qualquer reivindicação sobre o produto de seus campos, e sacrificando em seu pensamento não apenas os primeiros como também os últimos frutos.

A VILA

Depois de trabalhar com a enxada, ou talvez depois de ler e escrever, depois do meio-dia, geralmente eu entrava outra vez no lago, nadava rapidamente até uma de suas praias, e lavava de mim toda a poeira do trabalho, ou alisava até a última ruga deixada pela leitura, e à tarde estava absolutamente livre. Todos os dias, ou a cada dois dias, eu ia caminhando até a vila para saber dos boatos que sempre correm por lá, circulando de boca em boca, ou de jornal em jornal, e que, tomados em doses homeopáticas, eram realmente tão refrescantes à sua maneira como o farfalhar das folhas e o coaxar das rás. Assim como ia caminhando aos bosques para ver pássaros e esquilos, eu ia caminhando até a vila para ver homens e meninos; em vez de o vento nos pinhais, ia ouvir o chacoalhar das carroças. Saindo da minha casa, em uma direção, havia uma colônia de ratos-almiscarados na várzea do rio; sob as copas dos olmos e plátanos no outro lado do horizonte, havia uma vila de homens ocupados, para mim tão curiosos como cãezinhos-da-pradaria, sentados na frente de suas tocas, ou falando da vida alheia com o vizinho. Eu ia até lá com frequência para observar seus hábitos. A vila me parecia uma grande agência de notícias; e de um lado, para sustentá-la, como outrora a Redding & Company na State Street de Boston, eles deixavam as nozes e passas, ou sal e aveia e outros mantimentos. Alguns têm um vasto apetite pela primeira mercadoria, isto é, notícias, e órgãos digestivos tão eficientes, que podem sentar eternamente nas avenidas públicas sem se mexer, e deixar que fervam e borbulhem através deles feito os ventos etésios, ou como se inalassem éter, produzindo apenas torpor e insensibilidade à dor – de outra forma seria doloroso demais para suportar – sem lhes afetar a consciência. Quase sempre via, quando perambulava pela vila, uma fileira de tais sumidades, ora tomando sol sentadas na escada, o corpo inclinado para a frente, com uma expressão voluptuosa, ou então encostados em um galpão com as mãos nos bolsos, como cariátides, como se o mantivessem em pé. Essas pessoas, geralmente na rua, ouviam tudo o que vinha no vento. São os moinhos mais rústicos, nos quais toda tagarelice é, primeiro, drasticamente digerida ou quebrada e, depois, despejada em recipientes mais finos e delicados dentro de casa. Notei que os órgãos vitais da vila eram a mercearia, o bar, o correio e o banco; e, como parte necessária do maquinário, eles tinham um sino, um canhão, uma bomba contra incêndios, em pontos convenientes; e as casas eram arranjadas para obter o máximo da humanidade, em alamedas e de frente umas para as outras, de modo que qualquer viajante precisava passar pelo corredor da morte, e todo homem, mulher e criança podia lhe bater um pouco. É claro, aqueles posicionados mais perto do início da fila, onde se podia ver e ser visto melhor, e dar o primeiro golpe, pagavam mais caro pelo lugar; e os poucos habitantes dos arrabaldes, onde começavam longos vazios na linha de casas, e o viajante podia passar por cima dos muros ou virar por uma trilha de bois, e escapar, pagavam pouco pela terra e em imposto por janela. As tabuletas ficavam penduradas por todo o caminho para atraí-lo; algumas para seduzi--lo pelo apetite, como a taverna e o depósito de vitualhas; algumas pela fantasia, como o armazém de secos e molhados e a joalheria; e outras pelos cabelos ou pelos pés ou pela roupa, como o barbeiro, o sapateiro e o alfaiate. Além disso, havia para mim visitas pendentes, a pagar, ainda mais terríveis, em cada uma dessas casas, e que estavam lá naqueles horários. Na maioria das vezes eu conseguia escapar maravilhosamente desses perigos, fosse prosseguindo com ousadia e sem delongas rumo ao objetivo, como se recomenda a quem passa pelo corredor da morte, fosse mantendo o pensamento em coisas elevadas, como Orfeu, que, "cantando em voz alta elogios aos deuses com sua lira, afogou as vozes das sereias, e se manteve fora de perigo".[42] Às vezes eu saía correndo de repente, e ninguém sabia dizer meu paradeiro, pois eu não me deixava

---

42. Francis Bacon. *De sapientia veterum* (1609).

prender por gentilezas, e nunca hesitei diante de uma brecha na cerca. Fiquei até acostumado a aparecer em algumas casas, onde era bem tratado, e depois de saber o cerne da última peneirada de notícias – o que havia se confirmado, as perspectivas de guerra e paz, e se o mundo continuaria existindo por mais algum tempo – ia embora pelos fundos, e voltava a fugir para os bosques.

Era muito agradável, quando eu ficava na cidade até tarde, zarpar noite adentro, especialmente em noites escuras e tempestuosas, e partir de alguma saleta ou sala de leitura iluminada da vila, com um saco de farinha de centeio ou de milho no ombro, rumo ao meu porto aconchegante no bosque, depois de calafetar tudo por fora, e me retirar embaixo das escotilhas com uma alegre tripulação de pensamentos, deixando apenas meu ser físico no leme, ou mesmo travando o leme quando seguíamos a todo pano. Tive muitas ideias calorosas junto à lareira da cabana-cabine "enquanto navegava". Jamais naufraguei, tampouco sofri em tempo algum, embora tenha enfrentado algumas tempestades severas. É mais escuro na floresta, mesmo em noites comuns, do que a maioria das pessoas supõe. Frequentemente, eu espiava pela abertura entre as árvores acima da trilha para encontrar meu caminho, e onde não havia o caminho das carroças, tateava com os pés a trilha tênue que eu mesmo fizera, ou, orientado pela relação conhecida entre determinadas árvores que eu sentia com as mãos, passava entre dois pinheiros, por exemplo, a menos de meio metro um do outro, no meio do bosque, invariavelmente, na noite mais escura. Às vezes, voltando para casa tarde em uma noite escura, quente e úmida, quando meus pés precisavam tatear o caminho que meus olhos não conseguiam enxergar, sonhando e divagando por todo o trajeto, até despertar ao erguer a mão para abrir o trinco, não conseguia me lembrar de um único passo dado por mim, e pensava que meu corpo seria capaz de encontrar o caminho de casa mesmo que seu dono se perdesse, assim como as mãos encontram o caminho para a boca sem ajuda. Diversas vezes, quando um visitante ficava até mais tarde, e fazia uma noite escura, eu era obrigado a levá-lo até a trilha das carroças atrás da casa, e então apontava a direção que ele devia seguir, e avisava que para manter esse rumo ele precisaria se guiar mais pelos pés do que pelos olhos. Em uma noite muito escura mostrei o caminho a dois rapazes que estavam pescando no lago. Eles moravam a menos de dois quilômetros através do bosque, e estavam bem acostumados ao trajeto. Um ou dois dias depois um deles me contou que ficaram perdidos quase a noite inteira, perto de casa, e só conseguiram chegar de manhã, quando, como havia chovido muito nesse ínterim, e as folhas estavam muito molhadas, já estavam ensopados até os ossos. Já ouvi falar de muita gente que se perde até mesmo nas ruas da vila, quando o breu é tão denso que se pode cortar com uma faca, como se diz. Moradores dos arrabaldes, vindo à cidade para fazer compras em suas carroças, já tiveram de pernoitar; e damas e cavalheiros em visitas sociais já se extraviaram quase um quilômetro do caminho, tateando a calçada com os pés, sem saber onde perderam a entrada. Trata-se de uma experiência surpreendente e memorável, além de valiosa, perder-se na floresta em algum momento. Muitas vezes durante uma nevasca, até mesmo de dia, você está em um trecho bem conhecido da estrada mas não sabe dizer se a cidade fica para um lado ou para o outro. Mesmo quem já a percorreu mil vezes não reconhece nenhum traço familiar, e a estrada lhe parece tão estranha como se fosse na Sibéria. À noite, decerto, a perplexidade é infinitamente maior. Em nossas caminhadas mais triviais, somos constantemente, ainda que de modo inconsciente, orientados como pilotos por certos faróis e promontórios conhecidos, e se vamos além de nosso curso normal, ainda conservamos na lembrança o feitio de algum cabo vizinho; e só quando estamos completamente perdidos, ou andando em círculos – pois o homem só precisa girar de olhos fechados uma única vez neste mundo para se perder –, apreciamos a vastidão e a estranheza da natureza. Todo homem deve reaprender os pontos cardeais toda vez que acorda, seja do sono ou de outra abstração. Só depois que nos perdemos, em outras palavras, quando perdemos o mundo, começamos a nos encontrar, e a nos dar conta de onde estamos e da extensão infinita das nossas relações.

Uma tarde, quase no fim do primeiro verão, quando fui à vila buscar um sapato no sapateiro, fui capturado e levado preso, porque, como relatei antes, não paguei um imposto, nem reconheci a autoridade, de um Estado que compra e vende homens, mulheres e crianças como se fossem gado, diante do Senado. Eu tinha ido morar nos bosques por outros motivos. Mas, aonde quer que um homem vá, os outros homens irão persegui-lo e oprimi-lo com suas instituições sujas, e se puderem, irão constrangê-lo a pertencer a sua sociedade temerária de Odd Fellows.[43] É verdade, eu poderia ter resistido à força, com maior ou menor efeito, poderia ter fugido correndo "feito louco" para cima da sociedade; mas preferi deixar que a sociedade corresse "feito louca" para cima de mim, sendo ela a parte desesperada. No entanto, fui libertado no dia seguinte, busquei meu sapato remendado, e voltei a tempo de jantar meus mirtilos na colina de Fair Haven. Jamais fui molestado por ninguém, exceto por aqueles que representavam o Estado. Eu não tinha fechadura, nem cadeado, apenas na escrivaninha onde guardava meus papéis; não pus sequer um prego no trinco ou nas janelas. Nunca trancava a porta, nem à noite, nem durante o dia, embora passasse vários dias fora de casa; nem mesmo quando passei duas semanas nos bosques do Maine. E no entanto minha casa foi mais respeitada do que se estivesse cercada por um pelotão de soldados. O andarilho cansado podia repousar e se aquecer junto à minha lareira, o literato podia se entreter com os poucos livros na minha mesa, o curioso, abrindo a porta do meu armário, veria o que sobrou do meu jantar, e que perspectiva eu tinha para a ceia. Contudo, embora muitas pessoas de todas as classes viessem ao lago por este caminho, não sofri nenhuma inconveniência grave dessa natureza, e nunca dei falta de nada, exceto um pequeno livro, um volume de Homero, que talvez tivesse uma douração inapropriada, e que espero que, a essa altura, um soldado do nosso quartel tenha encontrado. Estou convencido de que se todos os homens vivessem simplesmente como eu vivi, não haveria roubos ou furtos. Isso só acontece em comunidades em que alguns possuem mais do que o suficiente, enquanto falta aos outros. Os Homeros de Pope logo seriam distribuídos justamente.

---

43. Ordem fraternal independente, semelhante à maçonaria, fundada em Londres nos anos 1730, que chegou aos Estados Unidos em 1806 e se separou da ordem inglesa em 1834. Na época de Thoreau, era maior que a maçonaria no país. Acredita-se que, originalmente, *odd fellows*, literalmente "camaradas estranhos", referia-se a profissões sem guilda ou sindicato próprio. É até hoje a maior organização fraternal do mundo governada por uma autoridade central.

Nec bella fuerunt
faginus astabat dum scyphus ante dapes.

Não houve guerras
enquanto o copo de faia esteve à mesa.[44]

"Você que governa os assuntos públicos, por que motivo aplicar castigos? Ame a virtude, e o povo será virtuoso. As virtudes de um homem superior são como o vento; as virtudes de um homem comum, como a relva – a relva se deita quando passa o vento."[45]

---

44. Tibulo. *Elegias*, I, X.
45. Confúcio. *Analectos*.

OS LAGOS

Às vezes, depois de saciado da sociedade e da tagarelice humanas, e esgotada a paciência de todos os meus amigos da vila, eu perambulava ainda mais para oeste do que de costume, rumo a partes ainda menos frequentadas da cidade, "aos bosques frescos e pastagens novas", ou, enquanto o sol se punha, fazia um jantar de mirtilos e framboesas em Fair Haven Hill, e colhia provisões para vários dias. Os frutos não concedem seu verdadeiro sabor a quem os compra, nem a quem os cultiva para vender. Só existe uma maneira de obtê-los, embora poucos sigam esse caminho. Se você quiser saber o verdadeiro gosto do mirtilo, pergunte ao menino pastor ou à perdiz. É um erro comum se supor que provou mirtilos aquele que nunca os colheu. O mirtilo nunca chega a Boston; não sabem o que é mirtilo por lá desde a conquista das suas três colinas. A parte ambrosíaca e essencial do fruto se perde com o viço removido no balanço da carroça, e os mirtilos viram mero alimento. Enquanto reinar a justiça eterna, nem um único mirtilo inocente poderá ser transportado para além dessas colinas.

De tempos em tempos, após encerrado o trabalho do dia, eu me juntava a um companheiro impaciente que pescava no lago desde cedo, silencioso e imóvel como um pato ou uma folha boiando, e que, depois de praticar diversas filosofias, concluiu, quando cheguei lá, que pertencia à antiga seita dos cenobitas.[46] Havia um velho, excelente pescador, habilidoso em todos os tipos de trabalho em madeira, que achava que minha casa era uma cabana de pescadores; e eu ficava igualmente satisfeito

---

46. Trocadilho com "*see no bites*", literalmente "não vejo fisgar".

quando ele se sentava à minha soleira para preparar suas linhas. Em alguns momentos, sentávamos juntos no lago, ele de um lado do bote, eu do outro; mas trocávamos poucas palavras, pois ele vinha ficando surdo nos últimos anos, embora às vezes murmurasse um salmo, que harmonizava razoavelmente bem com minha filosofia. Nossa relação foi, portanto, em geral, de harmonia ininterrupta, muito mais agradável de lembrar do que se tivesse sido conduzida pela fala. Quando, como era em geral o caso, eu não tinha ninguém com quem conversar, costumava provocar ecos batendo com o remo na lateral do bote, enchendo os bosques circundantes de um som que se propagava em círculos, acordando os ecos como o zelador de um zoológico acorda seus animais selvagens, até ouvir um rosnado de cada um dos bosques daqueles vales e colinas.

Nas tardes quentes, eu costumava me sentar no bote tocando flauta, e via a perca, que eu parecia ter encantado, vir me rodear, e a lua passando lentamente sobre o leito estriado do lago, juncado de detritos da floresta. Antes, eu visitava este lago pela aventura, de tempos em tempos, em noites escuras de verão, com um amigo, fazíamos uma fogueira na margem, que achávamos que atrairia os peixes, pescávamos bagres com minhocas amarradas em uma linha, e depois, noite alta, atirávamos os gravetos em chamas para cima como rojões, que, ao cair no lago, eram apagados com um assobio alto, e de repente estávamos imersos na escuridão total. Através dessa treva, assobiando uma canção, tomávamos nosso rumo de volta aos domínios humanos. Mas agora fiz minha casa nessa margem.

Às vezes, depois de ficar em uma sala na vila até que a família inteira fosse dormir, eu voltava ao bosque, e, também pensando na refeição do dia seguinte, passava as altas horas da noite pescando no bote à luz da lua, ouvindo a cantoria das corujas e das raposas, e ouvindo de quando em quando o canto estridente de alguma ave desconhecida muito de perto. Essas experiências foram bastante memoráveis e valiosas para mim – ancorado em doze metros de água, e a uns cem, cento e cinquenta metros da margem, cercado algumas vezes por milhares de pequenas percas e tencas prateadas, ondulando a superfície com seus rabos ao luar, e comunicando-se por uma longa linha brilhante com misteriosos peixes noturnos que viviam doze metros abaixo, e às vezes puxando quase vinte metros de linha por todo o lago enquanto eu seguia à deriva embalado pela delicada brisa da noite, por vezes sentindo uma ligeira vibração na linha, indicativa de uma luta pela vida na outra extremidade, de um propósito hesitante e incerto, custando a se convencer. Por fim, você ergue lentamente, puxando uma mão de cada vez, um bagre chifrudo, guinchando e se debatendo no ar. Era muito estranho, especialmente nas noites escuras, quando os pensamentos divagavam por temas vastos e cosmogonias de outras esferas, sentir esse discreto puxão, que vinha interromper seus sonhos e reatá-los à natureza. Era como se eu fosse capaz de em seguida lançar minha linha no ar, tanto quanto neste outro elemento, pouco mais denso. Por assim dizer, eu pescava dois peixes com um único anzol.

O cenário de Walden é em escala humilde, e, embora muito bonito, não se aproxima da grandiosidade, nem impressiona muito a quem não o frequentou ou viveu às suas margens; no entanto, este lago é tão notável por sua profundidade e pureza que merece uma descrição particular. Trata-se de um poço verde profundo, de oitocentos metros de extensão e quase três quilômetros de circunferência, e que abrange cerca de vinte e cinco hectares; uma fonte permanente em meio a pinheiros e carvalhos, sem nenhuma entrada ou saída visíveis de água além das nuvens e evaporação. As colinas circundantes se erguem abruptamente da água até atingirem alturas de doze a vinte e quatro metros, embora no sudeste e no leste elas tenham cerca de trinta e quarenta e cinco respectivamente, e abranjam uma área de quatrocentos metros de um lado e quinhentos e trinta do outro. Elas são exclusivamente dos pinheiros. Todas as nossas águas de Concord têm no mínimo duas cores; uma quando vistas de longe, e outra, mais apropriada, quando vistas de perto. A primeira depende mais da luz, e acompanha o céu. No tempo aberto, no verão, elas parecem azuis a partir de certa distância, especialmente quando agitadas, e vistas mais de longe, ficam todas iguais. No tempo ruim, assumem às vezes uma cor de ardósia escura. O mar, no entanto, dizem que é azul em um dia e verde no outro sem que haja nenhuma alteração perceptível na atmosfera. Já vi em nosso rio, quando a paisagem se cobria de neve, tanto a água quanto o gelo ficarem quase verdes como capim. Há quem considere o azul "a cor da água pura, líquida ou sólida."[47] Mas olhando diretamente para nossas águas de um bote, vê-se que elas têm cores muito diferentes. Walden é azul, em determinado momento, e verde em outro, ainda que de um mesmo ponto de vista. Estando entre a terra e o céu, ele compartilha das cores de ambos. Visto de uma colina, ele reflete a cor do céu; mas de perto ele tem, próximo à margem, um tom amarelado, onde se pode ver a areia, e depois verde-claro, que vai ficando cada vez mais escuro até formar o verde-escuro uniforme da massa do lago. Sob algumas luzes, mesmo que visto da colina, ele adquire um verde vívido junto da margem. Há quem defenda que isso se deve ao reflexo da vegetação; mas ele também fica verde junto do banco de areia da ferrovia, e na primavera, antes que as folhas se expandam, e pode ser simplesmente resultado do azul dominante misturado ao amarelo da areia. Esta é a cor da sua íris. É também o trecho em que, na primavera, o gelo aquecido pelo calor do sol refletido do leito, e também transmitido através da terra, derrete primeiro e forma um canal estreito perto do meio do lago ainda congelado. Como o restante de nossas águas, quando muito agitado, no tempo bom, de modo que a superfície das ondas reflete o céu de determinado ângulo, ou porque há mais luz misturada, parece a certa distância ser azul como o céu escuro; e nesse momento, da superfície, e olhando com visão dividida, de modo a perceber o reflexo, distingui um azul-claro incomparável e indescritível, como sedas molhadas, chamalotes cambiantes e lâminas de espadas sugerem, mais cerúleo que o próprio céu, alternando-se com o verde-escuro original dos lados opostos das ondas, que enfim pareceram turvas em comparação. Trata-se de um azul esverdeado vítreo, segundo me lembro, como trechos do céu de inverno vistos através de paisagens nubladas no oeste antes do pôr do sol. No entanto, um único copo de sua água visto contra a luz era tão incolor quanto a mesma quantidade de ar. É sabido que um prato grande de vidro tem uma coloração esverdeada, como dizem os fabricantes, devido a seu "corpo", mas um pedaço pequeno do mesmo vidro é incolor. Quanto do corpo da água de Walden seria preciso para refletir uma tonalidade esverdeada, jamais experimentei. A água do nosso rio é

---

47. James D. Forbes (1809-1868). *Travels Through the Alps of Savoy*.

negra ou de um marrom bem escuro quando se olha direto para baixo dentro dela, e, como a maioria dos lagos, confere ao corpo que nela se banha um tom amarelado; mas esta água é de uma pureza tão cristalina que o corpo do banhista parece adquirir uma brancura alabastrina, ainda mais sobrenatural, pois, com os membros ampliados e distorcidos, produzia-se um efeito monstruoso, digno dos estudos de um Michelangelo.

A água é tão transparente que se pode facilmente enxergar entre sete e dez metros de profundidade. Remando nele, você verá, muitos metros abaixo da superfície, cardumes de percas e tencas, talvez de menos de três centímetros, ainda que as primeiras se possam facilmente identificar pelas listras, e pensará que deve se tratar de um peixe asceta para encontrar subsistência ali. Uma vez, no inverno, muitos anos atrás, quando eu estava abrindo buracos no gelo para pescar lúcio, quando pisei na areia lancei o machado para trás sobre o gelo, mas, como se um gênio mau o conduzisse, ele deslizou por algo como vinte ou vinte e cinco metros até cair em um dos buracos, onde a água tinha quase oito metros de profundidade. Por curiosidade, deitei sobre o gelo e olhei pelo buraco, até que enxerguei o machado um pouco penso para um lado, de cabeça para baixo, com o cabo ereto, delicadamente balançando para frente e para trás, com a pulsação do lago; e lá teria continuado, ereto e balançando, até que com o passar do tempo o cabo apodrecesse, se eu não tivesse interferido. Fazendo outro buraco bem em cima dele com um furador de gelo que eu tinha, e desbastando com minha faca o galho de bétula mais comprido que encontrei na região, prendi na ponta um nó de correr, e descendo a vara cuidadosamente, passei o laço no cabo, e puxei com uma linha comprida ao longo da bétula, e assim recuperei o machado.

A orla é composta de uma faixa de pedras brancas lisas e redondas como pedras de calçamento, com exceção de uma ou duas breves praias de areia, e é tão íngreme que em muitos trechos um simples mergulho pode levá-lo a um trecho mais fundo do que você alcança; e não fosse sua notável transparência, este seria o último trecho visível de seu fundo até chegar ao outro lado. Há quem diga que ele é sem fundo. Em nenhum trecho é turvo, e um observador casual diria que não há vegetação ali; e em termos de plantas marcantes, exceto na várzea estreita recém-inundada, que não pertence propriamente ao lago, um olhar mais atento não detectará nem lírio-do-brejo nem junco, nem mesmo um lírio-d'água, amarelo ou branco, mas apenas algumas pequenas vitórias-régias e nenúfares, e talvez uma ou duas brasênias; e todas essas plantas talvez não fossem percebidas por um banhista; e são plantas limpas e brilhantes como o elemento onde vicejam. As pedras se estendem por cinco ou dez metros água adentro, e então o fundo se torna areia pura, exceto nas partes mais profundas, onde há geralmente um pouco de sedimento, provavelmente da degradação das folhas sopradas para lá em tantos outonos sucessivos, e uma vegetação verde-clara sobe à tona quando se recolhem as âncoras até o meio do inverno.

Temos outro lago como este, o White, em Nine Acre Corner, cerca de quatro quilômetros a oeste daqui; mas, embora eu conheça quase todos os lagos em um raio de vinte quilômetros deste centro, não conheço um terceiro de caráter tão puro, tão semelhante a um poço, quanto este. Sucessivas nações talvez tenham bebido, admirado e sondado sua água, que ainda assim é verde e translúcida como sempre. Fonte incessante de primaveras! Talvez, naquela manhã de primavera em que Adão e Eva foram expulsos do Éden, o lago Walden já existisse, e já na época, se caísse uma delicada chuva de primavera acompanhada de neblina e vento sul, cobria-se de miríades de patos e gansos, que nunca tinham ouvido falar em outono ou queda ou perda do paraíso, quando lagos puros com esse ainda eram o bastante para eles. Já na época o lago havia começado seu regime de ascensão e queda, e a clarear e colorir suas águas com o tom que hoje usa, e obteve uma patente do céu para ser o único lago Walden do mundo, destilaria de orvalhos celestiais. Quem sabe quantas literaturas de nações esquecidas tiveram nele sua fonte de Castália? Ou quais ninfas nele reinaram na idade de ouro? É uma gema de primeira água que Concord leva em seu diadema.

No entanto, talvez, o primeiro homem a chegar a este poço tenha deixado rastros de suas pegadas. Fiquei surpreso ao avistar, ao redor do lago, onde um bosque denso tinha acabado de ser derrubado na margem, uma trilha estreita, em patamares, na encosta íngreme, subindo e descendo, aproximando e recuando da linha da água, antiga como a raça humana aqui, batida pelos pés dos caçadores aborígines, e até hoje, de quando em quando, inadvertidamente percorrida pelos desavisados que atualmente ocupam a região. A trilha é evidente em especial para quem está parado no meio do lago no inverno, logo depois de ter nevado um pouco, aparecendo como uma linha branca nítida e ondulada, sem arbustos ou gravetos, e bastante óbvia em muitos trechos, vista a meio quilômetro, onde no verão mal se distingue de perto. A neve a reimprime, digamos assim, com tipos claros de alto-relevo em branco. Os jardins ornamentais das mansões que um dia serão construídas aqui podem ainda preservar algum traço disso.

O lago sobe e desce, mas se o faz com regularidade ou não, e qual a periodicidade disso, ninguém sabe, embora, como de costume, muitos finjam saber. Geralmente, é mais alto no inverno e mais baixo no verão, embora não de acordo com a umidade ou a secura geral. Lembro-me de tê--lo visto uns trinta ou sessenta centímetros mais baixo, e também um metro e meio mais alto, no mínimo, do que na época em que morei ali. Há um estreito banco de areia lago adentro, com águas muito fundas de um lado, onde ajudei a preparar uma caldeirada uma vez, a uns trinta metros da praia principal, por volta do ano de 1824, algo que não pude voltar a fazer por vinte e cinco anos; e, por outro lado, meus amigos costumavam desconfiar quando eu lhes contava que alguns anos depois costumava pescar com um bote em uma praia isolada no meio do bosque, a uns setenta e cinco metros da única que eles conheciam, praia que há muito tempo virou um prado. Contudo o lago vem subindo constantemente há dois anos, e agora, no verão de 1852, está mais de um metro e meio mais alto do que quando ali vivi, ou tão alto quanto esteve trinta anos atrás, e a pesca continua no prado. Isso representa uma diferença de nível, a princípio, de um metro e meio, um metro e oitenta; e no entanto a água que desce das colinas circundantes é irrelevante em quantidade, e esse fluxo extra deve se referir a causas que afetam as fontes profundas. Neste mesmo verão, o lago começou a baixar outra vez. É notável o fato de que essa flutuação, seja ela periódica ou não, parece exigir muitos anos para completar seu ciclo. Observei uma ascensão e parte de duas quedas, e imagino que daqui a doze ou quinze anos a água estará novamente no nível mais baixo que já vi. O lago Flint, uma milha a leste daqui, em razão das interferências de seus afluentes e sumidouros, e também dos lagos menores intermediários, solidariza-se com o Walden, e recentemente atingiu sua altura máxima ao mesmo tempo que ele. Algo semelhante ocorreu, até onde pude observar, com o lago White.

Os longos intervalos das cheias e vazantes do Walden têm ao menos a seguinte utilidade; a água ficando em sua máxima altura por um ano ou mais, embora torne difícil caminhar à sua volta, mata os arbustos e árvores que brotaram perto da margem desde a última cheia – pinheiros, bétulas, amieiros, álamos e faias – e, baixando outra vez, deixa a margem desobstruída; pois, diferentemente de muitos lagos e lagoas submetidos a marés diárias, sua margem é a mais limpa quando a água está mais baixa. Ao lado do lago, do lado da minha casa, toda uma fileira de pinheiros, de quatro metros e meio de altura, foi morta e derrubada como por uma barra de ferro, e com isso suas invasões tiveram um ponto final; e seu tamanho indica quantos anos se passaram desde a última cheia até se atingir essa altura. Com essa flutuação, o lago assegura seu direito à praia, e assim a *praia é tosquiada*, e as árvores não conseguem exercer seu direito de posse. São os lábios do lago, onde nenhum pelo cresce. O lago lambe os beiços de vez em quando. Quando a água atinge a altura máxima, os amieiros, salgueiros e bordos enviam uma massa de raízes vermelhas fibrosas de vários metros de comprimento de todos os lados de seus troncos para dentro da água, a uma altura de pouco mais de um metro do chão, no esforço de se sustentar; e sei de arbustos altos de mirtilos perto da margem, que geralmente não dão frutos, que ficam carregados de uma safra abundante nessas circunstâncias.

Há quem tenha tentado em vão explicar a regularidade da pavimentação dessas margens. Meus conterrâneos todos conhecem a tradição – os antigos diziam ter ouvido na juventude – que antigamente os índios estavam fazendo *pow-wow* em uma colina aqui, que subia até o céu, assim como o lago descia até o fundo da terra, e que foram muito profanos, segundo dizem, embora desse vício os índios jamais tenham sido culpados, e quando estavam fazendo aquilo a colina tremeu e de repente afundou, e só uma índia velha, chamada Walden, escapou, e o lago recebeu seu nome. Aventa-se que, quando a colina tremeu, as pedras teriam rolado pela encosta e se tornado a margem atual. Uma coisa é certa, de todo modo, aqui um dia não foi um lago, e hoje é; e essa fábula indígena não conflita de modo algum com o relato daquele antigo colono que já mencionei, que se lembra perfeitamente de quando esteve aqui pela primeira vez com sua vareta de rabdomante, e viu um vapor fino subir da relva, e a aveleira apontar sempre para baixo, e ele concluiu que era bom cavar ali um poço. Quanto às pedras, muitos ainda não acreditam deverem-se à ação das ondas sobre estas colinas; mas observei que as colinas da região são repletas desse mesmo tipo de pedra, tanto que foram obrigados a empilhá-las em paredes dos dois lados do talude da ferrovia no ponto mais próximo ao lago; e, além disso, há mais pedras onde a margem é mais abrupta; de modo que, infelizmente, isso já não é um mistério para mim. Detecto o glaciar que assim o pavimentou. Se o nome não deriva de alguma localidade inglesa – Saffron Walden, digamos –, alguém poderia supor que originalmente se chamasse Walled-in Pond, o Lago Emparedado.

O lago era meu poço já cavado. Por quatro meses do ano, sua água é fria e pura o tempo todo; e creio que é portanto tão boa quanto qualquer outra, se não a melhor da cidade. No inverno, toda água exposta ao ar fica mais fria que a das fontes e dos poços protegidos. A temperatura da água do lago que ficou em minha casa das cinco da tarde até meio-dia do dia seguinte, no dia 6 de março de 1846, estando o termômetro marcando dezoito ou vinte e um graus, algumas vezes, devido em parte ao sol no telhado, era cinco graus, ou um grau mais fria do que a água de um dos poços mais frios da vila, recém-tirada. A temperatura da água de Boiling Spring no mesmo dia era sete graus, ou a mais quente que provei, embora seja a mais fria que conheço no verão, quando, além do mais, não há interferência da água rasa e estagnada. Além disso, no verão Walden nunca fica muito quente como a maioria dos lagos expostos ao sol, por causa de sua profundidade. No tempo mais quente, eu costumava deixar um balde cheio no porão, onde refrescava à noite, e assim permanecia durante o dia; embora eu também recorresse a outra fonte vizinha. Continuava boa depois de uma semana, como no dia em que a tirei, e não tinha gosto do metal da bomba. Quem acampar por uma semana no verão junto à margem de um lago só precisa enterrar um balde de água trinta centímetros na sombra da tenda para não precisar gastar com um luxo como o gelo.

Lúcios já foram pescados no Walden, um que pesava mais de trinta quilos – isso para não falar de outro que levou embora um carretel com tanta velocidade que o pescador calculou por baixo uns três quilos e meio porque ele não chegou a ver – percas e bagres, alguns de um quilo, tencas, barbos, pardelhas (*Leuciscus pulchellus*), pouquíssimas bremas, algumas enguias, uma de quase dois quilos – sou minucioso porque o peso do peixe geralmente é sua única fama, e essas foram as duas únicas enguias de que ouvi falar aqui –; também tenho uma vaga recordação de um peixinho de uns doze centímetros, prateado, de dorso esverdeado, semelhante ao leucisco no caráter, que aqui menciono apenas para associar meus fatos à fábula. Não obstante, este lago não é muito fértil em peixes. Seus lúcios, embora não sejam abundantes, são o principal motivo de orgulho. Vi uma vez, deitado no gelo, lúcios de pelo menos três tipos: um comprido e baixo, cor de aço, mais parecido com os que se pescam no rio; um tipo dourado brilhante, com reflexos esverdeados e incrivelmente profundo, que não é o tipo mais comum aqui; e um outro, dourado, com o mesmo formato deste último, mas salpicado nos flancos por pequenas manchas marrons escuras ou pretas, mescladas a difusas manchas vermelho-sangue, muito semelhante a uma truta. O nome da espécie *recticulatus* não se aplicaria a este; seria melhor *guttatus*, de gota em vez de rede. Estes são peixes muito firmes, e pesam mais do que o tamanho promete. Os chanchitos prateados, bagres, fanecas e percas também, e na verdade todos os peixes que moram neste lago são muito mais limpos, belos, e têm a carne mais firme do que os do rio e da maioria dos outros lagos, pois a água é mais pura, e podem facilmente ser diferenciados. Provavelmente muitos ictiólogos nomeariam novas variedades a partir de alguns deles. Existem ali ainda raças puras de rãs e tartarugas, e alguns mariscos; os ratos-almiscareiros e as martas deixam seus rastros por lá, e eventualmente uma tartaruga--mordedora em viagem vem visitar. Às vezes, quando empurrava meu bote pela manhã, despertava uma grande mordedora que se escondera embaixo dele durante a noite. Patos e gansos frequentam-no na primavera e no outono, as andorinhas-de-barriga-branca (*Hirundo bicolor*) passam-lhe rente, e os maçaricos (*Totanus macularius*) "ziguezagueiam" pela costa pedregosa o verão inteiro. Algumas vezes perturbei uma águia--pesqueira pousada em um pinheiro branco junto da água; mas duvido que o lago tenha alguma vez sido profanado pelas asas de uma gaivota, como em Fair Haven. No máximo, tolera a mobelha anualmente. Esses são todos os animais importantes que o frequentam hoje.

Pode-se ver do bote, no tempo ameno, perto da arenosa margem leste, onde as águas têm dois metros e meio, três metros de profundidade, e também em outras partes do lago, algumas pilhas circulares de quase dois metros de diâmetro por trinta centímetros de altura, formadas por pequenas pedras menores que um ovo de galinha, onde tudo em volta é só areia. A princípio, você pode se perguntar se os índios não as teriam feito no gelo, e depois, quando o gelo derreteu, elas afundaram; mas elas são regulares demais, e algumas recentes demais para isso. São semelhantes às encontradas nos rios; mas como não há sanguessugas ou lampreias aqui, não imagino que peixes as poderiam ter feito. Talvez sejam tocas de escalo, ninhos de gobião. Estes conferem um mistério agradável ao fundo.

A margem é irregular o bastante para não ser monótona. Penso agora na margem oeste, recortada de enseadas profundas, na margem norte, mais abrupta, e na margem sul, lindamente escarpada, onde há uma sucessão de cabos que se sobrepõem e sugerem angras inexploradas entre um e outro. A floresta jamais é tão bom cenário, nem tão distintamente bela, quanto ao ser vista de dentro de um pequeno lago entre colinas que se erguem junto da água; pois a água em que se reflete não só faz dela o melhor fundo, neste caso, como, com sua margem sinuosa, seu limite mais natural e agradável. Não há nada de rude ou imperfeito lá naquela margem, como onde um machado abriu uma clareira, ou como nos limites de um campo cultivado. As árvores têm bastante espaço para se expandir junto da água, e todas enviam seus galhos mais vigorosos naquela direção. Ali a natureza teceu uma ourela natural, e o olhar sobe seguindo as gradações precisas dos arbustos rasteiros da orla até as árvores mais altas. Há poucos sinais visíveis da mão humana. A água banha a margem ali como fazia mil anos atrás.

Um lago é o atrativo mais belo e expressivo da paisagem. É o olho da terra; olhando para ele contemplamos a profundidade de nossa própria natureza. As plantas aquáticas perto da margem são discretos cílios que o contornam, e os bosques das colinas e penhascos ao redor são suas sobrancelhas arqueadas.

Parado na praia de areia macia na extremidade leste do lago, em uma calma tarde de setembro, quando uma ligeira névoa tornava indistinta a linha da margem oposta, vi de onde vem a expressão "a superfície vítrea de um lago". Quando você olha, invertidamente, por entre as pernas, para trás, parece um fio da gaze mais fina esticado através do vale, e cintilando contra os pinhais distantes, separando um estrato da atmosfera do outro.

Você diria que é possível caminhar por baixo dessa linha sem se molhar até a encosta do outro lado, e que as andorinhas que passavam raspando poderiam pousar nela. Na verdade, elas às vezes mergulham abaixo dessa linha, como que por engano, e não se confundem. Ao olhar para o lago em direção ao oeste, é obrigatório usar as duas mãos para proteger os olhos contra o reflexo e contra o próprio sol, pois são igualmente claros; e se, entre os dois, você tentar inspecionar criticamente sua superfície, é literalmente lisa como o vidro, exceto onde os gerrídeos, insetos patinadores, espalhados a intervalos idênticos por toda a sua extensão, por seus movimentos no sol produzem as cintilações mais delicadas imagináveis, ou, talvez, um pato alise as penas, ou, como eu disse, uma andorinha passe tão baixo a ponto de tocá-lo. Pode ser que ao longe um peixe descreva no ar um arco de um metro, um metro e meio, e ocorra um lampejo brilhante onde ele salte, e outro onde penetre a água; às vezes todo o arco prateado se revela; ou, aqui e ali, talvez seja uma penugem de cardo a boiar na superfície, que o peixe ataca e faz ondular. É como vidro derretido esfriado mas não congelado, e as poucas manchas que apresenta são puras e belas como as imperfeições do vidro. Pode-se muitas vezes detectar uma água ainda mais lisa e mais escura, separada do resto como que por uma teia de aranha invisível, barrada por ninfeias, que repousam à tona. De uma encosta, pode-se ver um peixe saltar em praticamente qualquer trecho; pois o lúcio ou o barbo não capturam um inseto da superfície lisa sem perturbar o equilíbrio de todo o lago. É maravilhosa a sofisticação com que esse simples fato é divulgado – o desejo assassino dos peixes em ação –, e do meu posto distante distingo as ondulações circulares quando atingem trinta metros de diâmetro. Pode-se detectar até uma barata-d'água (*Gyrinus*) incessantemente avançando sobre a superfície lisa por quase quinhentos metros; pois elas frisam discretamente a água, formando mínimas ondulações, limitadas por duas linhas divergentes, sobre as quais os insetos patinadores deslizam sem se dar conta. Quando a superfície fica bem agitada, não há mais patinadores ou baratas-d'água, mas, aparentemente, nos dias calmos, eles deixam seus portos e se aventuram com breves impulsos a partir da margem até cobrir toda a distância. É uma atividade calmante, naqueles dias bonitos de outono em que todo o calor do sol é plenamente apreciado, sentar em um cepo de frente para o lago, e estudar os círculos de ondulações que incessantemente se inscrevem na superfície de outro modo invisível da água em meio a reflexos de céu e de árvore. Nessa grande amplidão não há perturbação que não seja imediata e delicadamente relevada e atenuada, como quando um vaso de água é vibrado, os círculos trêmulos buscam a margem e tudo volta a ser liso outra vez. Nenhum peixe salta, nem um inseto cai sobre o lago que não seja assim relatado pelas ondulações circulares, em linhas de beleza, como se fosse o constante influxo de sua fonte, o pulso delicado de sua vida, o arfar de seu peito. O tremor de alegria e o tremor de dor são idênticos. Como é pacífico o fenômeno do lago! Novamente as obras humanas brilham como na primavera. Sim, cada folha e galho e pedra e teia de aranha cintila agora no meio da tarde como quando coberto de orvalho em uma manhã de primavera. Cada movimento do remo ou do inseto produz um lampejo de luz; e se o remo cai, como é doce ouvir seu eco!

Em um dia assim, em setembro ou outubro, Walden é um perfeito espelho da floresta, cercado de pedras tão preciosas, a meus olhos, quanto se fossem gemas e raras. Tão belo, tão puro, e ao mesmo tempo tão grande, quanto um lago talvez não exista na superfície da terra. Água do céu. Não precisa de cerca. As nações vêm e vão sem conspurcá-lo. É um espelho que nenhuma pedra poderá quebrar, cujo mercúrio jamais gastará, cuja douração a natureza se encarrega de conservar continuamente; nenhuma tempestade, nenhuma poeira é capaz de macular sua superfície sempre fresca; espelho no qual toda impureza que se apresente afunda ou é levada, varrida pela vassoura brumosa do sol – esta flanela de luz – que não retém nenhum hálito nele soprado, mas exala o seu próprio na forma de nuvens sobre sua superfície, para que nele se reflitam.

Um campo de água revela o espírito que está no ar. Ele recebe continuamente novas vidas e movimentos do alto. É intermediário em sua natureza entre terra e céu. Na terra, apenas o mato e as árvores ondulam, mas a água inteira é ondulada pelo vento. Sei onde a brisa passa por ele pelas faixas ou pelos flocos de luz. É notável que se possa ver do alto a sua superfície. Talvez uma dia também do alto vejamos a superfície do ar, e notemos onde paira um espírito ainda mais sutil.

Os insetos patinadores e as baratas-d'água finalmente desaparecem no final de outubro, quando começam as geadas mais severas; e então e em novembro, geralmente, em um dia calmo, não há nada ondulando a superfície. Uma tarde de novembro, na bonança de uma tempestade de vários dias, quando o céu ainda estava completamente fechado e no ar pairava a neblina, observei que o lago estava incrivelmente liso, tanto que era difícil perceber sua superfície; embora já não refletisse as cores vibrantes de outubro, mas sim as cores sombrias de novembro das colinas circundantes. Ainda que eu passasse o mais delicadamente possível, as discretas ondulações produzidas por meu bote se estendiam até onde minha vista alcançava, e davam uma aparência estriada aos reflexos. Contudo, enquanto olhava para a superfície, vi aqui e ali ao longe um brilho fraco, como se fossem insetos patinadores que tivessem escapado da geada, reunidos, ou, talvez, a superfície ali tão lisa revelasse o lugar de uma fonte jorrando do fundo do leito. Remando delicadamente até um desses remansos, fiquei surpreso ao me ver cercado por miríades de pequenas percas, de pouco mais de dez centímetros, de uma bela tonalidade brônzea em meio ao verde da água, brincando ali, e constantemente subindo à superfície e espalhando água, às vezes formando bolhas. Naquela água tão transparente e aparentemente sem fundo, refletindo as nuvens, eu parecia estar flutuando no ar como em um balão, e aqueles peixes me impressionaram como uma revoada ou como se pairassem, como se fossem um bando compacto de pássaros passando abaixo de mim, pela direita, pela esquerda, com suas barbatanas, como velas abertas, à minha volta. Havia muitos desses cardumes no lago, pareciam aproveitar a breve estação antes que o inverno puxasse sua cobertura de gelo sobre o céu amplo, às vezes dando à superfície uma aparência de que uma brisa suave a tivesse percorrido, ou de que algumas gotas de chuva caíssem ali. Quando me aproximei sem cuidado e os perturbei, eles de súbito fizeram um estardalhaço na água, batendo os rabos, como se alguém batesse na água com um galho cheio de folhas, e instantaneamente se refugiaram nas profundezas. Enfim o vento soprou, a neblina aumentou, e as ondas começaram a surgir, e as percas saltaram muito mais alto que antes, metade para fora da água, cem pontos negros, de uns sete, oito centímetros, ao mesmo tempo acima da superfície. Mesmo mais para o fim do ano, em 5 de dezembro, uma vez, vi algumas ondulações na superfície e pensei que fosse começar a chover forte e imediatamente, pois o ar de repente se encheu de neblina, e tratei de pegar meus remos e remei logo de volta para casa; a chuva já parecia ter começado, embora eu não sentisse nenhuma gota em meu rosto, e imaginei que ficaria ensopado. Mas, então, as ondulações cessaram, pois eram causadas pelas percas, que o ruído dos meus remos havia expulsado para as profundezas, e vi seus cardumes desaparecerem difusamente; e assim passei uma tarde sem me molhar afinal.

Um velho que costumava frequentar este lago quase sessenta anos atrás, quando era escuro por conta das florestas que o cercavam, contou-me que naquela época ele viu algumas vezes o lago em pleno vigor com patos e outras aves aquáticas, e que havia muitas águias em volta. Ele vinha pescar aqui, e usava uma velha canoa de tronco que encontrara na margem. Era feita de dois troncos de pinheiro-branco escavados e amarrados, e quadrada nas pontas. Era bastante rústica, mas durou muitos anos até se encharcar de água, e talvez tenha afundado no próprio lago. Ele não sabia de quem era; pertencia ao lago. Costumava fazer um cabo para a âncora com tiras de casca de nogueira amarradas umas nas outras. Um velho poteiro que morava perto do lago antes da revolução contara-lhe uma vez que havia um cofre de ferro no fundo do lago, que ele tinha visto. Às vezes o cofre flutuava e vinha até a margem; mas quando a pessoa se aproximava, ele tornava a afundar e desaparecia. Gostei de saber sobre essa velha canoa de troncos, que havia substituído uma canoa de índio do mesmo material porém construída com mais graça, que talvez tenha sido primeiro uma árvore da margem, e depois, por assim dizer, caiu na água, e ali flutuou durante uma geração inteira, a embarcação mais apropriada para o lago. Lembro-me, da primeira vez que olhei para essas profundezas, de que havia muitos troncos enormes que se avistavam indistintamente ao fundo, que antes deviam ter sido derrubados, ou deixados no gelo no último corte, quando a madeira era mais barata; mas hoje quase todos desapareceram.

Quando remei um bote em Walden pela primeira vez, o lago era completamente cercado por bosques densos e altos de pinheiros e carvalhos, e em algumas de suas angras lianas de trepadeiras cobriam as árvores junto da água e formavam caramanchões sob os quais o bote podia passar. As encostas que formam suas margens são tão íngremes, e os bosques ali tão altos, que, se você olhasse da margem oeste para baixo, tinha a aparência de um anfiteatro de algum espetáculo silvestre, ao ar livre. Passei muitas horas, quando era jovem, flutuando em sua superfície, ao sabor dos zéfiros, depois de remar meu bote até o meio do lago, e deitava de comprido sobre os assentos, nas manhãs de verão, antes do meio-dia, sonhando acordado, até ser despertado pelo bote tocando a areia, então me levantava e descobria a qual margem meu destino me propelira; dias em que o ócio era a indústria mais atrativa e produtiva. Muitas manhãs passei arrebatado, preferindo ficar assim nas horas mais valiosas do dia; pois eu era rico, se não em dinheiro, em horas de sol e dias de verão, e os passava luxuosamente; tampouco lamento não ter passado mais delas na oficina ou na mesa de professor. Mas desde que parti dessas margens os lenhadores as devastaram ainda mais, e agora, por muitos anos, não haverá mais caminhadas pelas galerias do bosque com vistas ocasionais da água. Perdoem minha Musa, caso doravante se cale. Como esperar que os pássaros cantem se seus arvoredos foram derrubados?

Agora os troncos das árvores no fundo, e a velha canoa de tronco, e os bosques escuros circundantes sumiram, e o povo da vila, que mal sabe onde fica o lago, em vez de vir se banhar ou beber, pensa em canalizar sua água, que devia ser no mínimo tão sagrada quanto a do Ganges, até a vila, para lavar seus pratos! – para receber o Walden virando uma torneira ou puxando uma rolha! Aquele demoníaco cavalo de ferro, cujo relincho ensurdecedor se ouve por toda a cidade, levou lama à fonte em Boiling Spring com seu tropel, e devorou todos os bosques da margem do Walden, aquele cavalo de Troia, com mil homens em seu ventre, introduzido pelos mercenários gregos! Onde está o salvador da pátria, o Moore de Moore Hill, para enfrentá-lo em Deep Cut e lançar um dardo vingador entre suas costelas de dragão barrigudo?

Não obstante, de todos os personagens que conheci, talvez Walden seja o que incorpore melhor, e conserve melhor sua pureza. Muitas pessoas foram comparadas ao lago, mas poucas merecem essa honra. Embora os lenhadores tenham derrubado primeiro esta margem e depois aquela, e os irlandeses tenham construído pocilgas ao lado, e a ferrovia tenha infringido seus limites, e os cortadores de gelo tenham vindo desnatá-lo, ele mesmo permanece intacto, e a mesma água que meus olhos jovens viram; toda a transformação foi em mim. O lago não adquiriu nenhuma ruga permanente depois de tantas ondas. Sua juventude é perene, e posso ver uma andorinha mergulhar agora no ar, ao que parece para bicar um inseto em sua superfície, como se fosse antigamente. Isso me ocorreu de novo hoje à noite, como se eu não o tivesse visto quase todos os dias por mais de vinte anos – ora, aqui está o Walden, o mesmo lago no meio do bosque que descobri tantos anos atrás; onde uma floresta foi derrubada no inverno passado outra está brotando na margem, luxuriante como sempre; o mesmo pensamento vem subindo até a superfície como antes; a mesma alegria e felicidade líquidas consigo mesmo e com seu Criador, sim, e *talvez* também comigo. Trata-se certamente da obra de um homem corajoso, em quem não havia nenhum dolo! Ele contornou esta água com sua mão, tornando-a profunda e clara em seu pensamento, e em seu testamento deixou-a para Concord. Vejo pelo semblante do lago que ele é visitado pela mesma reflexão; e quase posso dizer: Walden, é você?

> *Não é sonho meu, confesso,*
> *Para enfeitar um verso;*
> *De Deus e do céu, mais perto*
> *Que Walden, desconheço.*
> *Sou sua margem de pedras,*
> *E a brisa que passa por elas;*
> *Levo na mão direita,*
> *Sua água e sua areia,*
> *E o fundo do seu leito,*
> *Do lado esquerdo do peito.*

Os vagões nunca param para olhar para ele; embora eu imagine que os maquinistas e foguistas e guarda-freios, e aqueles passageiros com ingresso para a temporada e que o veem frequentemente, sejam homens melhores de tanto vê-lo. O maquinista não consegue esquecer à noite, ou sua natureza não o deixa esquecer, que contemplou tal visão de serenidade e pureza ao menos uma vez naquele dia. Embora visto apenas uma vez, o lago ajuda a lavar nossa State Street e a fuligem da locomotiva. Alguém propôs que se chamasse "Gota de Deus".

Eu disse que Walden não tem nenhum afluente nem sumidouro, mas ele é, por um lado, parente distante e indireto do lago Flint, que fica mais acima, em virtude de uma cadeia de pequenos lagos desde lá; e por outro, direta e evidentemente associado ao rio Concord, que é mais baixo, por uma cadeia similar de lagos através dos quais em algum outro período geológico o rio talvez passasse, e cavando-se um pouco, Deus não o permita, pode vir a passar novamente. Se por ter vivido assim reservado e austero,[48] como um eremita nos bosques, por tanto tempo, ele adquiriu tão maravilhosa pureza, quem não haveria de lamentar se as águas comparativamente impuras do lago Flint se misturassem às dele, ou se um dia ele fosse desperdiçar sua doçura entre as ondas do oceano?

O lago Flint, ou lago de areia, em Lincoln, nosso maior lago e mar interior, fica menos de dois quilômetros a leste de Walden. É muito maior, dizem que abarca oitenta hectares, e é mais fértil em peixes; mas é relativamente raso, e não tem fama de limpo. Uma caminhada pelos bosques até lá foi muitas vezes minha diversão. Valia a pena, ainda que só para sentir o vento soprando livre no rosto, e ver as ondas chegando, e lembrar da vida dos marinheiros. Eu ia colher castanhas por lá no outono, em dias de muito vento, quando as castanhas caíam na água e vinham boiando até os meus pés; e um dia, enquanto andava por sua margem de juncos, com respingos refrescando meu rosto, deparei com um bote naufragado, apodrecendo, sem amuradas, pouco mais que a lembrança de seu fundo chato, esquecido entre os nenúfares; no entanto o modelo ainda era claramente definido, como se fosse uma grande folha de lírio-d'água murcha, com suas nervuras. Um naufrágio impressionante, digno de se imaginar no mar, e tinha ainda uma moral. Hoje virou mero húmus vegetal, indistinguível da margem do lago, através do qual brotaram juncos e vimes. Eu costumava admirar as marcas das ondulações no fundo de areia, na extremidade norte desse lago, firme e dura aos pés do banhista graças à pressão da água, e os juncos que cresciam em fila indiana, em linhas ondulantes, correspondentes a essas marcas, nível após nível, como se as ondas os tivessem plantado. Lá também encontrei, em consideráveis quantidades, curiosas bolas, aparentemente compostas de grama ou raízes finas, talvez de cabomba, de

---

48. Andrew Marvell (1621-1678). *Ode horaciana na volta de Cromwell da Irlanda.*

um centímetro a dez de diâmetro, perfeitamente esféricas. Elas vêm e vão na água rasa daquele fundo de areia, e às vezes são lançadas na margem. Ou são de grama sólida, ou contêm um pouco de areia no centro. A princípio, você diria que são formadas pela ação das ondas, como os seixos; no entanto as menores são de materiais igualmente rústicos, medem pouco mais de um centímetro, e aparecem apenas durante uma estação a cada ano. Além do mais, as ondas, desconfio, não exatamente constroem, mas desgastam um material que já adquiriu consistência. Elas preservam sua forma mesmo depois de secas por um período indefinido.[49]

Lago Flint![50] Tal é a pobreza da nossa nomenclatura. Que direito tinha o fazendeiro sujo e ignorante, cujas terras lindavam com esta água celeste, cujas margens ele devastou cruelmente, de dar seu nome ao lago? Provavelmente um pão-duro, que gostava mais do reflexo da superfície de um dólar, ou um centavo cintilante, onde pudesse ver o próprio rosto vermelho; que considerava invasores até os patos-selvagens que ali viviam; seus dedos convertidos em garras tortas e ossudas pelo longo hábito de tudo agarrar feito harpia – de modo que para mim o lago não tem nome. Não vou lá para encontrá-lo ou saber dele; ele que jamais o viu, jamais nele se banhou, jamais amou o lago, jamais o protegeu, jamais disse uma palavra favorável a seu respeito, nem agradeceu a Deus por tê-lo feito. Melhor que o nome do lago venha dos peixes que nadam ali, das aves e dos quadrúpedes selvagens que o frequentam, das flores silvestres que crescem em suas margens, ou de algum homem ou criança selvagem cuja história seja entrelaçada em seu desenrolar com a do lago; não daquele que só poderia mostrar a escritura que um vizinho ou político de pensamento semelhante lhe deram – a ele que só pensava em seu valor monetário; cuja presença talvez tenha amaldiçoado todas as margens; que exauriu a terra à sua volta, e que teria exaurido também suas águas por dentro; que só lamentava não se tratar de um pasto de feno inglês ou um campo de mirtilos – pois evidentemente não havia nada que redimisse o lago aos olhos

---

49. Provavelmente, o marimo – do japonês, *mari-mo*, "bola saltitante de alga" – ou bola de musgo: *Cladophora aegagropila*.

50. Literalmente, "pederneira" ou "sílex", "pedra-de-fogo", mas *skin-flint* é "avarento", "sovina" – que guarda até lascas de sílex ou tenta vendê-las. O nome do lago vem do primeiro proprietário daquelas terras, Thomas Flint (1603-1653).

do sujeito – e o teria drenado e vendido pela lama do fundo. O lago não girava o seu moinho, e para ele não era nenhum *privilégio* contemplá-lo. Não respeito seus esforços, sua fazenda, onde tudo tem seu preço, para levar a paisagem, para levar seu Deus, ao mercado, se ele pudesse conseguir algum dinheiro com aquilo; ele que vai ao mercado como quem vai a seu deus; em cuja terra nada cresce livre, cujos campos não têm safras, cujos prados não têm flores, cujas árvores não têm frutos, mas apenas dólares; que não ama a beleza de seus frutos, cujos frutos nunca estão bons enquanto não se convertem em dólares. Quero a pobreza que desfruta a verdadeira riqueza. O agricultor para mim só é respeitável e interessante na medida em que é pobre – o agricultor pobre. Uma fazenda-modelo!, onde a casa se ergue como um fungo no estrume, aposentos para homens, cavalos, bois, porcos, limpos e sujos, todos contíguos! Estoques de homens! Uma mancha de gordura enorme, cheirando a esterco e soro de leite! Com alto padrão de cultivo, adubada com corações e cérebros humanos! Como plantar batatas no cemitério da igreja! Isso seria uma fazenda-modelo.

Não, não; se o mais belo atrativo da paisagem tiver de receber o nome de um homem, que sejam apenas os nomes dos homens mais nobres e dignos. Que os nossos lagos recebam nomes tão verdadeiros ao menos quanto o mar de Ícaro, onde "ainda a costa" uma "ousada ascensão ressoa".[51]

O lago Goose,[52] de pequena extensão, fica no meu caminho para o lago Flint; Fair Haven, uma baía do rio Concord, que dizem ter uns vinte e oito hectares, pouco mais de um quilômetro e meio a sudoeste; e o lago White,[53] com uns dezesseis hectares, fica quase dois quilômetros e meio depois de Fair Haven. Esta é a minha região dos lagos. Esses, mais o rio Concord, são meus privilégios aquáticos; e dia e noite, entra ano e sai ano, moem os grãos que levo até eles.

Desde que os lenhadores, e a ferrovia, e eu mesmo profanamos Walden, talvez o mais atraente, se não o mais bonito, de todos os nossos lagos, a

---

51. William Drummond of Hawthornden (1585-1649). *Icarus*.
52. Literalmente, "ganso".
53. Literalmente, "branco".

gema dos bosques, seja o lago White – um nome trivial por sua obviedade, seja derivado da notável pureza de suas águas ou da cor de suas areias. Nesses e em outros aspectos, contudo, ele é um irmão menor de Walden. São tão parecidos que você diria que são conectados por baixo da terra. Tem a mesma margem pedregosa, e sua água tem o mesmo tom. Como em Walden, nos dias de canícula, olhando através das árvores em algumas de suas baías que não são tão fundas mas tingidas pelos reflexos do fundo, suas águas adquirem um misterioso verde azulado ou a cor do mar glauco. Muitos anos atrás eu costumava ir lá buscar areia, de carroça, para fazer lixa, e desde então continuo visitando-o. Uma pessoa que o frequenta propôs chamá-lo de lago Virid.[54] Talvez devesse se chamar lago do Pinheiro Amarelo, pelas circunstâncias que descreverei a seguir. Há cerca de quinze anos via-se o topo de um pinheiro, do tipo que por aqui chamavam de pinheiro amarelo, embora não fosse uma espécie distinta, projetar-se acima da superfície em águas profundas, a muitos metros da margem. Chegaram até a supor que o lago tivesse afundado, e que aquele pinheiro fosse o único remanescente de uma floresta primitiva que ali teria existido. Descobri que há mais tempo, desde 1792, em uma "Descrição topográfica da cidade de Concord", obra de um de seus cidadãos, na Coleção da Sociedade Histórica de Massachusetts, o autor, depois de discorrer sobre os lagos Walden e White, acrescenta: "No meio deste último pode-se ver, quando a água está muito baixa, uma árvore que parece ter crescido ali mesmo onde está, embora as raízes estejam mais de quinze metros abaixo da superfície; o topo desta árvore foi quebrado, e nesse ponto tem trinta e cinco centímetros e meio de diâmetro". Na primavera de 1849, conversei com o morador mais próximo do lago em Sudbury, que me disse que havia sido ele quem tirara a árvore da água dez ou quinze anos antes. Segundo se lembrava, ficava de sessenta a setenta e cinco metros da margem, e a água tinha uns dez, doze metros de profundidade. Foi no inverno, e ele tinha saído para tirar gelo antes do meio-dia, e resolveu que à tarde, com ajuda dos vizinhos, arrancaria dali aquele velho pinheiro amarelo. Serrou um canal no gelo até a margem, e puxou para cima e para o lado até tirar o tronco do gelo com ajuda dos bois; mas, antes de terminar esse trabalho, descobriu com surpresa que o pinheiro estava virado ao contrário,

---

54. "Verde-esmeralda."

com o tronco e os galhos apontando para baixo, e a ponta menor firmemente fincada no fundo de areia. Tinha uns trinta centímetros de diâmetro na extremidade mais larga, e ele imaginou que conseguiria uma boa tora se o serrasse, mas a madeira estava tão podre que só serviria como lenha, se tanto. Ele ainda tinha um pouco na cabana. Havia marcas de machado e de pica-pau naqueles tocos. Ele achava que talvez fosse uma árvore morta da margem, que acabou caindo no lago, e quando a copa encharcou, enquanto a raiz ainda estava seca e leve, afundou emborcada. Para o pai dele, de oitenta anos de idade, segundo se lembrava, aquela árvore sempre estivera ali. Pode-se ainda ver muitas dessas toras grandes no fundo do lago, onde, devido à ondulação da superfície, parecem imensas cobras-d'água em movimento.

Este lago raramente é profanado por um bote, pois há pouco aqui para atrair um pescador. Em vez das açucenas-brancas, que gostam da lama, ou dos lírios-do-brejo, o lírio azul (*Iris versicolor*) vai bem na água pura, erguendo-se do fundo pedregoso por toda a margem, onde é visitado pelos colibris em junho; e a cor de suas folhas azuladas e de suas flores, e especialmente seus reflexos, configura uma harmonia singular com o esverdeado da água.

Os lagos White e Walden são grandes cristais na superfície da terra, lagos de luz. Se ficassem permanentemente congelados, e fossem pequenos o suficiente para ser arrancados, talvez fossem carregados por escravos, como pedras preciosas, para adornar a cabeça de imperadores; mas sendo líquidos, e amplos, e nossos e de nossos sucessores para sempre, desdenhamos deles, e vamos em busca do diamante de Koh-i-Noor. São puros demais para ter valor de mercado; sua lama não serve para adubo. Como são mais belos que nossa vida, mais transparentes que nossa personalidade! Jamais aprenderemos a mesquinharia com eles. Como são mais belos que a lagoa à porta da sede da fazenda, onde nadam os patos do fazendeiro! Por aqui vêm os patos-selvagens, limpos. A natureza não tem nenhum morador humano que saiba apreciá-la. Os pássaros com sua plumagem e seus cantos estão em harmonia com as flores, mas que jovem ou donzela conspira com a luxuriante beleza selvagem da natureza? Ela floresce quase sempre sozinha, longe das cidades onde eles moram. Falam do céu!, vocês que desgraçam a terra.

BAKER FARM

Às vezes, eu perambulava pelos pinhais, eretos como templos, ou como frotas ao mar, de velas enfunadas, com seus galhos balouçantes, e ondulantes de luz, tão macios e verdes e sombreados que os druidas teriam abandonado seus carvalhos para adorá-los; ou ia até os cedros que havia depois do lago Flint, onde as árvores, cobertas de grisalhas bagas azuis, sobem cada vez mais alto, e parecem prontas para comparecer diante do Valhalla, e o zimbro-rasteiro cobre o chão com guirlandas carregadas de frutos; ou ia aos pântanos onde o líquen pende em festões dos abetos-brancos, e os cogumelos, távolas redondas dos deuses do pântano, cobrem o chão, e fungos mais belos adornam os assentos, como borboletas ou conchas, caramujos vegetais; onde crescem azaleias do pântano e sumagres-venenosos, as bagas vermelhas do azevinho brilham como olhos de demônios, o algoz-das-árvores sufoca e destrói as madeiras mais duras em suas dobras, e as bagas selvagens do azevinho nos fazem esquecer do lar com tamanha beleza, e ficamos perplexos e tentados por outros frutos selvagens proibidos e anônimos, belos demais para o paladar humano. Em vez de visitar um erudito, visitei diversas vezes determinadas árvores, de tipos que são raros nesta região, muito isoladas no meio de alguma pastagem, ou nas profundezas de um bosque ou de um pântano, ou no alto de uma colina; como a bétula negra, da qual temos alguns belos espécimes com sessenta centímetros de diâmetro; sua prima, a bétula amarela, com seu traje dourado e folgado, perfumada como a primeira; a faia, que tem um caule tão liso e lindamente pintado de líquen, perfeita em todos os detalhes, da qual, com exceção de alguns espécimes espalhados, conheço apenas um pequeno arvoredo na região, que supostamente foi plantado pelos pombos que outrora eram atraídos pelas castanhas que havia lá; vale a pena ver o grão prateado cintilar quando se racha essa madeira; a tília; o carpino; o *Celtis occidentalis*, lodoeiro ou falso olmo, do qual só temos um adulto; algum mastro mais alto de pinheiro-branco, um cedro-rosa, ou um abeto oriental mais perfeito que de costume, erguido feito um pagode no meio do bosque; e muitas outras árvores que eu poderia mencionar. Eram esses os santuários que eu visitava tanto no verão como no inverno.

Uma vez aconteceu de eu estar exatamente no fim de um arco-íris, que preenchia o estrato inferior da atmosfera, tingindo a relva e as folhas em volta, e me deslumbrando como se olhasse através de um cristal colorido. Era um lago de luz multicor, no qual, por um breve momento, vivi como um delfim. Se tivesse durado por mais tempo talvez tingisse minhas atividades e minha vida. Quando eu caminhava pela calçada ao lado da ferrovia, costumava fantasiar sobre o halo de luz que envolvia minha sombra, e me imaginava um ser escolhido. Uma pessoa que me visitou disse que as sombras de alguns irlandeses anteriores a ele não tinham halo em volta, que eram apenas os nativos que recebiam tal distinção. Benvenuto Cellini diz em suas memórias que, depois de um sonho ou visão terrível que tivera durante seu confinamento no castelo de Sant'Angelo, uma luz resplandecente passou a aparecer acima da sombra de sua cabeça pela manhã e ao anoitecer, quando estava na Itália, mas também na França, e que isso era particularmente evidente quando a relva se encontrava úmida de orvalho. Trata-se, provavelmente, do mesmo fenômeno a que me referi, observado em especial pela manhã, mas também em outros horários, e até mesmo ao luar. Ainda que constante, em geral não é notado, e, no caso de uma imaginação suscetível como a de Cellini, seria fundamento suficiente para a superstição. Além disso, ele conta que mostrou isso a uns poucos conhecidos. Mas não é de fato uma distinção a consciência de que se é ao menos considerado?

Fui certa tarde pescar em Fair Haven, em meio aos bosques, para fazer render minhas parcas verduras. Meu caminho passava por Pleasant Meadow, campo adjunto a Baker Farm, refúgio que um poeta já cantou, começando assim:

Tua entrada é um campo aprazível,
que divide um pomar verde-musgo
com um córrego rubro,
onde ratos-almiscareiros
e trutas mercuriais
ziguezagueiam.

Pensei em morar lá antes de ir para Walden. Lá "fisguei" maçãs, saltei o riacho, assustei os almiscareiros e as trutas. Foi uma dessas tardes que parecem infinitamente longas, em que muitas coisas podem acontecer, uma grande parte de nossa vida natural, embora já estivesse na metade quando parti. No caminho, começou a chover, o que me obrigou a ficar meia hora embaixo de um pinheiro, cobrindo-me de galhos, e usando meu lenço como toldo; e quando enfim lancei minha linha em meio aos aguapés roxos, com água até acima da cintura, vi-me subitamente embaixo da sombra de uma nuvem, e o trovão estrondeou com tanta ênfase que não consegui fazer mais nada além de ouvi-lo. Os deuses deviam estar orgulhosos, pensei, com tamanhos lampejos bifurcados contra um pobre pescador desarmado. Então corri para me abrigar na cabana mais próxima, a quase um quilômetro de qualquer estrada, mas ficava mais perto do lago, e havia muito tempo estava abandonada.

E aqui um poeta erigiu,
Nos anos já transcorridos,
Para os olhos, uma cabana
Sem valor, quase arruinada.

Assim fabula a Musa. Mas lá, descobri, vivia agora John Field, um irlandês, e a esposa, com várias crianças, do menino de rosto largo que ajudava o pai no trabalho, e agora corria com ele do brejo para escapar da chuva, ao bebê enrugado, sibilino, de cabeça cônica, apoiado no joelho do pai, como nos palácios dos nobres, e que observava em sua casa em meio à chuva e à fome inquisitivamente o desconhecido, com o privilégio da infância, sem saber que era o último de uma linhagem nobre, a esperança e o centro do mundo, e não o pobre caçula faminto de John Field. Ali nos sentamos juntos sob a parte de telhado que tinha menos goteiras, enquanto chovia e trovejava lá fora. Eu já havia me sentado ali muitas vezes antes que fosse construído o navio que traria a família dele aos Estados Unidos. Simplesmente um sujeito honesto, trabalhador, mas indolente, este era John Field; e a esposa tinha a bravura de cozinhar muitas refeições nos recessos daquele amplo fogão; com seu rosto redondo e suado e seus seios à mostra, ainda pensando em melhorar de vida um dia; com o indefectível esfregão numa mão, e no entanto nenhum efeito visível de limpeza à sua volta. As galinhas, que também vinham ali abrigar-se da chuva, perambulavam pela casa como membros da família, humanizadas demais, pensei comigo, para virar bons assados. Elas paravam e me olhavam nos olhos ou bicavam expressivamente meu sapato. Enquanto meu anfitrião me contava sua história, como ele deu duro "tirando lama" para um sitiante vizinho, revolvendo um campo com uma pá ou tirando lama com enxada a dez dólares o acre e usando a terra com adubo por um ano, e seu filho de rosto largo sempre trabalhando alegre ao lado do pai, sem se dar conta de quão pouco o pai receberia em troca. Tentei ajudá-lo com minha experiência, contando que ele era um dos meus vizinhos mais próximos, e que eu também, que estava ali para pescar, e parecia um vagabundo, estava ganhando a vida como ele; que eu morava em uma casa pequena, simples, e limpa, que não custava mais do que ele pagava de aluguel em uma ruína daquelas; e que, se preferisse, ele também poderia em um mês ou dois construir o próprio palácio; que eu não usava chá, nem café, nem manteiga, nem leite, nem carne fresca, e portanto não precisava trabalhar para comprar essas coisas; e mais, que como eu não trabalhava tanto, não precisava comer tanto, e gastava muito pouco com alimentação; mas como ele usava chá, e café, e manteiga, e leite, e carne, ele precisava trabalhar duro para comprá-los, e como ele trabalhava muito, precisava comer muito outra vez para repor os gastos de seu sistema – e assim era trocar seis por meia dúzia, ou melhor, a emenda era pior que o soneto, pois ele estava infeliz e desperdiçava a vida nessa troca; e no entanto considerava um ganho ter vindo para os Estados Unidos, porque aqui se podia comprar chá, e café, e carne todos os dias. Porém os únicos Estados Unidos genuínos são um lugar onde você é livre para buscar um modo de vida que lhe permita viver sem essas coisas, e onde o estado não tente obrigá-lo a sustentar a escravidão e a guerra e outros gastos supérfluos que direta ou indiretamente resultam do consumo dessas coisas. Pois eu conversava com ele propositalmente como se ele fosse um filósofo, ou como se ele desejasse sê-lo. Eu ficaria contente se todos os campos do mundo fossem deixados em estado selvagem, se isso fosse consequência de um começo da redenção da humanidade. Ninguém precisa estudar história para saber o que é melhor para sua própria cultura. Mas, ai!, a cultura de um irlandês é uma empreitada a ser enfrentada com uma espécie de escavadeira moral. Expliquei-lhe que, como ele trabalhava duro tirando lama, precisava de botas grossas e roupas fortes, que no entanto logo estragavam e gastavam, enquanto eu usava sapatos e roupas leves, que não custavam nem a metade, embora ele talvez pensasse que eu me vestia como um cavalheiro (o que, contudo, não era o caso), e que em uma ou duas horas, sem esforço, mas como um divertimento, eu podia, se quisesse, pescar peixes para dois dias, ou ganhar dinheiro para me sustentar por uma semana. Se ele e sua família simplesmente vivessem, poderiam todos ir colher mirtilos no verão para se divertir. John emitiu um suspiro profundo quando eu disse isso, e a esposa nos encarou com as mãos na cintura, e ambos pareceram pensar se tinham capital suficiente para viver assim, ou aritmética suficiente para levar aquilo a cabo. Viajavam à deriva, e não enxergavam com clareza como alcançariam seu porto; portanto imagino que ainda enfrentam a vida com bravura, à sua maneira, frente a frente, com unhas e dentes, sem dispor de habilidade para rachar as colunas maciças da vida com uma cunha mais fina e penetrante, e reduzi-la aos detalhes – pensando lidar com ela rusticamente, como se manuseia um cardo. Mas combatem com uma desvantagem exasperante – vivendo, ai, John Field!, sem aritmética, e com tantos erros.

"Você não pesca?", perguntei. "Oh, sim, pesco de vez em quando, quando estou parado; pego umas belas percas." "O que você usa como isca?" "Pesco barbos prateados com minhoca, e uso o barbo como isca da perca." "É melhor você ir agora, John", disse a esposa, com o rosto reluzente e esperançoso; mas John não tinha pressa.

A chuvarada então passou, e um arco-íris sobre os bosques a leste prometia uma noite aberta; então me despedi. Quando saí, pedi para beber água, na esperança de dar uma olhada no fundo do poço, para completar minha visita à região; mas lá, ai!, vi que estava seco, vi areias movediças, e uma corda partida, e um balde perdido. Enquanto escolhiam o utensílio culinário correto, a água parecia que ia ser destilada, e, após algumas consultas e uma longa demora, foi passada ao visitante sedento – sem que estivesse fresca, nem ainda decantada. Era aquele caldo que sustentava a vida ali, pensei; então, fechei os olhos e, excluindo as impurezas com um habilidoso balanço do líquido, bebi à genuína hospitalidade o gole mais longo que pude. Não tenho caprichos quando se trata de boas maneiras.

Quando eu estava indo embora da casa do irlandês depois da chuva, encaminhando-me de volta ao lago, minha pressa de pescar lúcios, vadeando em campos retirados, em brejos e poços pantanosos, em lugares esquecidos e selvagens, pareceu-me trivial por um instante, eu que havia passado pela escola e pela universidade; mas enquanto descia correndo a colina em direção ao poente avermelhado, com o arco-íris sobre os meus ombros, e um discreto tilintar chegou aos meus ouvidos através do ar limpo, não sei vindo de onde, meu gênio bom parecia me dizer: Vai, pesca e caça em toda parte, dia após dia – cada vez mais longe e mais amplamente –, e descansa em muitos riachos e lareiras sem apreensão. Lembra do teu Criador nos dias da tua juventude. Acorda despreocupadamente antes da aurora, e busca aventuras. Que o meio-dia te encontre em outros lagos, e a noite te encontre à vontade em qualquer parte. Não existem campos maiores que estes, tampouco jogo mais valioso do que os que podem ser aqui jogados. Cresce selvagem de acordo com tua natureza, como esses juncos e samambaias, que jamais se tornarão feno inglês. Deixa troar o trovão; que te importa se ele pode arruinar a safra do camponês? Esta não é tua tarefa. Abriga-te embaixo da nuvem, enquanto eles correm às carroças e às cabanas. Não permitas que ganhar a vida seja teu ofício, mas teu esporte. Desfruta da terra, mas não sejas seu dono. Pela falta de empenho e de fé, os homens são o que são, comprando e vendendo, e desperdiçando a vida como servos.

Ó, Baker Farm!

Paisagem onde o mais rico elemento
é um raio de sol inocente [...]

Ninguém corre descuidado
por teu prado cercado. [...]

Jamais questões discutiste,
    nem te deixaram abismado,
Dócil agora, como à primeira vista,
    em gabardine rútilo trajado. [...]

Vinde, vós tão amantes,
    E vós também, odientos,
Filhos da Pomba Branca,
    E Guy Fawkes do parlamento,
E as conspirações, enforcai-as,
Nos galhos fortes das faias!

Os homens voltam dóceis à noite para casa porque vêm apenas do campo vizinho ou da rua do lado, onde seu lar ecoa assombrações, e sua vida se ressente de respirar sempre o próprio alento tantas vezes; suas sombras, de manhã e ao anoitecer, chegam mais longe que seus passos cotidianos. Deveríamos voltar para casa sempre de longe, de aventuras, e perigos e descobertas, todos os dias, a cada dia com uma nova experiência e um novo caráter.

Antes que eu chegasse ao lago um novo impulso fez que John Field também viesse, mudando de ideia, em vez de "tirar lama" antes do pôr do sol. Mas ele, pobre homem, apenas perturbou algumas barbatanas enquanto eu ia pescando uma boa fieira, e ele disse que era a sorte que ele dava aos outros; mas quando mudamos de lugar no bote, a sorte também mudou de lugar. Pobre John Field! – acredito que ele não virá a ler isto, a não ser que possa tirar algum proveito –, pensando em viver à moda antiga de seu país nesta região primitiva de um país novo – a pescar percas com barbos. Admito que são boas iscas às vezes. Com todo o horizonte só para si, e no entanto pobre, nascido para ser pobre, com sua pobreza irlandesa herdada ou sua vida pobre, velho como a avó de Adão, seu jeito pantanoso, fadado a não subir na vida neste mundo, tampouco sua descendência, até que seus pés membranosos de vadear pântanos ganhem talares nos calcanhares.

LEIS SUPERIORES

Quando eu voltava para casa pelos bosques com minha fieira de peixes, arrastando minha vara, estando então bem escuro, vislumbrei uma marmota cruzando meu caminho, e senti um estranho frenesi de prazer selvagem, e a forte tentação de capturá-la e devorá-la ainda crua; não porque estivesse com fome na hora, mas pelo desejo da selvageria que ela representava. Uma ou duas vezes, contudo, enquanto morava junto ao lago, peguei-me percorrendo os bosques como um cão faminto, com um estranho abandono, procurando algum tipo de caça que pudesse devorar, e nenhuma mordida seria selvagem demais para mim. As cenas de maior selvageria haviam se tornado incrivelmente familiares. Descobri em mim, e ainda os percebo, um instinto em direção a uma vida mais elevada, ou, como se diz, uma vida espiritual, como a maioria dos homens, e outro em direção a um patamar primitivo e selvagem, e a ambos reverencio. Amo o selvagem não menos que o bem. A selvageria e a aventura que existem na pesca ainda me interessam. Gosto de às vezes agarrar bruscamente a vida e passar o dia como os animais fazem. Talvez eu deva a essa atitude e à caça, quando ainda muito jovem, minha relação mais íntima com a natureza. Elas nos apresentam pela primeira vez e nos detêm em cenários que de outro modo, naquela idade, deveríamos conhecer pouco. Os pescadores, caçadores, lenhadores, e outros, passando a vida em campos e florestas, em certo sentido eles mesmos parte da natureza, em geral se encontram em um estado de espírito mais favorável para observá-la, nos intervalos de suas atividades, do que o dos filósofos e até mesmo o dos poetas, que dela se aproximam com expectativa. Ela não tem medo de exibir-se para eles. O viajante na pradaria é naturalmente um caçador; nas cabeceiras do Missouri e do Colúmbia, um passarinheiro; e nas quedas de St. Mary, um pescador. Aquele que é apenas um viajante aprende coisas de segunda mão e pela metade, não adquire autoridade. Nosso maior interesse é quando a ciência relata o que aqueles homens já sabiam prática ou instintivamente, pois só aquilo é a verdadeira *humanidade*, ou o relato da experiência humana.

Engana-se quem diz que o ianque tem poucas diversões porque não tem muitos feriados, e que os homens e meninos não brincam tanto quando na Inglaterra, pois aqui as diversões mais primitivas porém solitárias da caça, da pesca e coisas assim ainda não deram lugar aos jogos. Quase todo menino da Nova Inglaterra entre meus contemporâneos levava no ombro uma espingarda de matar passarinho entre os dez e os catorze anos de idade; e seus territórios de caça e pesca não tinham limites, como os parques de um nobre inglês, mas eram mais vastos que os dos selvagens. Não é de espantar, portanto, que não fiquem com frequência para os jogos coletivos. Mas uma mudança já vem ocorrendo, devido não a um aumento de humanidade, mas a um aumento da escassez da caça, pois talvez o caçador seja o melhor amigo dos animais caçados, melhor até que a Sociedade Protetora dos Animais.

Mais do que isso, quando estava no lago, às vezes eu queria acrescentar peixe à minha dieta para variar. Na verdade, pesquei pelo mesmo tipo de necessidade que os primeiros pescadores sentiam. As razões humanitárias que eu pudesse invocar contra a pesca eram meramente artificiais, e diziam respeito mais à minha filosofia que aos meus sentimentos. Falo agora apenas sobre a pesca, pois durante muito tempo tive uma opinião diferente sobre a caça, e vendi minha espingarda antes de ir para os bosques. Não que eu seja menos humano que os outros, mas eu não percebia que meus sentimentos estavam sendo afetados. Não tinha pena dos peixes nem das minhocas. Era um hábito. Quanto à caça de aves, nos últimos anos em que tive espingarda minha desculpa era que eu estava estudando ornitologia, e só me interessava por pássaros novos e raros. Entretanto confesso que agora estou inclinado a pensar que existe uma maneira melhor que essa de estudar ornitologia. É preciso tanta atenção aos hábitos dos pássaros, que, ainda que apenas por esse motivo, fiquei tentado a abandonar a espingarda. Contudo, não obstante a objeção com base na humanidade, sinto-me compelido a duvidar de que outros esportes igualmente valiosos possam algum dia substituir a caça e a pesca; e quando alguns amigos me perguntavam ansiosamente sobre seus filhos, se deveriam deixá-los caçar, eu respondia que sim – lembrando que essa foi uma das melhores partes da minha educação –, *façam* deles caçadores, embora a princípio apenas como esporte, e depois, se possível, poderosos caçadores enfim, de modo que nunca encontrem caça grande demais para eles nessa ou em qualquer outra vastidão vegetal – caçadores assim como pescadores de homens. Nesse sentido tenho a mesma opinião do monge de Chaucer, que

não dava uma galinha depenada pelos textos
que diziam que os santos não podiam caçar.

Existe um período na história do indivíduo, assim como na da raça, em que os caçadores são os "melhores homens", como os algonquinos os chamam. Só podemos ter pena do menino que nunca disparou um tiro de espingarda; ele não é mais humano por isso, ao passo que sua educação foi lamentavelmente negligenciada. Esta foi minha resposta quanto aos jovens inclinados a tal atividade, confiando que logo eles crescerão e superarão isso. Nenhum ser humanitário, depois de passada a idade irrefletida da infância, desejará propositalmente assassinar qualquer criatura que se agarra à vida com o mesmo direito que ele. A lebre no extremo da vida chora como uma criança. Mães, eis meu aviso, minhas simpatias nem sempre permitem fazer as distinções *filantrópicas* de costume.

Tal costuma ser a introdução do rapaz à floresta, e à parte mais original de si mesmo. Ele vai até lá a princípio como caçador e pescador, até que por fim, se tem dentro de si sementes de uma vida melhor, distingue seus objetos adequados, talvez como um poeta ou um naturalista, e deixa para trás a espingarda e a vara de pesca. A grande maioria dos homens sempre foi e ainda é muito imatura a esse respeito. Em alguns países um vigário caçador não é algo incomum de ver. Este pode vir a ser um bom cão pastor, mas está longe de ser o Bom Pastor. Fiquei surpreso ao perceber que a única atividade óbvia, com exceção da extração de madeira, de gelo, ou coisas do gênero, que até onde sei mantinha meus conterrâneos no lago Walden ao longo de metade do dia, fossem eles pais ou filhos da cidade, com uma única exceção, era a pesca. Em geral eles não se consideravam com sorte, ou recompensados pelo tempo dedicado, a não ser quando obtinham uma longa fieira de peixes, embora tivessem a oportunidade de ver o lago todo esse tempo. Eles podem ir até lá mil vezes antes que o sedimento da pesca desça até o fundo e purifique seus propósitos; mas sem dúvida esse processo de depuração estaria ocorrendo o tempo todo. O governador e seu gabinete têm uma lembrança difusa do lago, pois foram lá pescar quando meninos; mas agora estão velhos e respeitáveis demais para uma pescaria e, portanto, passaram a ignorá-lo eternamente. No entanto até mesmo eles esperam ir para o céu no final. Se o legislativo se importa com o lago, é principalmente para regular o número de anzóis a serem usados ali; mas eles não sabem nada sobre o anzol dos anzóis com o qual se poderia pescar o lago em si, transpassando o próprio legislativo como isca. Assim, mesmo em comunidades civilizadas, o homem embrionário passa em seu desenvolvimento pelo estágio de caçador.

Descobri nos últimos anos, repetidamente, que não consigo mais pescar sem perder um pouco do respeito por mim mesmo. Tentei diversas vezes. Sou um pescador habilidoso e, como muitos de meus semelhantes, tenho certo instinto para a pesca, que revive de quando em quando, mas sempre depois de pescar sinto que teria sido melhor se não tivesse pescado. Creio não estar enganado. Trata-se uma intimação difusa, assim como os primeiros raios da manhã. Inquestionavelmente, há em mim esse instinto que pertence às ordens mais baixas da criação; no entanto, a cada ano sou menos pescador, embora sem mais humanidade ou mesmo sabedoria; no momento não sou nada pescador. Mas sei que se fosse viver na floresta me sentiria outra vez tentado a me tornar pescador e caçador plenamente. Além disso, há algo essencialmente impuro nessa dieta e em toda carne, e comecei a ver onde começa o trabalho doméstico, e de onde vem essa empreitada, tão custosa, de exibir a cada dia uma aparência arrumada e respeitável, de manter a casa limpa e livre de todos os maus cheiros e visões desagradáveis. Tendo sido meu próprio açougueiro e lavador de pratos e cozinheiro, assim como o cavalheiro a quem os pratos eram servidos, posso falar de uma experiência completa e incomum. A objeção prática ao alimento animal em meu caso era a impureza; e além disso, depois de pescar e limpar e preparar e comer meus peixes, eles não pareciam me alimentar essencialmente. Era algo insignificante e desnecessário, e me custava mais do que valia. Um pouco de pão ou algumas batatas também serviriam, com menos incômodo e sujeira. Como vários de meus contemporâneos, durante muitos anos raramente usei alimento animal, ou chá ou café etc.; não tanto pelos efeitos deletérios que associei a esses alimentos, mas porque não eram aprazíveis à minha imaginação. A repugnância ao consumo de carne não é efeito da experiência, mas do instinto. Parecia mais belo viver com pouco e comer menos em muitos aspectos; e embora eu nunca tenha feito isso, fui bastante longe para agradar à minha imaginação. Acredito que todo homem que tentou sinceramente preservar suas faculdades mais elevadas ou poéticas nas melhores condições sentiu-se particularmente inclinado a se abster do consumo de carne, ou do excesso de alimento de qualquer tipo. É um fato significativo, afirmado por entomologistas – encontrei isso em Kirby e Spence[55] –, que "alguns insetos em seu estado perfeito, embora dotados de órgãos digestivos, jamais os utilizam"; e eles declaram que, como "regra geral, quase todos os insetos nesse estado comem muito menos do que no estado de larva. A lagarta voraz quando transformada em borboleta [...] e o berne glutão quando se transforma em mosca" contentam-se com uma ou duas gotas de mel ou algum outro líquido adocicado. O abdômen sob as asas da borboleta ainda representa a larva. Eis o petisco que tenta sua sina insetívora. O comilão vulgar é um homem em estado larval; e existem países inteiros nessa condição, países sem fantasia ou imaginação, cujos vastos abdomens os traem.

É difícil fornecer e cozinhar uma dieta tão simples e limpa que não ofenda a imaginação; mas esta, creio, deve ser alimentada quando alimentamos o corpo; devem ambos se sentar à mesma mesa. No entanto, talvez isso possa ser feito. Os frutos comidos com temperança não precisam nos deixar envergonhados de nosso apetite, nem nos fazer interromper as atividades mais dignas. Mas ponha um condimento a mais no prato, e isso há de envenená-lo. Não vale a pena viver com uma culinária excessiva. A maioria das pessoas teria vergonha de ser pega justamente preparando uma refeição com as próprias mãos, seja de alimentos

---

55. William Kirby (1759-1850) e William Spence (1783-1860). *An Introduction to Entomology* (1815).

187

animais ou vegetais, como as que lhes são preparadas todos os dias por outros. No entanto, até que isso mude, não seremos civilizados, e, ainda que sejam cavalheiros e damas, não são verdadeiros homens e mulheres. Isso certamente sugere qual mudança deve ser feita. Talvez seja inútil perguntar por que a imaginação não se reconcilia com a carne e a gordura. Para mim, basta que não se reconcilie. Não é condenável que o homem seja um animal carnívoro? De fato, ele é capaz de viver e vive, em grande medida, caçando outros animais; mas esse é um modo miserável de vida – como qualquer um que faça armadilhas para coelhos, ou que mate cordeiros, há de saber –, e aquele que ensinar o homem a limitar-se a uma dieta mais inocente e saudável será considerado um benfeitor da raça. Qualquer que seja a minha prática, não tenho dúvida de que faz parte do destino da raça humana, em seu aperfeiçoamento gradual, abandonar o hábito de comer animais, tão seguramente quanto as tribos selvagens que abandonaram o hábito de devorarem-se depois que entraram em contato com outras mais civilizadas.

Quem der ouvidos às mais discretas porém constantes sugestões de seu gênio, que são certamente verdadeiras, não verá a que extremos, ou mesmo a que insanidade, isso poderá levar; e no entanto, por esse caminho, conforme se torna mais decidido e fiel, seguirá sua estrada. A menor objeção convicta de um homem são, por mais fraca que seja, acabará prevalecendo sobre os argumentos e costumes da humanidade. Quem seguir o próprio gênio interior jamais acabará enganado. Ainda que o resultado seja a fraqueza física, contudo, talvez ninguém possa dizer que as consequências foram lamentáveis, pois fazem parte de uma vida em conformidade com princípios mais elevados. Se o dia e a noite são tais que você os saúda com alegria, se a vida emana uma fragrância como a de flores e ervas de perfume adocicado, se é mais elástica, mais estrelada, mais imortal – eis o seu sucesso. Toda natureza se congratula consigo, e você momentaneamente pode se sentir abençoado. Os maiores ganhos e valores estão longe de ser devidamente apreciados. Facilmente chegamos a duvidar de que eles existam. Logo nos esquecemos deles. Eles são a realidade mais elevada. Talvez os fatos mais impressionantes e mais reais nunca sejam comunicados de homem para homem. A verdadeira colheita da minha vida diária é de certa forma tão intangível e indescritível quanto as cores da manhã e do entardecer. É um pouco de poeira de estrela que apanhei, um segmento de arco-íris que consegui agarrar.

No entanto, de minha parte, nunca fui excessivamente exigente; às vezes eu comia um rato frito com muito gosto, se fosse necessário. Fico contente de ter bebido apenas água por tanto tempo, pelo mesmo motivo pelo qual prefiro o céu natural ao céu do comedor de ópio. Costumava sempre me manter sóbrio; e existem graus infinitos de embriaguez. Acredito que a água seja a única bebida do sábio; o vinho não é uma bebida tão nobre; sem falar na perda das esperanças da manhã causada por uma xícara de café quente, ou das esperanças da tarde com uma de chá! Ah, como me sinto vil quando sou tentado por elas! Até mesmo a música pode ser inebriante. Causas aparentemente desimportantes destruíram Grécia e Roma, e destruirão a Inglaterra e os Estados Unidos. De todas as ebriedades, quem não prefere ser intoxicado pelo próprio ar que respira? Descobri que a mais séria objeção ao trabalho grosseiro e demorado era que isso me obrigava a comer e beber também grosseiramente. Mas, verdade seja dita, hoje sou menos minucioso a esse respeito. Levo menos religião à mesa, não faço questão de oração; não porque me tornei mais sábio do que antes, mas, sou obrigado a confessar, porque, por mais que isso seja lamentável, com o passar dos anos fiquei mais calejado e indiferente. Talvez essas sejam questões que só são colocadas na juventude, como as pessoas costumam dizer da poesia. Minha prática não está "nenhures", minha opinião está aqui. Não obstante, estou longe de me considerar um daqueles privilegiados sobre quem os Vedas se referem ao dizer que "aquele que tem uma fé verdadeira no Ser Supremo Onipresente poderá comer tudo o que existe", isto é, não precisa se preocupar com o que irá comer, ou com quem irá preparar sua comida; e mesmo no caso deles se deve observar, como notou um comentarista hindu, que o Vedanta limita esse privilégio aos "tempos de aflição".

Quem nunca sentiu uma inexplicável satisfação com sua comida sem qualquer relação com o apetite? Fiquei comovido ao pensar que devia uma percepção mental ao sentido geralmente grosseiro do paladar, que me foi inspirada, através do palato, por alguns mirtilos que eu havia comido na colina e que alimentaram meu gênio. "Quando a alma não é senhora de si", diz Zengzi, "a pessoa olha, e não vê; ouve, mas não escuta; come, e não

189

sente o sabor da comida". Aquele que distingue o verdadeiro sabor de seu alimento jamais será um glutão; aquele que não o distingue não poderá ser outra coisa. Um puritano pode atacar sua casca de pão marrom com um apetite tão grosseiro quanto um político avança em sua sopa de tartaruga. Não é o alimento que entra na boca do homem que o contamina, mas o apetite com o qual é ingerido. Não se trata da qualidade, nem da quantidade, mas da devoção aos sabores sensuais; quando aquilo que ingerimos não são víveres para sustentar nosso ser animal, ou para inspirar nossa vida espiritual, mas alimento para os vermes que nos dominam. Se o caçador gosta de comer tartarugas, ratos-almiscareiros, e outras iguarias selvagens, a dama elegante se permite apreciar uma geleia feita de pata de bezerro, ou sardinhas do outro lado do mar, e são ele e ela equivalentes. Ele vai ao lago, ela, ao pote de conserva. O espantoso é como eles, como você e eu, comendo e bebendo, podem viver essa vida untuosa, bestial.

No geral, nossa vida é incrivelmente moral. Não há um instante de trégua entre a virtude e o vício. A bondade é o único investimento que nunca falha. Na música da harpa que vibra pelo mundo, é a insistência nisso que nos comove. A harpa é a vendedora ambulante da companhia de seguros do universo, recomendando suas leis, e nosso pouco de bondade é a única taxa que pagamos. Embora a juventude enfim amadureça e se torne indiferente, as leis do universo não são indiferentes, mas estão para sempre do lado do mais sensível. Escute as censuras dos zéfiros, pois certamente estarão lá, e infeliz de quem não as ouve. Não podemos tocar nenhuma corda nem mover um ponto sem que essa encantadora moral nos transpasse. Muitos ruídos irritantes, ouvidos de muito longe, são percebidos como música, uma sátira orgulhosa e delicada da mesquinharia da nossa vida.

Somos conscientes do animal em nós, que desperta à medida que nossa natureza superior adormece. É réptil e sensual, e talvez não possa ser inteiramente expelido; como os vermes que, mesmo durante uma vida saudável, ocupam nosso corpo. Talvez possamos nos afastar dele, porém jamais alterar sua natureza. Receio que goze de saúde própria, independente da nossa; e que nós possamos até viver bem, ainda que não sejamos puros. Outro dia encontrei uma queixada de porco, com dentes e presas ainda brancos e firmes, o que sugeria a existência de uma saúde e de um vigor animais, distintos dos espirituais. Trata-se de uma criatura que não deveu seu sucesso exatamente à temperança e à pureza. "O que diferencia o homem dos seres irracionais", diz Mêncio, "é algo bastante impalpável; o rebanho comum logo o perde; o homem superior o conserva com zelo." Quem sabe que tipo de vida resultaria se alcançássemos a pureza? Se eu conhecesse alguém tão sábio que pudesse me ensinar a pureza, iria logo procurá-lo. "Um controle sobre nossas paixões, e sobre os sentidos externos do corpo, e boas ações, dizem os Vedas, são indispensáveis para que a mente se aproxime de Deus." No entanto, o espírito pode de repente penetrar e controlar todos os membros e as funções do corpo, e transformar o que na forma é a mais grosseira sensualidade em pureza e devoção. A energia geradora, que, quando estamos relaxados, causa dissipação e nos torna impuros, quando estamos contidos nos revigora e nos inspira. A castidade é a floração do homem; e aquilo que chamam de gênio, heroísmo, santidade e coisas do gênero são apenas diversos frutos que dela se originaram. O homem flui diretamente para Deus quando o canal da pureza está aberto. Alternadamente, nossa pureza inspira e nossa impureza nos derruba. Bendito aquele que se assegura de que o animal nele está morrendo a cada dia, e que o divino está sendo estabelecido. Talvez ninguém devesse ter vergonha da natureza inferior e irracional a que estamos associados. Receio que sejamos como deuses ou semideuses, mas apenas como os faunos e sátiros, com o divino aliado ao animal, criaturas de apetite, e que, em certa medida, nossa própria vida seja nossa desgraça.

> *Feliz daquele que um lugar delimita*
> *para seus animais e a própria mente desmata!*
> *[...]*
> *Quer use cavalo, cabra, lobo, qualquer besta,*
> *não é um burro para os outros bichos!*
> *O homem é não só pastor de suínos,*
> *mas também o demônio que os inclina*
> *a uma fúria plena, e pior os torna.*[56]

---

56. John Donne (1572-1631). *A Sir Edward Herbert em Julyers.*

Toda sensualidade é uma só, embora assuma muitas formas; toda pureza é uma só. É a mesma quando o homem come, ou bebe, ou coabita, ou dorme sensualmente. São apenas um mesmo apetite, e basta vermos uma pessoa fazer qualquer uma dessas coisas para saber quão grande sensualista ela é. O impuro não suporta ficar perto ou sentar ao lado da pureza. Quando é atacado na entrada da toca, o réptil sai por outro buraco. Se quiser ser casto, você deve ser temperado. O que é a castidade? Como a pessoa sabe se é casta? A própria pessoa há de saber. Já ouvimos falar dessa virtude. Do esforço, nasce a sabedoria e a pureza; da preguiça, a ignorância e a sensualidade. No estudioso, a sensualidade é um hábito mental preguiçoso. Uma pessoa impura é geralmente preguiçosa, alguém que senta junto ao fogão, prostrada ao sol brilhante, que repousa sem estar cansada. Quem quiser evitar a impureza, e todos os pecados, trabalhe com afinco, mesmo que seja limpando um estábulo. É difícil vencer a natureza, mas ela precisa ser vencida. De que adianta ser cristão se você não é mais puro que o pagão, se você não se nega nada, se você não se tornar mais religioso? Conheço diversos sistemas de religiões consideradas pagãs cujos preceitos fazem o leitor se envergonhar, e que o provocam a novas empreitadas, ainda que seja meramente à realização dos ritos.

Hesito em dizer essas coisas, mas não por causa do assunto – não me importa que minhas *palavras* sejam obscenas –, e sim porque não consigo falar delas sem trair minha impureza. Nós discorremos livremente sobre uma forma de sensualidade, sem nos envergonhar, e nos calamos sobre outra. Estamos tão degradados que não conseguimos falar simplesmente das funções necessárias da natureza humana. Em eras anteriores, em alguns países, cada função era abordada com reverência e regulada por leis. Nada era trivial demais para o legislador hindu, por mais que pareça ofensivo ao gosto moderno. Ele ensina a comer, a beber, a coabitar, a evacuar fezes e urina e coisas do gênero, elevando o que é baixo, e não se exime com falsidade dizendo que são coisas banais.[57]

Cada homem é o construtor de um templo, que é seu corpo, ao deus que ele adora, a partir de um estilo puramente seu, e do qual ele

---

57. *As leis de Manu* (I a.C). Thoreau fez uma seleta da tradução inglesa de William Jones (*Institutes of Hindu Law*, 1825) para o jornal transcendentalista *The Dial* (1843).

não pode escapar esculpindo em mármore em vez de a si mesmo. Somos todos escultores e pintores, e nosso material é a nossa própria carne, nossos próprios sangue e ossos. Qualquer nobreza começa imediatamente a refinar o semblante de um homem; qualquer baixeza ou sensualidade, a embrutecê-lo.

John Farmer sentou em sua soleira uma noite de setembro, após um dia duro de trabalho, a cabeça um pouco ainda no trabalho. Depois do banho, ele se sentou ali para recriar seu homem intelectual. Havia esfriado um pouco, e alguns vizinhos estavam apreensivos esperando geada. Nem bem embarcara em seus pensamentos quando ouviu alguém tocando uma flauta, e aquele som se harmonizou com seu estado de espírito. Ele continuou pensando no trabalho; mas o fardo desse pensamento, embora continuasse em sua cabeça, e ele se pegasse fazendo planos e elucubrando contra a própria vontade, pouco lhe importava. Não passava de pele seca, constantemente descamada. As notas da flauta chegaram à sua casa, em seus ouvidos, vindas de uma esfera diferente daquela em que ele trabalhava, e sugeriam um trabalho a certas faculdades que nele estavam adormecidas. Delicadamente, aquelas notas fizeram desaparecer a rua, a vila, e o estado em que ele vivia. Uma voz disse a ele: Por que você fica aqui e vive essa vida dura e mesquinha, sendo possível uma existência gloriosa? Aquelas mesmas estrelas brilham sobre outros campos além desses. Mas como sair dessa condição e migrar efetivamente para lá? Só conseguiu pensar em praticar alguma nova austeridade, para fazer que a mente influísse em seu corpo e o redimisse, e tratar a si mesmo com um respeito cada vez maior.

VIZINHOS RÚSTICOS

Algumas vezes, tive um companheiro em minhas pescarias que vinha pela vila até a minha casa do outro lado da cidade, e a captura do jantar era um exercício social, tanto quanto o jantar em si.

Eremita. Imagino o que todo mundo deve estar fazendo agora. Só ouvi um gafanhoto entre as samambaias nas últimas três horas. Os pombos estão todos dormindo empoleirados – nenhum ruflar de asas até este momento. Será que isso era o som do berrante do meio-dia de um sitiante que ouvi atravessar o bosque? Os peões estão voltando para o rancho: charque e cidra e broa de milho. Por que as pessoas se dão a tanto trabalho? Quem não come não precisa trabalhar. Imagino quanto devem ter colhido. Quem viveria em um lugar em que não se pode nem pensar com os latidos do velho perdigueiro? E, ai, cuidar de casa!, deixar brilhantes as maçanetas do diabo, e esfregar suas banheiras neste dia claro! Melhor não ter casa para cuidar. Digamos, morar no oco de uma árvore; e ali ter como visitas matinais, e festas noturnas!, apenas um pica-pau. Ai, como proliferam; o sol lá é muito quente; já nascem muito prontos para a vida para o meu gosto. Eu tenho água da fonte, e um pão doce com passas no armário. – Escute! Ouço um farfalhar de folhas. Será algum cachorro magro da vila cedendo ao instinto da caça? Ou o porco perdido que dizem haver nesses bosques, cujo rastro vi depois da chuva? Está se aproximando depressa; tremem meu sumagre e minha rosa-mosqueta. Ei, senhor poeta, é você? Como andam as coisas hoje no mundo?

Poeta. Está vendo aquelas nuvens? Como pairam! É a coisa mais grandiosa que vi hoje. Não há nada como essas nuvens nas velhas pinturas, nada igual nas terras estrangeiras – a não ser na costa da Espanha. Um verdadeiro céu mediterrâneo. Pensei, como preciso viver, e não comi nada hoje, que talvez pudesse pescar. Eis a verdadeira indústria para um poeta. É o único ofício que aprendi. Venha, vamos juntos.

Eremita. Não posso resistir. Meu pão de passas está acabando. Irei com você de bom grado em breve, mas estou terminando uma meditação séria. Acho que estou perto do fim. Deixe-me sozinho, então, mais um pouco. Mas, para que não percamos tempo, você pode ir cavando e escolhendo as minhocas nesse ínterim. Raramente você encontra minhocas para iscas por aqui, onde o solo nunca foi engordado com adubo; é uma raça quase extinta. O esporte de cavar isca é quase igual ao de pescar o peixe, quando não se está com muito apetite; e isso você pode ir fazendo sozinho agora. Eu aconselharia você a levar uma pá até ali embaixo dos amendoins, onde você vir erva-de-são-joão balançando ao vento. Calculo que você consiga uma minhoca para cada três torrões que você tirar, se olhar bem no meio das raízes, como se estivesse arrancando praga. Ou, se preferir ir mais adiante, não seria imprudente, pois descobri que o aumento das boas iscas é praticamente proporcional ao quadrado das distâncias percorridas.

Eremita, consigo mesmo. Vejamos, onde eu estava? Acho que estava quase chegando a esse estado de espírito; o mundo está sempre diante desse mesmo anzol. Vou para o céu, ou vou pescar? Se interrompo agora essa meditação, será que outra ocasião tão propícia se oferecerá algum dia? Estava prestes a me fundir na essência das coisas como nunca antes na minha vida. Receio que aqueles pensamentos nunca mais voltem a me ocorrer. Se adiantasse, eu assobiaria para chamá-los. Quando nos fazem uma oferta, é prudente dizer que vamos pensar? Meus pensamentos não deixaram rastros, não encontro mais o caminho. No que eu estava pensando mesmo? Estava um dia bem nublado. Vou experimentar só essas três frases de Confúcio; quem sabe elas captam aquele estado novamente. Não sei se era o desgosto da tristeza ou o êxtase em botão. Lembrar: só existe uma oportunidade de cada tipo.

Poeta. Que tal agora, eremita, ainda é muito cedo? Já peguei treze minhocas inteiras, além de várias imperfeitas e menores; mas já é o suficiente para os peixes pequenos; essas não cobrem o anzol inteiro. As minhocas da vila são grandes demais; um escalo ou um gobião pode fazer uma refeição sem ser fisgado.

Eremita. Bem, então vamos. Vamos ao Concord? Lá tem bastante peixe quando o nível das águas não está muito alto.

Por que precisamente esses objetos que contemplamos constituem um mundo? Por que o homem só tem essas espécies de animais como vizinhos, como se nada além de um camundongo pudesse passar por essas frestas? Desconfio que as fábulas de Bidpai e companhia deem o melhor uso aos animais, pois são todos burros de carga, em certo sentido, feitos para carregar uma parte dos nossos pensamentos.

Os camundongos que assombravam minha casa não eram do tipo comum, que dizem ter sido introduzidos no país, mas uma espécie nativa selvagem encontrada na aldeia. Enviei um para um naturalista famoso, e ele se interessou muito. Quando eu estava construindo, um deles fez ninho embaixo da casa, e antes que eu pusesse a segunda tábua, e varresse as farpas, saía regularmente na hora do almoço e pegava as migalhas aos meus pés. Provavelmente nunca tinha visto um homem antes; e logo ficou bastante familiarizado, e corria por cima do meu sapato e das minhas roupas. Rapidamente subia pelas paredes com breves impulsos, como um esquilo, a que se assemelha pelos movimentos. Mais tarde, um dia, apoiei o cotovelo no banco, ele correu pelas minhas roupas, ao longo da manga da camisa, e ficou dando várias voltas no embrulho onde estava meu jantar, enquanto mantive este fechado, e fiquei brincando de esconder dele; e quando por fim consegui segurar um pedaço de queijo entre o polegar e o indicador, ele veio e mordiscou, sentado em minha mão, e depois limpou o rosto e as patas, como uma mosca, e foi embora andando.

Um papa-moscas logo fez ninho na minha cabana, e um pardal veio se proteger no pinheiro que crescia junto da casa. Em junho o tetraz-de--colar (*Tetrao umbellus*), ave tão tímida, passou com sua ninhada bem diante da minha janela, nos bosques da frente de casa, e ficou gorgolejando e chamando como uma galinha, e com toda a atitude de uma galinha da floresta. Os mais jovens se dispersam, quando você se aproxima, a um sinal da mãe, como se um redemoinho os levasse embora de repente, e eles se parecem tanto com as folhas secas e os gravetos que muitos viajantes quase pisam nos filhotes, e ouvem a velha ave que sai voando, e seus chamados e gemidos aflitos, ou veem quando ela arrasta as asas para chamar atenção, e nem desconfiem de tal vizinhança. A mãe chega às vezes a rolar e girar à sua volta em tal desmazelo de penas, que por alguns momentos você não identifica que tipo de criatura ela é. Os jovens tetrazes, imóveis e baixos, muitas vezes escondem a cabeça embaixo de uma folha, e só reagem às ordens que a mãe lhes dá a uma certa distância, e nem se você se aproximar eles sairão correndo outra vez, revelando seu esconderijo. Você pode até acabar pisando em um tetraz, ou ficar olhando um minuto inteiro sem perceber a presença dele. Segurei alguns na palma da mão uma vez, e ainda assim, obedientes à mãe e a seus instintos, não se incomodaram de ficar ali parados, sem temor e sem tremor. Tão perfeito é esse instinto, que uma vez, quando os pus de volta nas folhagens, e um acidentalmente caiu de lado, ele foi encontrado com os outros exatamente na mesma posição dez minutos depois. Não são implumes como as ninhadas da maioria das aves, porém são mais perfeitamente desenvolvidos e precoces até que as galinhas. A expressão incrivelmente adulta embora inocente de seus olhos abertos e serenos é bastante memorável. Toda inteligência parece se refletir naqueles olhos. Eles sugerem não meramente a pureza da infância, mas a sabedoria esclarecida pela experiência. Aquele olho não tinha a mesma idade do jovem tetraz, mas era coevo do céu que nele se refletia. Os bosques não produzem outra gema igual. Raramente um viajante mira dentro de poço tão límpido. O caçador ignorante ou descuidado muitas vezes atira na mãe nesse momento, e deixa esses inocentes caírem presa de algum animal ou ave à espreita, e aos poucos se mesclam às folhas secas com que tanto se parecem. Dizem que, quando são chocados por uma galinha, fogem ao menor alarme, e assim se perdem, pois nunca ouviram o chamado da mãe que os reuniria novamente. Esses tetrazes-de-colar eram minhas galinhas e seus pintinhos.

É impressionante quantas criaturas vivem selvagens e livres embora secretamente nos bosques, e ainda assim se sustentam nas cidades vizinhas, e só os caçadores desconfiam de sua presença. Como a lontra consegue viver tão longe! Chegam a um metro e vinte de comprimento, do tamanho de um garotinho, sem que talvez nenhum ser humano jamais as vislumbre. Já tinha visto guaxinins no bosque atrás da minha casa, e provavelmente eram eles que eu ouvia guinchando à noite. Geralmente eu descansava uma ou duas horas à sombra à tarde, depois de plantar, e almoçava, e lia um pouco junto de uma nascente que era a origem de um pântano e de um riacho, que brotava debaixo de Brister's Hill, a quase um quilômetro do meu roçado. O acesso a ela era através de uma sucessão de declives relvados, cheios de pinheiros jovens, que dava em um bosque maior junto ao pântano. Lá, em um lugar bastante isolado e sombreado, embaixo de um frondoso pinheiro-branco, havia ainda um trecho de relvado firme onde se podia sentar. Ali cavei um buraco para a água brotar e fiz uma cacimba de uma água limpa e acinzentada, onde podia mergulhar um balde sem turvá-la, e para lá eu me dirigia com esse propósito quase todos os dias no auge do verão, quando o lago esquentava. Para lá também a galinhola levou sua ninhada, para caçar minhocas na lama, sobrevoando a menos de meio metro, mais adiante na ribanceira, enquanto eles corriam atrás da mãe; mas enfim, olhando para mim, ela deixou os pequenos e ficou me rodeando, cada vez mais de perto, até ficar a um metro, um metro e meio de mim, fingindo ter quebrado as asas e as pernas, para chamar minha atenção, e salvar os filhos, que voltaram a marchar, com piados fracos e agudos, enfileirados, atravessando o pântano, conforme a orientação da mãe. Também costumava ouvir o pio dos filhotes sem conseguir enxergar a mãe. Lá pousavam ainda as rolinhas na primavera, ou flutuavam de galho em galho na maciez dos pinheiros-brancos acima da minha cabeça; ou esquilos vermelhos, descendo pelo galho mais próximo, ficavam especialmente à vontade e inquisitivos comigo. Basta se sentar por tempo suficiente em algum lugar atraente da floresta para que, um por um, todos os seus habitantes venham se exibir para você.

Fui testemunha de acontecimentos de caráter menos pacífico. Um dia saí para buscar lenha, ou melhor, fui até minha pilha de toras, e observei duas formigas grandes, uma vermelha, e a outra, muito maior, com mais de um centímetro, preta, lutando ferozes uma com a outra. Uma vez que se agarraram, nunca mais se largaram, mas lutaram e combateram e rolaram incessantemente entre as lascas. Reparando bem, fiquei surpreso ao descobrir que aquelas lascas estavam cobertas daqueles combatentes, que não era um *duellum*, mas um *bellum*, uma guerra entre duas raças de formigas, as vermelhas sempre contra as pretas, e muitas vezes duas vermelhas para cada preta. As legiões daqueles mirmidões cobriam encostas e vales entre as achas do meu quintal, e o chão já estava juncado de mortos e feridos, tanto vermelhos quanto pretos. Foi a única batalha que jamais testemunhei, o único *front* que jamais pisei enquanto a batalha era travada; guerra mutuamente fatal; os vermelhos republicanos de um lado, e os pretos imperialistas do outro. De ambos os lados, se atracaram mortalmente, embora sem nenhum ruído que eu pudesse escutar, e jamais soldados humanos teriam sido tão resolutos. Assisti a uma dupla se engalfinhar, em um pequeno vale ensolarado entre lascas de lenha, então ao meio-dia, pronta para lutar até o pôr do sol, ou até o ocaso da vida. O pequeno campeão dos vermelhos se atracara como uma morsa à fronte do adversário, e sobre os desníveis do terreno jamais, nem por um instante, deixou de roer uma antena perto da base, fazendo que o outro caminhasse na prancha; enquanto o preto mais forte o atingia por todos os lados e, conforme me aproximei percebi, já havia lhe arrancado vários membros. Lutavam com mais pertinácia que buldogues. Nenhum dos dois manifestava a menor disposição de recuar. Era evidente que seu grito de batalha era "vencer ou morrer". Nesse ínterim, veio se aproximando uma formiga vermelha sozinha na encosta daquele vale, evidentemente tomada de excitação, que ou devia já ter derrotado seu inimigo, ou ainda não tinha tomado parte na batalha – provavelmente esta última hipótese, pois não lhe faltava nenhum membro –, e cuja mãe lhe fizera prometer voltar com o escudo ou deitada sobre o escudo. Ou talvez fosse algum Aquiles, que alimentara a própria ira em outra fonte e agora chegava para vingar ou resgatar seu Pátroclo. Este soldado vermelho viu de longe aquele combate desigual – pois o preto tinha quase o dobro do tamanho do vermelho –, aproximou-se rapidamente e ficou de guarda a pouco mais de um centímetro dos combatentes; então, percebendo uma oportunidade, postou-se diante do guerreiro preto e começou sua operação perto da base da perna direita da frente, deixando que o oponente escolhesse algum de seus membros; e ali ficaram as três formigas unidas para sempre, como se um novo modo de vínculo que superava todos os tipos de laços e conexões tivesse sido inventado. Não seria de espantar que a essa altura já tivessem suas respectivas bandas de música posicionadas em uma lasca proeminente, e tocassem seus hinos nacionais, para estimular os lentos e alegrar os soldados moribundos. Eu mesmo fiquei, de alguma forma, alvoroçado, quase como se fossem homens. Quanto mais se pensa nisso, menor é a diferença. E certamente não há batalha registrada na história de Concord, pelo menos, quiçá na história dos Estados Unidos, que resistiria por um momento a ser comparada com esta, seja no número de envolvidos, seja no patriotismo e no heroísmo demonstrados. Em números absolutos e em carnificina, foi uma Austerlitz ou uma Dresden.[58] Batalha de Concord! Dois mortos no lado dos patriotas, e Luther Blanchard ferido![59] Ora, aqui cada formiga foi um Buttrick – "Fogo! Pelo amor de Deus, fogo!" –, e milhares tiveram a sina de Davis e Hosmer.[60] Aqui não havia nenhum mercenário. Não tenho dúvida de que lutaram por um princípio, tanto quanto nossos ancestrais, e não para evitar uma taxa de três vinténs sobre seu chá; e os resultados desta batalha serão tão importantes e memoráveis para aqueles nela envolvidos quanto os da batalha de Bunker Hill, no mínimo.[61]

Peguei a lasca onde as três formigas que descrevi em particular ainda lutavam, levei-a para dentro de casa e coloquei-a embaixo de um copo virado no peitoril da janela, para acompanhar a luta. Aproximando um microscópio do primeiro soldado vermelho, vi que, embora persistisse em roer a pata dianteira do inimigo, depois de lhe decepar a última antena, seu peito estava todo ferido, expondo toda entranha que ali houvesse à mandíbula do guerreiro preto, cuja couraça era aparentemente muito grossa para ele perfurar; e os carbúnculos negros dos olhos da vítima brilhavam com uma ferocidade que só a guerra seria capaz de provocar. Lutaram mais meia hora embaixo do copo, e quando voltei a olhar, o soldado preto havia decapitado seus inimigos, e as cabeças ainda com vida estavam penduradas uma de cada lado de seu corpo, como troféus macabros em sua sela, aparentemente ainda atracadas com a mesma firmeza, e ele próprio continuava a lutar já sem forças, estando sem antenas e só com

---

58. Nas Guerras Napoleônicas, 2 de dezembro de 1805 e 26 a 27 de agosto de 1813, totalizando mais de 80 mil mortos.

59. Tocador de pífano das tropas americanas, primeiro ferido na batalha contra os ingleses, em 19 de abril de 1775, em Concord.

60. O major John Buttrick liderou quinhentos americanos contra os ingleses, que abriram fogo primeiro. Os capitães Isaac Davis e David Hosmer foram os dois únicos americanos mortos nessa batalha.

61. Vitória pírrica dos ingleses, que perderam mais de mil homens contra os americanos, em 17 de junho de 1775.

o resto de uma perna, e não sei quantos outros ferimentos, para se livrar deles; o que enfim, passada outra meia hora, ele conseguiu fazer. Ergui o copo, e ele saiu pelo peitoril naquele estado, alquebrado. Se ele sobreviveu ao combate, e passou o resto de seus dias em algum *Hôtel des Invalides*, não sei dizer; mas não creio que serviria para muita coisa dali em diante. Nunca descobri qual exército saiu vitorioso, nem o motivo da guerra; mas fiquei pelo restante daquele dia como se tivesse os sentimentos alvoroçados e angustiados por ter testemunhado a luta, a ferocidade e a carnificina de uma batalha humana diante da minha porta.

Kirby e Spence contam que as batalhas das formigas são há muito tempo celebradas e suas datas, registradas, embora digam também que Huber é o único autor moderno que parece tê-las testemunhado. "Aeneas Sylvius", eles dizem, "depois de fazer um relato das circunstâncias de uma batalha que fora travada com grande obstinação por uma espécie grande e uma pequena sobre o tronco de uma pereira", acrescenta que "tal combate se deu no pontificado de Eugênio IV, na presença de Nicolau Pistoriensis, eminente advogado, que relatou toda a história da batalha com a maior fidelidade." Embate similar entre formigas grandes e pequenas é registrado por Olaus Magnus, que diz que as pequenas, saindo vitoriosas, enterraram os corpos dos próprios soldados, mas deixaram os inimigos gigantescos para serem comidos pelos pássaros. Esse acontecimento se deu antes da expulsão do tirano Cristiano II da Suécia. A batalha que testemunhei ocorreu na presidência de Polk,[62] cinco anos antes da Lei do Escravo Fugitivo de Webster.[63]

Muitos perdigueiros da vila, que só conseguiam caçar tartaruga em porão, vinham balançar seus traseiros pesados nos bosques, sem que os donos soubessem, e inofensivamente farejavam antigas tocas de raposa e buracos de marmota; talvez atraídos por um vira-lata esguio que se acostumara a andar pelo mato e pudesse ainda inspirar um terror natural em seus conterrâneos – agora muito atrás de seu guia, latindo como um touro canino para um pequeno esquilo que subira na árvore para observar, e

---

62. 1845-1849.

63. Em 1850, a lei americana passou a permitir que o senhor perseguisse escravos do sul refugiados nos estados do norte.

então saíra correndo, dobrando os arbustos com seu peso, imaginando que estivesse no rastro de algum gerbo extraviado. Uma vez fui surpreendido ao ver um gato caminhando pela margem pedregosa do lago, pois gatos raramente se aventuram tão longe de casa. A surpresa foi mútua. Não obstante, até a gata mais doméstica, que passou deitada todos os seus dias, parece muito à vontade no bosque e, mesmo dissimulada e furtiva, revela-se mais natural ali do que os moradores habituais. Certa vez, colhendo mirtilos, encontrei uma gata com os filhotes no bosque, bastante selvagem, e todos eles, como a mãe, eriçaram os pelos do dorso e fungaram ferozmente para mim. Alguns anos antes de eu ir morar no mato, havia o que chamavam de uma "gata com asas" em uma das casas de fazenda mais próximas do lago em Lincoln, a gata do senhor Gilian Baker. Quando fui vê-la, em junho de 1842, ela tinha ido caçar no bosque, como costumava fazer (não lembro ao certo se era macho ou fêmea, então continuarei com o pronome mais comum em inglês), mas a dona me contou que ela tinha aparecido havia pouco mais de um ano, em abril, e acabou finalmente sendo adotada pela casa; que tinha o pelo cinza-amarronzado escuro, com uma mancha branca no pescoço, e patas brancas, e um rabo grande e cheio como um rabo de raposa; que no inverno seu pelo ficou espesso e penso dos lados, em tiras de vinte, trinta centímetros de comprimento e mais de cinco de espessura, e embaixo do queixo se formou como um regalo de pele, com a parte de cima solta e a de baixo compacta como feltro, e na primavera esses apêndices tinham caído. Ela me deu um par de "asas" da gata, que tenho até hoje. Não há nada semelhante a membrana nessas asas. Alguns achavam que era um cruzamento de esquilo voador com algum outro animal selvagem, o que não é impossível, pois, segundo os naturalistas, os híbridos produzidos pela união da marta com o gato doméstico eram férteis.[64] Esse seria o tipo certo de gato para mim, se eu tivesse gato; pois por que não seria também o gato do poeta alado como seu cavalo?

No outono, a mobelha (*Colymbus glacialis*) vinha, como de costume, trocar as penas e se banhar no lago, fazendo os bosques ecoarem com

---

64. Thoreau segue nesse engano Richard Harlan em *Fauna Americana: Being a Description of the Mammiferous Animals Inhabiting North America* (1825).

sua risada selvagem antes de eu acordar. Ao rumor de sua chegada, todos os caçadores do Mill Dam entram em alerta, em carroças ou a pé, aos duos ou trios, com seus rifles e balas cônicas e lunetas. Eles chegam farfalhantes através dos bosques como as folhas outonais, pelo menos dez homens para cada mobelha. Alguns param deste lado do lago, alguns daquele, pois a pobre ave não pode ser onipresente; se mergulhar aqui, deverá sair lá. No entanto agora soprou o bom vento de outubro, farfalhando as folhas e arrepiando a superfície da água, de modo que não se vê nem se ouve mais a mobelha, mesmo que seus inimigos vasculhem o lago com suas lunetas, e façam ribombar os bosques com seus disparos. As ondas aumentam generosamente e estouram irritadas, tomando o partido das aves aquáticas, e nossos caçadores precisam bater em retirada para a cidade e seus comércios e negócios interrompidos. Contudo, eram muitas vezes bem-sucedidos. Quando eu ia buscar um balde de água de manhã bem cedo, costumava ver a altiva ave sobrevoar minha enseada, a dez metros de mim. Se eu tentava abordar a mobelha em um bote, para ver como manobrava, ela mergulhava e sumia completamente, para que eu não mais voltasse a vê-la, algumas vezes até o final daquele dia. Porém na superfície eu levava vantagem sobre a mobelha. Geralmente ela fugia na chuva.

Quando eu remava pela margem norte numa tarde muito calma de outubro, pois especialmente nesses dias elas ficam nos lagos, como painas, depois de procurar em vão alguma que fosse, de repente uma delas nadou submersa da margem até a alguns metros do bote, onde soltou sua risada selvagem e se traiu. Tentei remar em sua direção, e ela mergulhou, mas ao vir à tona estava mais perto de mim do que antes. Ela mergulhou de novo, mas interpretei mal a direção que a mobelha tomaria, e dessa vez, quando voltou à superfície, ela estava a uns duzentos e cinquenta metros de mim, pois também ajudei a aumentar essa distância; e novamente ela gargalhou por muito tempo, muito alto, e com mais razão que antes. A mobelha manobrava com tanta astúcia, que não consegui chegar a menos de trinta metros dela. A cada vez, quando voltava à superfície, virando a cabeça para lá e para cá, esquadrinhava de maneira altiva água e terra, e aparentemente escolhia seu curso de maneira a sair onde havia a mais vasta extensão de água e à maior distância do bote. Era surpreendente como a mobelha se decidia depressa e depressa punha essa decisão em prática. Levou-me logo ao trecho mais largo do lago, e de lá não saiu mais. Enquanto ela pensava uma coisa em seu cérebro, eu tentava adivinhar o pensamento da mobelha no meu. Era uma bela caçada, jogada na superfície lisa do lago, homem *versus* mobelha. De repente a peça do adversário sumia embaixo do tabuleiro, e o problema era posicionar a sua o mais perto possível de onde ela voltaria a aparecer. Às vezes a mobelha surgia de surpresa atrás de mim, aparentemente tendo passado por debaixo do bote. Tinha tanto fôlego e era tão incansável que surgia muito longe e mesmo assim tornava imediatamente a mergulhar; e então não havia espírito que adivinhasse onde naquele lago profundo, sob a superfície lisa, estaria deslizando veloz como um peixe, pois a mobelha tinha tempo e condições de visitar o leito do lago em seu trecho mais profundo. Dizem que mobelhas foram fisgadas em lagos de Nova York a quase vinte e cinco metros da superfície, com anzóis de truta – embora o Walden seja mais profundo que isso. Que surpresa deve ser para os peixes ver aquela visitante desajeitada de outra esfera avançar em meio a seus cardumes! No entanto, a mobelha parece saber seu curso tanto dentro quanto fora d'água, e nada bem mais depressa submersa. Uma ou duas vezes vi uma ondulação se formar onde a mobelha se aproximava da superfície; ela só punha a cabeça para reconhecer o local, e instantaneamente tornava a mergulhar. Descobri que tanto fazia se eu descansasse os remos e esperasse a mobelha reaparecer ou se tentasse calcular onde ela ressurgiria; pois diversas vezes, quando eu forçava a vista para procurar a mobelha de um lado do lago, de repente era surpreendido por sua gargalhada sobrenatural atrás de mim. Mas por que afinal, depois de demonstrar tanta astúcia, a mobelha invariavelmente se traía no momento em que emergia com aquela gargalhada alta? Seu peito branco já não era revelador o suficiente? Era de fato uma mobelha boba, pensei. Em geral eu a ouvia patinhar na água quando emergia e, portanto, assim, também a detectava. Contudo, depois de uma hora nisso, ainda parecia disposta como nunca, mergulhando com vigor, e nadando mais longe que a princípio. Era surpreendente ver como a mobelha ressurgia serena das águas sem sequer eriçar as penas do peito, fazendo tudo aquilo com o trabalho dos pés membranosos. Seu canto usual era essa gargalhada demoníaca, embora algo semelhante ao das outras aves aquáticas; mas de quando em quando, depois de se esquivar de mim com sucesso e surgir lá adiante, a mobelha emitia um uivo longo e sobrenatural, provavelmente mais semelhante ao uivo de um lobo do que ao de qualquer outra ave, como quando o animal aponta o focinho para o chão e deliberadamente uiva. Esse era o *mobelhar* – talvez o som mais selvagem jamais ouvido por aqui, fazendo ecoar os bosques mais remotos. Concluí que a mobelha gargalhava zombando dos meus esforços, confiante em seus próprios recursos. Embora o céu nessa hora já estivesse carregado, o lago estava tão liso que eu podia ver onde ela emergia mesmo sem conseguir ouvi-la. O peito branco, o ar parado, a água lisa, tudo estava contra a mobelha. Enfim, quando emergiu a mais de duzentos e cinquenta metros do meu bote, ela soltou um daqueles uivos longos, como se chamasse o deus das mobelhas em seu auxílio, e imediatamente um vento leste soprou e arrepiou a água, e encheu o ar de chuva e neblina, e fiquei impressionado como se a oração da mobelha tivesse sido atendida, e o deus das mobelhas estivesse irritado comigo; e assim deixei que escapasse na superfície agitada do lago.

Durante horas, nos dias de outono, eu ficava observando o zigue--zague sinuoso dos patos, que ocupavam o meio do lago, longe dos caçadores; truques que teriam menos necessidade de praticar nos pântanos da Louisiana. Quando compelidos a voar, eles às vezes ficavam rodeando o lago a uma altura considerável, de onde podiam ver facilmente os outros lagos e o rio, como manchas pretas no céu; e quando eu achava que já tinham ido embora dali havia muito tempo, vinham em um voo rasante de uns quatrocentos metros até um trecho distante que estivesse livre; porém não sei o que mais além de segurança obtinham no meio do Walden, a não ser que amem suas águas pelo mesmo motivo que eu.

AQUECIMENTO[65]

Em outubro fui colher uvas nas várzeas do rio, e voltei carregado de cachos mais preciosos por sua beleza e fragrância do que pelo gosto. Lá também admirei, embora sem colher, os mirtilos, pequenas gemas de cera, pingentes da relva das várzeas, perolados e vermelhos, que o agricultor arranca com feioso ancinho, deixando a várzea emaranhada, medindo-a descuidadamente apenas em balaios e dólares, e vende o resto dos frutos para Boston e Nova York; destinados a virar geleia, para satisfazer o gosto dos amantes da natureza de lá. É assim o açougueiro que arranca a língua do bisão da relva da pradaria, sem se importar com o resto da planta estraçalhada e caída. A uvinha azul espinhosa e brilhante era também meramente alimento para os meus olhos; mas fiz um pequeno estoque de maçãs silvestres para cozinhar, que o proprietário e os viajantes desdenharam. Quando as castanhas estavam maduras, reservei meio balaio para o inverno. Era muito excitante naquela estação percorrer o bosque aberto dos castanhais de Lincoln – hoje dormentes sob a ferrovia – com um saco no ombro e uma vara para abrir ouriços, pois nem sempre esperava a geada, em meio às folhas farfalhantes e à ruidosa censura do esquilo e da gralha, cujos frutos mordiscados eu às vezes roubava, pois naqueles que escolhiam sempre havia castanhas graúdas. De quando em quando eu subia na castanheira e balançava seus galhos. Cresciam também atrás da minha casa, e uma castanheira grande, que praticamente a cobria de sombra, era, quando florida, um buquê que perfumava toda a região, mas os esquilos e as gralhas

---

65. *House-warming*, no original, refere-se tanto à festa de inauguração da casa como ao aquecimento para o inverno.

ficavam com a maior parte dos frutos; e como as gralhas vinham em bando de manhã bem cedo e bicavam as castanhas para fora dos ouriços antes que caíssem, deixei-as para elas e fui visitar outros bosques mais distantes e compostos inteiramente de castanheiras. Essas castanhas, enquanto duravam, eram boas substitutas para o pão. Muitos outros substitutos podem, talvez, ser encontrados. Cavando um dia atrás de minhocas, descobri uma corda de batatas-da-terra (*Apios tuberosa*) entre as raízes, a batata dos aborígines, uma espécie de fruto fabuloso, que eu já começava a duvidar se algum dia tinha mesmo visto e comido na infância, como diziam que eu tinha, ou se havia sonhado. Muitas vezes tinha visto sua aveludada flor dobrada, avermelhada, sustentada nos caules de outras plantas, sem saber que era ela mesma. As lavouras haviam quase acabado com ela. Tem um gosto adocicado, muito parecido com o da batata na geada, e achei melhor cozida que assada. O tubérculo parecia uma remota promessa da natureza de criar e alimentar simplesmente seus filhos ali em algum momento futuro. Nestes tempos de gado de engorda e campos de trigo ondulantes, esta humilde raiz, que foi outrora totem de uma tribo indígena, está bem esquecida, ou é conhecida apenas por suas extremidades floridas; mas deixe que a natureza volte a reinar aqui mais uma vez, e os tenros e luxuriantes grãos ingleses provavelmente desaparecerão diante de uma miríade de inimigos, e sem os cuidados do homem o corvo poderá levar de volta até a última semente de milho ao grande milharal do deus índio do sudoeste, de onde dizem que ele trouxe a primeira; mas a hoje quase extinta batata-da-terra talvez venha a reviver e florescer apesar das geadas e dos descasos, e se prove nativa, e retome a importância e a dignidade antigas de dieta da tribo caçadora. Alguma Ceres ou Minerva indígena há de ter sido a sua inventora e doadora; e quando o reino da poesia começar aqui, suas folhas e sua corda de frutos talvez sejam representadas nas nossas obras de arte.

Já no 1º de setembro, vi dois ou três bordos pequenos que ficaram escarlates do outro lado do lago, embaixo de onde os troncos brancos de três álamos se bifurcavam, na altura de um promontório, junto à água. Ah, quantas histórias suas cores contavam! E aos poucos, a cada semana, um personagem de cada árvore foi se revelando, e se admirando no espelho liso do lago. A cada manhã o curador dessa galeria trocava um quadro velho por um novo, distinto por um colorido ainda mais vivo e harmonioso, em suas paredes.

As vespas vieram aos milhares à minha cabana em outubro, como residência de inverno, e se estabeleceram nas minhas janelas e no alto das paredes, às vezes impedindo visitas de entrar. Toda manhã, quando ainda estavam anestesiadas pelo frio, eu varria algumas para fora, mas não me dava ao trabalho de me livrar delas; sentia-me até lisonjeado por considerarem minha casa um abrigo desejável. Jamais me incomodaram seriamente, embora dormissem comigo; e aos poucos desapareceram, não sei por que frinchas, fugindo do inverno e do frio indizível.

Como as vespas, antes de finalmente me instalar para o inverno em novembro, eu costumava ficar na margem nordeste do Walden, onde o sol, refletido nos pinhais e na margem pedregosa, fazia do lago uma lareira; é muito mais aprazível e saudável se aquecer ao sol enquanto é possível do que com fogo artificial. Assim me aquecia com as brasas ainda quentes que o sol, como um caçador que foi embora, deixou para trás.

Quando fui construir minha lareira, estudei alvenaria. Meus tijolos, sendo de segunda mão, precisaram ser limpos com uma espátula, de modo que aprendi mais do que imaginava sobre as qualidades de tijolos e espátulas. A argamassa entre os tijolos tinha cinquenta anos, e parecia ter ficado mais dura a cada ano; mas isso é uma dessas coisas que as pessoas gostam de dizer mesmo não sendo verdade. São dizeres que se grudam e eles mesmos endurecem e ficam mais aderidos com a idade, e são necessários muitos golpes de colher para limpar um desses pedantes. Muitas cidades da Mesopotâmia foram construídas com tijolos de segunda mão de qualidade muito boa, obtidos das ruínas da Babilônia, e o cimento neles é ainda mais antigo e provavelmente mais duro. Seja como for, fiquei impressionado com aquela dureza de aço que suportou tantos golpes violentos sem se desgastar. Como meus tijolos tinham sido parte de outra lareira, embora eu não tenha visto o nome de Nabucodonosor escrito em nenhum deles, reuni o máximo de tijolos de lareira que pude encontrar, para poupar trabalho e evitar desperdício, e preenchi os espaços entre os tijolos da lareira com pedras da margem do lago, e também a minha argamassa fiz com a areia branca do mesmo lugar. O que levou mais tempo para fazer foi a lareira, parte mais vital da casa. Na verdade, demorei porque quis, tanto que comecei do chão de manhã, e a fileira que ergui, de alguns centímetros, me serviu de travesseiro à noite; embora não tenha ficado obstinado e com torcicolo por isso, que eu me lembre; minha obstinação e meu torcicolo são mais antigos. Hospedei um poeta por quinze dias nessa época, o que me obrigou a usar aquele espaço da lareira para acolhê-lo. Ele trouxe a própria faca, embora eu tivesse duas, e costumávamos enfiá-las na terra para limpar. Ele dividiu comigo os trabalhos de cozinha. Fiquei contente ao ver minha obra se erguer, reta e sólida, aos poucos, e refleti que, se procedesse lentamente, era provável que durasse muito tempo. A lareira é em certa medida uma estrutura independente, erguida na terra e subindo com sua chaminé através da casa para o céu; às vezes, mesmo depois de incendiada a casa, ela ainda está de pé, e sua importância e sua independência ficam evidentes. Isso foi perto do fim do verão. Então estávamos em novembro.

O vento norte já havia começado a esfriar o lago, embora tenham sido necessárias várias semanas de sopro constante para conseguir, de tão fundo que é. Quando comecei a acender o fogo à noite, antes de rebocar minha casa, a chaminé levava a fumaça especialmente bem, pois havia ainda muitas frestas entre as tábuas. No entanto passei noites alegres naquela cabana fresca e arejada, cercado pelas tábuas marrons cheias de nós, e caibros ainda com casca sobre a minha cabeça. Minha casa nunca mais foi tão agradável aos meus olhos depois de rebocada, embora eu fosse obrigado a admitir que ficou mais confortável. Qualquer ambiente habitado pelo homem não deveria ser amplo o suficiente para criar alguma obscuridade sobre sua cabeça, onde sombras oscilantes possam brincar ao anoitecer em meio às vigas rústicas? São formas mais agradáveis à fantasia e à imaginação do que os afrescos pintados e a mais cara mobília. Só então comecei a habitar minha casa, por assim dizer, quando passei a usá-la para me aquecer além de me abrigar. Arranjara um par de cães de lareira de ferro para apoiar a lenha acima do chão, e fiquei contente ao ver a fuligem se formar no fundo da lareira que eu mesmo construí, e aticei o fogo com mais direito e mais satisfação que o usual. Minha casa era pequena, e mal se formava um eco dentro dela; mas parecia maior por ser um único ambiente e isolada de vizinhos. Todas as atrações de uma casa se concentravam em um cômodo; era cozinha, quarto, sala de visita, sala de estar; e qualquer que seja a satisfação que um pai ou um filho, um patrão ou um empregado tiram de morar em uma casa, eu desfrutei de todas. Catão diz, o pai de família (*patrem familias*) deve ter em sua casa no campo "*cellam oleariam, vinariam, dolia multa, uti lubeat caritatem expectare, et rei, et virtuti, et gloriae erit*", ou seja, "uma adega para azeite e vinho, muitos barris, para que pelo menos seja agradável esperar tempos difíceis; seria uma vantagem, uma virtude e uma glória para ele". Eu tinha um barril de batatas, uns dois quilos de ervilhas com caruncho, e no armário um pouco de arroz, um vidro de melado, e farinha de centeio e de milho, um celamim de cada.

Às vezes, sonho com uma casa maior e mais populosa, erguida em uma era de ouro, com materiais duradouros, e sem rococós, que ainda deverá consistir de um único cômodo, um vasto, rústico, essencial e primitivo salão, sem forro no teto ou reboco, com caibros e vigas nuas sustentando uma espécie de céu baixo sobre as cabeças – útil para proteger da chuva e da neve, onde vigas e traves mestras se mostram para receber sua homenagem, quando você reverencia o prostrado Saturno de uma dinastia mais antiga ao transpor a soleira; uma casa cavernosa, na qual seria preciso erguer uma tocha na ponta de um mastro para enxergar o teto; onde alguns possam viver na lareira, alguns no recesso de uma janela, e alguns em bancos ou arcas, alguns em uma extremidade do salão, outros na outra, e alguns no alto das vigas com as aranhas, se quiserem; uma casa na qual você entre quando abre a porta que dá para fora, e a cerimônia se encerra; onde o viajante cansado possa se lavar, e comer, e conversar, e dormir, interrompendo a viagem; um abrigo que você ficaria contente de encontrar em uma noite de tempestade, contendo tudo o que é essencial em uma casa, e nada que exija serviços domésticos; onde você poderá ver todos os tesouros da casa com um único olhar, e tudo estar pendurado em seu prego, para que a pessoa possa usar; ao mesmo tempo cozinha, despensa, saleta, quarto, sótão e porão; onde você poderá ver coisas muito necessárias, como um barril ou uma escada, coisas convenientes como um armário, e ouvir a panela ferver, e saudar respeitosamente o fogo que cozinha o seu jantar, e o forno que assa o seu pão, e os móveis e utensílios necessários são os principais ornamentos; onde a roupa limpa não seja estendida fora, nem o fogo se apague, nem se veja sua senhora, e talvez lhe peçam para sair de cima do alçapão, quando o cozinheiro precisar descer para o porão, e assim ficará sabendo se o chão é sólido ou oco por baixo sem precisar bater o pé. Uma casa cujo interior seja tão aberto e manifesto quanto o ninho de uma ave, e não se possa entrar pela porta da frente ou sair pela dos fundos sem ver alguns de seus moradores; onde ser hóspede é ser apresentado à liberdade da casa, e não ser excluído cuidadosamente de sete oitavos dela, trancafiado em uma cela particular, onde lhe dizem para ficar à vontade – em confinamento solitário. Hoje em dia o anfitrião não admite mais você na lareira *dele*, mas mandou o pedreiro construir outra para você no *seu* corredor, e a hospitalidade é a arte de mantê-lo o mais distante possível. Há tanto segredo sobre a culinária, como se ele tivesse a intenção de envenená-lo. Sei que já entrei em muitas propriedades, e talvez delas pudesse ter sido legalmente expulso, mas não me lembro de ter estado em muitas casas. Eu poderia visitar com minhas roupas velhas um rei e uma rainha que vivessem simplesmente em uma casa como a que descrevi, se um dia eu passasse por lá; mas a única coisa que desejarei aprender será como sair de costas de um palácio moderno, se um dia for preso em algum.

Aparentemente, a própria linguagem de nossas salas de estar perdeu sua tensão e degringolou em um parlatório total, tamanha a distância entre nossa vida e seus símbolos, e tão rebuscadas são suas metáforas e seus tropos, através de tantos elevadores e bandejas; em outras palavras, a sala de estar fica longe demais da cozinha e da oficina. O jantar mesmo é apenas a parábola de um jantar, em geral. Como se apenas o selvagem morasse perto o suficiente da natureza e da verdade para delas emprestar um tropo. Como o erudito, que mora longe, no Território Noroeste ou na Ilha de Man, poderá dizer o que é polido na cozinha?

No entanto, apenas um ou dois hóspedes tiveram coragem de ficar e dividir comigo o mingau; mas, quando viram se aproximar a crise, bateram em retirada, como se aquele mingau fosse capaz de abalar as fundações da própria casa. Contudo ela resistiu a muitos mingaus.

Só reboquei a casa depois que o frio começou a ficar congelante. Busquei um pouco da areia mais branca e mais limpa da margem oposta do lago em um bote, transporte que teria me levado muito mais longe se necessário. Minha casa, nesse ínterim, foi coberta de telhas e ripas de madeira de cima a baixo. Ao pregar as ripas, fiquei contente com minha capacidade de enfiar um prego inteiro com uma única martelada, e minha intenção era transferir a massa do chão para a parede de maneira prática e rápida. Lembrei-me da história de um sujeito presunçoso que, com roupas elegantes, costumava outrora perambular pela vila, dando conselhos aos operários. Arriscando-se certa vez a trocar as palavras por atos, ele arregaçou as mangas, pegou uma desempenadeira e, enchendo a espátula de massa, olhou complacente para as ripas pregadas acima de sua cabeça e fez um gesto ousado de arremesso; e instantaneamente, para seu total constrangimento, deixou cair todo o conteúdo nos babados da camisa. Passei a admirar de novo a economia e a conveniência do reboco, que tão efetivamente afasta o frio e dá um belo acabamento, e conheci os diversos contratempos a que o pedreiro está sujeito. Fiquei surpreso com a sede dos tijolos ao beber toda a umidade da minha massa antes que eu pudesse vir com a desempenadeira e alisá-la, e aprendi com quantos baldes de água se batiza uma lareira. No ano anterior, eu havia feito uma pequena quantidade de cal, queimando conchas de lapas, *Unio fluviatilis*, que nosso rio fornece, só pelo experimento; de modo que eu sabia de onde vinham meus materiais. Eu poderia ter arranjado um bom calcário a dois ou três quilômetros dali e ter feito a queima eu mesmo, se assim o tivesse desejado.

O lago nesse ínterim havia formado uma crosta nas enseadas mais sombreadas e mais rasas, alguns dias ou mesmo semanas antes do congelamento geral. O primeiro gelo é especialmente interessante e perfeito, sendo duro, escuro e transparente, e enseja a melhor oportunidade de todas para examinar o fundo na parte rasa; pois você pode se deitar sobre o gelo de apenas dois centímetros e meio, como um inseto patinador na superfície da água, e estudar o fundo como bem lhe aprouver, a menos de cinco centímetros de distância, como um quadro atrás de um vidro, e a água então necessariamente é mais lisa. Há muitos sulcos na areia, onde alguma criatura passou e voltou pelo mesmo caminho; e, à guisa de naufrágios, está juncada de grumixás de larvas de joão-pedreiro, cheios de minúsculos grãos de quartzo branco. Talvez as larvas tenham aberto os sulcos, pois se viam alguns grumixás dentro dos sulcos, embora fossem fundos e largos demais para terem sido feitos por elas. Entretanto o gelo em si é o objeto de maior interesse, e portanto se deve aproveitar a primeira oportunidade para estudá-lo do início. Se você observar de perto na manhã seguinte ao congelamento, descobrirá que a maior parte das bolhas, que a princípio parecem estar dentro do gelo, choca-se contra a face interna da crosta; e outras mais estão vindo do fundo sem cessar; enquanto o gelo já está comparativamente sólido e escuro, isto é, você consegue ver a água através dele. Essas bolhas têm entre um milímetro e meio e três milímetros de diâmetro, são muito claras e bonitas, e você pode ver seu rosto refletido nelas através do gelo. Deve haver trinta ou quarenta delas em seis centímetros quadrados. Há também dentro da espessura do gelo bolhas estreitas e oblongas perpendiculares de cerca de um centímetro de comprimento, cones agudos com o ápice para cima; ou com mais frequência, se o gelo é bem recente, minúsculas bolhas esféricas diretamente uma em cima da outra, como um fio de contas. Mas estas dentro do gelo não são tão numerosas nem tão óbvias quanto aquelas que vêm por baixo. Às vezes eu ficava jogando pedras para ver a força do gelo, e aquelas que conseguiam atravessar levavam ar consigo, que produzia muitas bolhas brancas e enormes debaixo do gelo. Um dia quando voltei ao mesmo lugar quarenta e oito horas depois, descobri que aquelas bolhas grandes ainda estavam intactas e perfeitas, embora tivessem se formado mais uns três centímetros de gelo, que eu podia ver distintamente na espessura de um bloco que cortei. Mas como os últimos dois dias tinham sido muito quentes, como um veranico, o gelo agora não estava mais transparente, revelando o verde-escuro da água e o fundo, mas opaco e esbranquiçado ou cinzento, e, embora duas vezes mais espesso, não estava mais firme que antes, pois as bolhas de ar haviam se expandido muito naquele calor e se aproximado, e perdido a regularidade; já não estavam mais apinhadas, mas talvez como moedas prateadas despejadas de uma bolsa, uma se sobrepondo à outra, ou em camadas finas, como se ocupassem fendas estreitas. A beleza do gelo tinha passado, e era tarde demais para estudar o fundo. Curioso para saber a posição que as minhas bolhas enormes ocupavam em relação ao gelo recente, cortei um bloco que continha uma bolha média, e virei com o fundo para cima. O gelo recente se formara em torno e embaixo da bolha de tal maneira que ela estava incluída entre os dois gelos. A bolha estava inteiramente no gelo de baixo, mas perto do gelo de cima ficava achatada, ou talvez um tanto lenticular, com uma borda arredondada de uns seis milímetros, e dez centímetros de diâmetro; e fiquei surpreso ao descobrir que bem embaixo da bolha o gelo derretera com grande regularidade na forma de um prato emborcado, com altura de um centímetro e meio no centro, deixando um limite tênue entre a água e a bolha, com uns três milímetros de espessura no máximo; e em muitos pontos as bolhas menores desse limite tinham explodido para baixo, e provavelmente não havia gelo nenhum sob as bolhas maiores, de trinta centímetros de diâmetro. Inferi que aquela infinidade de bolhas minúsculas a princípio vistas contra a face inferior da superfície do gelo estava agora igualmente congelada, e que cada uma das bolhas, em sua própria escala, havia funcionado como uma lente que concentrara a luz até derreter e destruir o gelo. São pequenas armas de ar que contribuem para fazer o gelo rachar e ranger.

Enfim o inverno se instalou em definitivo, assim que terminei o reboco, e o vento começou a uivar em volta da casa como se não tivesse recebido permissão para soprar até aquele momento. Noite após noite os gansos vinham serrando o escuro com o clangor e o zunido das asas, mesmo depois que o chão ficou coberto de neve, alguns pousando no Walden, e alguns sobrevoando os bosques rumos a Fair Haven, com destino ao México. Várias vezes, voltando da vila às dez ou onze da noite, ouvi os gritos de um bando de gansos, ou patos, nas folhas secas do bosque junto à margem do lago vizinha à minha casa, onde vinham comer, e o remoto grasnido ou gracitar do líder enquanto se afastavam. Em 1845, o Walden congelou inteiramente pela primeira vez na noite de 22 de dezembro, dez ou mais dias depois que o Flint e os outros lagos mais rasos e o rio já haviam congelado; em 1846, dia 16; em 1849, por volta do dia 31; e em 1850, por volta do dia 27 de dezembro; em 1852, dia 5 de janeiro; em 1853, dia 31 de dezembro. A neve já cobria o chão desde 25 de novembro, e me cercou de repente com o cenário do inverno. Retirei-me ainda mais para dentro da minha concha, e tentei manter o fogo aceso tanto dentro de casa quanto dentro do meu peito. Minha atividade fora de casa era agora recolher madeira morta na floresta, trazer com as mãos e nos ombros, ou às vezes arrastar um pinheiro derrubado embaixo de cada braço até a cabana. Uma velha cerca na floresta, que já vira melhores dias, foi meu grande butim.

Sacrifiquei-a a Vulcano, pois já não servia ao deus Término. Como é mais interessante o jantar de um homem que enfrentou a neve para caçar, ou melhor, talvez, roubar a lenha que usará para prepará-lo! Seu pão e sua carne são deliciosos. Há gravetos e lenha descartada suficientes de todos os tipos nas florestas da maioria das nossas cidades para alimentar muitos fogos, mas que no presente não aquecem ninguém, e, segundo alguns, atrasam o crescimento dos novos bosques. Havia ainda a madeira flutuante no lago. Durante o verão, eu tinha encontrado uma jangada de toras de pinheiro com casca, amarradas pelos irlandeses quando a ferrovia foi construída. Essas eu puxava às vezes quando vinham até a margem. Depois de boiar por dois anos e então descansar seis meses na margem ainda eram perfeitamente sólidas, embora encharcadas demais para secar totalmente. Entretive-me um dia de inverno fazendo deslizar essas madeiras pelo lago, quase meia milha, patinando atrás com uma ponta de um tronco de quatro metros e meio no ombro, e a outra no gelo; ou amarrava diversas toras juntas com casca de bétula, e depois, com uma bétula ou um amieiro mais comprido com um gancho na ponta, arrastava todas. Ainda que completamente encharcadas e quase tão pesadas como chumbo, elas não só queimavam por mais tempo como faziam também um fogo muito quente; ora, pensei que queimassem melhor por causa da água, como se a resina, retida pela água, queimasse por mais tempo, como um lampião.

Gilpin, em seu relato sobre os moradores dos limites florestais da Inglaterra, diz que "a usurpação dos invasores e as casas e cercas assim erguidas nos limites da floresta" eram "consideradas grandes inconveniências pela antiga lei florestal, e eram severamente punidas sob o nome de *grilagem*, na medida em que tendiam *ad terrorem ferarum – ad nocumentum forestae* etc." a assustar a caça e a deteriorar a floresta. Mas meu interesse era a preservação da fauna e da flora mais do que os caçadores ou lenhadores, e nesse sentido era como se eu fosse o próprio lorde Warden, o guardião da floresta de Sua Majestade, em pessoa; e se alguma floresta era incendiada, mesmo que eu tivesse provocado o acidente, eu sofria com uma tristeza que durava mais e era mais inconsolável até do que a dos proprietários; ora, eu sofria quando eles mesmos as derrubavam. Quisera que os nossos proprietários quando derrubam uma floresta sentissem um pouco daquele temor reverente que os antigos romanos sentiam quando desbastavam, para que a luz penetrasse, um horto sagrado (*lucum conlucare*), ou seja, que acreditassem ser consagrado a um deus. Os romanos faziam uma oferenda expiatória, e rezavam: Quem quer que sejas, deus ou deusa, és a quem este horto é consagrado, sê favorável a mim, minha família e meus filhos etc.

É notável o valor conferido ainda hoje à madeira mesmo nesta época e nesta região nova, um valor mais permanente e universal que o atribuído ao ouro. Apesar de todas as nossas descobertas e invenções, aqui ninguém passa indiferente por uma pilha de lenha. A madeira é tão preciosa para nós quanto era para nossos ancestrais saxões e normandos. Se eles fizeram dela seus arcos, com ela fazemos nossas espingardas. Michaux,[66] mais de trinta anos atrás, disse que o preço da lenha para aquecimento em Nova York e na Filadélfia "é quase o mesmo, e às vezes maior, que o da melhor lenha em Paris, embora esta imensa capital consuma anualmente mais de um milhão de metros cúbicos de lenha, e seja cercada por quinhentos quilômetros de planícies cultivadas". Aqui na cidade o preço da lenha aumenta quase constantemente, a única questão sendo quão mais cara ficará em relação ao ano passado. Os artesãos e comerciantes vêm pessoalmente à floresta com esse fim específico, de certamente comparecer ao leilão dos bosques, e até pagam mais caro pelo privilégio de recolher primeiro os restos do lenhador. Lá se vão muitos anos que o homem recorre à floresta como combustível e material de suas artes: nativos da Nova Inglaterra e da Nova Holanda, parisienses e celtas, o camponês e Robin Hood, a Goody Blake e o Harry Gill de Wordsworth; em quase todas as partes do mundo o príncipe e o plebeu, o erudito e o selvagem igualmente precisam de alguns gravetos da floresta para se aquecer e preparar a comida. Tampouco eu poderia passar sem ela.

Todo homem olha para sua pilha de lenha com certa afeição. Adoro ter a minha diante da janela, e quanto mais lenha, melhor eu me lembrava de como era agradável meu trabalho. Tive um velho machado sem dono, com o qual às vezes no inverno, do lado ensolarado da casa, eu brincava com os tocos que tirara de meu campo de feijões. Como profetizou o meu colega enquanto eu puxava o arado, a madeira esquenta duas vezes, uma quando você racha lenha e depois quando está no fogo, de modo que nenhum outro combustível aquecia tanto. Quanto ao machado,

---

66. Naturalista francês, 1770-1855.

aconselharam que eu fosse ao ferreiro da vila para "afiar"; mas não me fiei nisso, e, acoplando-lhe um galho de nogueira, ele voltou a funcionar. Se estava cego, pelo menos estava firme.

Alguns pedaços de pinheiro resinoso eram um grande tesouro. É interessante agora lembrar quanto desse alimento para o fogo ainda resta escondido nas entranhas da terra. Anos antes, eu costumava ir "prospectar" em uma encosta erma, onde outrora havia um pinhal deles, e trouxera raízes desse pinheiro. Elas são quase indestrutíveis. Tocos de trinta ou quarenta anos, pelo menos, ainda estarão sólidos no cerne, embora a seiva tenha virado húmus vegetal, como parece pelas escamas de cortiça grossa formando uma gradação de anéis com a terra a dez ou doze centímetros do coração da madeira. Com um machado e uma pá, você explora essa mina, e segue o veio cor de tutano, amarelado como banha de boi, ou como se você encontrasse ouro, no fundo da terra. Mas geralmente eu acendia o fogo com folhas secas da floresta, que guardara no depósito atrás da casa antes de começar a nevar. Lascas finas de nogueira verde é o que usam os lenhadores para acender o fogo, quando acampam no bosque. De vez em quando eu também fazia assim. Quando começavam a acender o fogo na vila, além do horizonte, eu avisava aos vários moradores selvagens do vale do Walden, pela fumaça saindo da minha chaminé, que eu também estava acordado.

> *Fumaça de asa leve, icária ave,*
> *Derretida pluma em pleno voo,*
> *Cotovia silente, mensageira da aurora,*
> *Rodeando aldeias como fossem ninhos;*
> *Ou sonho perdido, forma sombria*
> *De visão noturna, levantando saias;*
> *À noite velando estrelas, de dia*
> *Sombreando a luz e manchando o sol;*
> *Vai, meu incenso, sobe da minha lareira,*
> *E aos deuses pede perdão pela chama clara.*

A madeira verde recém-cortada, embora eu usasse pouca, atendeu ao meu propósito melhor que qualquer outra. Às vezes, deixava o fogo alto quando saía para caminhar nas tardes de inverno; e quando eu voltava, três ou quatro horas depois, ainda estava aceso e brilhante. Minha casa não ficava sozinha quando eu saía. Era como se eu deixasse um alegre caseiro. Ali morávamos eu e o fogo; e geralmente meu caseiro se mostrava confiável. Um dia, contudo, enquanto eu rachava lenha, resolvi espiar pela janela e ver se a casa não estava pegando fogo; foi a única vez que me lembro de ter ficado especialmente aflito a esse respeito; então olhei e vi que uma fagulha tinha pulado na minha cama, e entrei e apaguei a fagulha, que havia queimado uma área do tamanho da minha mão. Mas minha casa ocupava uma posição tão ensolarada e protegida, e seu teto era tão baixo, que eu podia me dar ao luxo de deixar o fogo apagar ao meio-dia em praticamente qualquer dia de inverno.

As toupeiras fizeram ninho em meu porão, roendo uma em cada três batatas, e fazendo uma cama aconchegante com restos de crinas e pelos usados no reboco e papel pardo; pois até os animais mais selvagens amam o conforto e o calor como o homem, e sobrevivem ao inverno apenas porque são cuidadosos em garantir que disponham de ambos. Alguns dos meus amigos falavam como se eu tivesse ido para o mato com o propósito de morrer congelado. O animal faz apenas uma cama, que ele aquece com seu corpo, dentro de um lugar coberto; mas o homem, depois que descobriu o fogo, encaixota um pouco de ar em um espaçoso apartamento, e o aquece, em vez de tirar calor de si mesmo, faz ali sua cama, onde ele pode se mover desprovido de roupas pesadas, conservando uma espécie de verão em pleno inverno, e através de janelas até admite a luz, e com uma lâmpada aumenta a extensão do dia. Assim ele avança um ou dois passos além do instinto, e poupa um pouco de tempo para as belas-artes. Contudo, se, quando me expunha por longo tempo às mais rudes rajadas, todo o meu corpo começava a ficar anestesiado, quando voltava à atmosfera acolhedora de minha casa, logo recuperava minhas faculdades e prolongava minha vida. Mas nem o homem mais luxuosamente instalado tem qualquer coisa de que se gabar a esse respeito, tampouco precisamos nos dar ao trabalho de especular como a raça humana poderia enfim ser destruída. Seus fios seriam facilmente cortados a qualquer momento com uma rajada do norte um pouco mais forte. Nós seguimos marcando as datas das sextas-feiras geladas e das grandes nevascas; mas uma sexta-feira um pouco mais fria ou uma nevasca um pouco maior poriam um ponto final na existência do homem no planeta.

No inverno seguinte, usei um pequeno forno para economizar, uma vez que eu não era o dono da floresta; mas o forno não mantinha o fogo aceso tão bem quanto a lareira aberta. Então cozinhar, na maioria das vezes, deixou de ser um processo poético, e passou a ser um meramente químico. Logo se esquecerá, nessa época de fornos, que costumávamos assar batatas nas brasas, à maneira indígena. O forno não só ocupava espaço e deixava cheiro na casa, como escondia o fogo, e senti como se tivesse perdido um companheiro. Sempre se pode enxergar um rosto no fogo. O lavrador, olhando para o fogo à noite, purifica seus pensamentos da escória e da mundanidade acumuladas durante o dia. Porém eu já não podia mais me sentar e ficar olhando para o fogo, e as pertinentes palavras de uma poetisa me voltaram com nova força.

Jamais, clara chama, me seja negada
Tua querida, vivificante, íntima simpatia.
O que senão minha esperança subia e brilhava?
O que senão minha sorte tanto à noite sucumbia?

Por que foste banida de nossos lares,
Tu que és bem-vinda e amada por todos?
Seria tua existência fantasiosa demais
Para a luz comum das nossas vidas opacas?
Teu brilho misteriosamente se correspondia
Com as nossas almas afins? Segredos muito ousados?
Estamos seguros e fortes, pois agora nos sentamos
Diante de um fogo onde não se agita nenhuma sombra,
Onde nada se alegra ou entristece, mas a chama
Aquece pés e mãos — e a nada mais aspira;
Junto à compacta pilha utilitária
Todos podem sentar e dormir,
Sem temer que conosco os fantasmas do passado
À luz desigual da velha fogueira conversem.[67]

---

67. Mrs. Hooper, Ellen Sturgis Hooper (1812-1848). "The Wood-Fire", publicado com variações no jornal transcendentalista *The Dial* (1840).

ANTIGOS MORADORES;
E VISITAS DE INVERNO

Passei nevascas felizes, e animadas noites de inverno junto ao fogo, enquanto a neve rodopiava loucamente lá fora, e calava até o uivo do mocho. Por muitas semanas, não encontrei ninguém em minhas caminhadas além daqueles que vinham eventualmente para cortar lenha e levar de trenó até a vila. Os elementos, no entanto, aliciaram-me a fazer uma trilha em meio à neve mais alta no bosque, pois, quando eu passava, o vento soprava as folhas de carvalho no meu caminho, onde foram se alojando e absorvendo os raios do sol que derreteram a neve e, portanto, não só fizeram um leito para os meus pés como à noite essa linha negra foi minha guia. Para ter algum convívio social, fui obrigado a conjurar os antigos ocupantes desses bosques. Na memória de muitos de meus conterrâneos, a estrada próxima da minha casa ressoava com a gargalhada e a tagarelice dos moradores, e a mata que a bordejava era aqui e ali juncada de pequenas hortas e cabanas, embora fosse na época muito mais isolada dentro da floresta do que hoje. Em alguns lugares, segundo minha própria lembrança, os pinheiros raspavam dos dois lados da carroça, e as mulheres e as crianças, que eram obrigadas a ir dali até Lincoln sozinhas e a pé, iam com medo, e acabavam correndo boa parte do trajeto. Ainda que basicamente fosse um caminho singelo entre vilas vizinhas, ou para grupos de lenhadores, entretinha o viajante mais do que hoje por sua variedade, e durava mais em sua recordação. Onde hoje campos abertos se estendem da vila aos bosques, na época era um pântano de bordos sobre uma fundação de toras, cujos resquícios, sem dúvida, continuam por baixo da atual estrada poeirenta, de Farm Stratton, hoje a fazenda do Asilo de Pobres, até Brister's Hill.

A leste do meu campo de feijões, do outro lado da estrada, morava Cato Ingraham, escravo de Duncan Ingraham, advogado, cavalheiro, da vila de Concord, que construiu uma casa para seu escravo e lhe deu permissão de ir viver nos bosques de Walden – Cato, não o Catão Uticensis, mas o Concordiensis. Há quem diga que ele era um negro da Guiné. Poucos se lembram de sua terrinha entre as castanheiras, que ele deixou crescer até ficar velho e precisar delas; mas um especulador mais jovem e mais branco comprou-as por fim. Este também, no entanto, ocupa uma estreita casa hoje em dia. Metade do buraco do porão de Cato ainda existe, embora poucos o conheçam, pois fica escondido do viajante por uma franja de pinheiros. Hoje o porão está cheio de sumagres (*Rhus glabra*), e uma das mais antigas espécies de vara-de-ouro (*Solidago stricta*) cresce ali com exuberância.

Aqui, no canto exato do meu campo, ainda mais perto da cidade, Zilpha, uma negra, tinha sua casinha, onde costurava para o povo da vila, fazendo os bosques de Walden ecoarem com sua cantoria estridente, pois ela tinha uma voz alta e notável. Enfim, na guerra de 1812, sua cabana foi incendiada por soldados ingleses, prisioneiros em condicional, quando ela não estava, e seu gato e seu cachorro, e suas galinhas, todos morreram queimados. Ela teve uma vida dura, e algo desumana. Um antigo frequentador dessas matas lembra que, quando passava pela casa dela ao meio-dia certa vez, ouviu-a murmurar consigo mesma sobre o caldeirão borbulhante: "Só tem osso, osso e mais osso!". Encontrei tijolos em meio ao arvoredo de carvalhos por lá.

Seguindo pela estrada, pela direita, em Brister's Hill, morava Brister Freeman, "um negro faz-tudo", outrora escravo do juiz Cummings – ali onde ainda estão as macieiras que Brister plantou e cuidou; hoje árvores grandes e antigas, mas com maçãs ainda selvagens e cidrosas para o meu gosto. Não faz muito tempo li seu epitáfio no velho cemitério de Lincoln, pequeno, a um canto, perto das sepulturas anônimas dos granadeiros ingleses que caíram na retirada de Concord – onde está gravado "Sippio Brister" – Cipião Africano, ele poderia ter se chamado –, "um homem de cor", como se ele tivesse manchas coloridas. Dizia também, com ênfase impressionante, quando ele tinha morrido; o que era apenas uma forma indireta de dizer que ele tinha vivido. Com ele vivia Fenda, sua simpática esposa, que lia a sorte, mas por brincadeira – volumosa, curvilínea, e negra, mais negra do que qualquer criatura da noite, uma orbe escura como nunca houve outra em Concord desde então.

Descendo mais a colina, à esquerda, na estrada antiga do bosque, há ruínas da mansão da família Stratten; cujo pomar um dia cobriu todos os aclives de Brister's Hill, mas que há muito tempo foi morto pelos pinheiros, com exceção de alguns cepos, cujas velhas raízes ainda fornecem as mudas de muitas árvores prósperas da vila.

Ainda mais perto da cidade, você chega ao lugarejo de Breed, do outro lado, no limite do bosque; região famosa pelas diabruras de um demônio não distintamente nomeado da antiga mitologia, que desempenhou papel proeminente e espantoso em nossa vida na Nova Inglaterra, e merece, como qualquer personagem mitológico, ter sua biografia escrita um dia; que a princípio vem disfarçado de um amigo ou de um empregado, e então rouba e mata a família inteira – o Rum da Nova Inglaterra. Porém a história não deverá revelar as tragédias aqui encenadas; que o tempo intervenha em alguma medida para atenuá-las e dotá-las de tons mais azuis. Aqui a tradição mais indefinida e dúbia diz que houve uma taberna; que, assim como um poço, temperava a bebida do viajante e refrescava seu corcel. Aqui os homens se cumprimentavam, e ouviam e contavam as novidades, e seguiam novamente seu caminho.

Apenas doze anos atrás, a cabana do Breed ainda estava de pé, embora estivesse desocupada havia muito tempo. Tinha mais ou menos o tamanho da minha. Foi incendiada por meninos travessos, se não me engano, em uma noite de eleição. Na época eu morava no limite da vila, e tinha acabado de mergulhar no *Gondibert* de Davenant,[68] naquele inverno em que trabalhei com letargia – o que, por falar nisso, nunca soube se devia considerar um problema de família, tendo um tio que pega no sono ao se barbear, e que mandam ir arrancar os brotos das batatas no porão aos domingos, para continuar acordado e respeitar o dia santo, ou uma consequência da minha tentativa de ler a antologia de poesia inglesa de

---

68. Poema épico inglês de William Davenant (1651).

Chalmers sem pular nenhum volume.[69] Isso praticamente derrotou meus Nervos.[70] Eu tinha acabado de entrar de cabeça nisso quando os sinos tocaram avisando do incêndio, e no calor da pressa as bombas de água foram levadas naquela direção, por uma tropa dispersa de homens e meninos, e eu entre aqueles, pois já havia saltado o riacho. Pensamos que fosse mais ao sul dos bosques – nós que já havíamos corrido atrás de incêndio antes –, um celeiro, um comércio, uma residência, ou tudo isso junto. "É o celeiro do Baker", alguém gritou. "É na terra do Codman", afirmou outro. E então novas centelhas subiram acima do bosque, como se um telhado houvesse desabado, e todos berramos: "Vamos pedir ajuda em Concord!". Carroças passaram correndo com furiosa velocidade e chacoalhando suas cargas, trazendo, talvez, entre tantos, o agente da companhia de seguros, que tinha de ir mesmo que fosse longe; e de quando em quando o sino dos bombeiros tocava lá atrás, mais lento e seguro; e mais atrás de tudo, como depois se sussurrou, chegaram aqueles que haviam causado o incêndio e dado o alarme. Assim continuamos como verdadeiros idealistas, rejeitando a evidência dos nossos sentidos, até que na curva da estrada ouvimos os estalidos e sentimos efetivamente o calor do fogo do outro lado da parede, e nos demos conta, ai!, de que estávamos mesmo ali. A proximidade do fogo arrefeceu um pouco nosso ardor. A princípio pensamos em usar a água de uma poça; mas resolvemos deixar queimar, de tão avançado que estava o incêndio, pois seria inútil. Então ficamos ali parados em volta de nossa bomba de água, acotovelando-nos, expressamos nossos sentimentos aos quatro ventos, ou em voz baixa nos referimos às grandes conflagrações que o mundo já havia testemunhado, inclusive a loja do Bascom, e, entre nós, pensamos que se tivéssemos chegado a tempo com nossa "banheira" e se houvesse um espelho d'água por perto teríamos conseguido concretizar a ameaça definitiva e universal de um segundo dilúvio. Finalmente recuamos sem fazer nenhum mal – voltei a dormir e ao Gondibert. Mas do Gondibert eu só salvaria aquela passagem

---

69. Alexander Chalmers reuniu obras de Chaucer a Cowper em 21 volumes, publicados em 1810.

70. Trocadilho; *Nervii*, ou nérvios, eram uma tribo belga derrotada por César, aludida por Antônio na peça de Shakespeare *Júlio César* (ato 3, cena 2).

do prefácio sobre a presença de espírito como a pólvora da alma – "porém a maior parte da humanidade a ignora, como os índios a pólvora".

Por acaso, fui caminhar naquela direção, atravessando os campos, na noite seguinte, por volta do mesmo horário, e, ouvindo um gemido baixo vindo de lá, aproximei-me no escuro, e encontrei o único sobrevivente da família que eu conhecia, herdeiro de seus vícios e virtudes, único interessado naquele incêndio, deitado de bruços e olhando, por sobre a parede do porão, para as brasas ainda vivas lá embaixo, murmurando consigo mesmo, como era de seu feitio. Ele estivera trabalhando muito longe na várzea do rio, o dia inteiro, e aproveitara a primeira oportunidade para visitar a casa da família e de sua juventude. Ficou observando o porão por todos os lados e posições alternadamente, sempre deitado ali, como se houvesse algum tesouro, de que se lembrava, escondido entre as pedras, onde não havia absolutamente nada além de uma pilha de tijolos e cinzas. Destruída a casa, ele ficou olhando para o que havia restado dela. Sentiu-se aliviado pela solidariedade que a minha mera presença ali sugeria, e me mostrou, tão bem quanto foi possível naquela escuridão, onde ficava a cisterna coberta; que, graças aos céus, jamais pegaria fogo; e ele se esgueirou junto à parede até encontrar a cegonha que seu pai havia entalhado e encaixado, tateando em busca do gancho de ferro ou grampo fixado à extremidade mais pesada – era a única coisa em que podia se pendurar agora – para me convencer de que não era uma "picota" qualquer. Segurei-a nas mãos, e ainda me lembro dela quase diariamente em minhas caminhadas, pois dela dependia a história de uma família.

Continuando, à esquerda, onde se vê um poço e arbustos de lilás junto ao muro, no que hoje é um campo aberto, viviam Nutting e Le Grosse. Mas voltemos para Lincoln.

Mais longe no meio do mato do que qualquer um desses, onde a estrada parece mais próxima do lago, Wyman, o poteiro, se instalou, e forneceu a seus conterrâneos suas cerâmicas, e deixou descendentes que o sucederam. Nem ficaram ricos em bens materiais, mal conseguindo pagar pela terra enquanto viveram; e muitas vezes o xerife vinha em vão coletar impostos, e "apreendia uma apara de madeira", por pura formalidade, tal como li em seus boletins, uma vez que não havia mais nada lá em que pudesse pôr as mãos. Um dia, em pleno verão, quando eu estava colhendo feijões, um homem levando um carregamento de cerâmicas para a feira parou

☙ 225 ☙

seu cavalo junto ao meu campo e perguntou do filho do Wyman. Muito tempo atrás ele havia comprado dele um torno de cerâmica, e queria saber por onde andaria o sujeito. Eu já havia lido sobre o barro do oleiro e suas rodas nas Escrituras,[71] mas jamais me ocorrera que os potes e panelas que usamos não fossem os mesmos, intactos, daqueles dias, ou julgava crescerem em árvores como dizem que há abóboras algures, e fiquei contente ao saber que uma arte tão plástica pudesse ser praticada na minha vizinhança.

O último morador desses bosques antes de mim foi um irlandês, Hugh Quoil (se soletrei seu nome com volteios suficientes),[72] que vivia no lote do Wyman – coronel Quoil, como era chamado. Diziam que tinha sido soldado em Waterloo. Se ainda estivesse vivo, eu o faria lutar novamente todas as suas batalhas. Seu trabalho aqui era abrir valas. Napoleão teve Santa Helena; Quoil teve os bosques de Walden. Tudo que sei dele é trágico. Era um homem refinado, como alguém que conheceu o mundo, e tinha a capacidade de fazer discursos cívicos que as pessoas mal conseguiam acompanhar. Usava sobretudo em pleno verão, sofrendo de *delirium tremens*, e seu rosto era vermelho-carmim. Morreu na estrada aos pés de Brister's Hill pouco depois de eu vir morar no mato, de modo que não me lembro dele como vizinho. Antes de derrubarem sua casa, quando seus companheiros a evitavam como "um castelo assombrado", eu a visitei. Lá estavam as roupas amarfanhadas pelo uso, como se fossem ele mesmo, sobre sua cama alta. O cachimbo quebrado na lareira, à guisa de cântaro despedaçado na fonte. Esta jamais poderia ter sido símbolo de sua morte, pois ele me confessou um dia que, embora tivesse ouvido falar da fonte de Brister, nunca tinha visto tal fonte; e cartas sujas, reis de ouros, espadas e copas, estavam espalhadas no chão. Uma galinha preta que o administrador não conseguiu capturar, negra e silenciosa como a noite, sequer cacarejava; esperando Reynard, a raposa, ainda se empoleirava no cômodo ao lado. Nos fundos, via-se na penumbra a silhueta de uma horta, plantada mas jamais colhida, devido àqueles terríveis ataques de tremedeira, embora fosse época da colheita. Estava tomada de losnas e carrapichos, que continuaram pregados às minhas roupas, seus únicos frutos. A

---

71. Jeremias, 18:3-6.

72. Trocadilho; *coil* significa "mola" ou "serpentina". Hugh Coyle (*c.* 1784-1845).

pele de uma marmota ainda estava esticada atrás da casa, um troféu de sua última Waterloo; mas ele não precisaria mais nem de gorro, nem de luva.

Hoje apenas um declive na terra marca o lugar dessas casas, com pedras de porões soterrados, e morangos, framboesas, amoras, avelaneiras e sumagres crescendo no trecho ensolarado; pinheiros e carvalhos-anões ocupam a antiga lareira, e talvez uma bétula negra de perfume adocicado ondule sua copa onde era a soleira da entrada. Às vezes é possível ver o declive do poço, onde um dia houve uma nascente; hoje um mato seco e sem vida; ou o poço coberto – só descoberto bem mais tarde – com uma pedra achatada, quando o último da raça partiu. Que gesto triste deve ser – cobrir poços!, coincidente com a abertura de poços de lágrimas. Esses declives, como tocas de raposa abandonadas, velhos buracos, foram tudo o que restou onde havia o alvoroço e a agitação da vida humana, "destino, livre-arbítrio, presciência absoluta", de alguma forma, em um dialeto ou outro, foram ali alternadamente discutidos. Mas tudo o que sei de suas conclusões se resume a simplesmente o seguinte: que "Cato e Brister tosquiavam ovelhas"; algo quase tão edificante quanto a história das mais famosas escolas filosóficas.

Ainda cresce o lilás exuberante uma geração depois que a porta e a verga e o batente desapareceram, revelando suas flores de perfume adocicado a cada primavera, para ser colhido pelo viajante absorto; outrora plantado e cuidado por mãos de crianças, nos jardins da frente de casa – hoje rente às cercas de ermas pastagens, e dando lugar a novas florestas –; o último de sua estirpe, único sobrevivente de sua família. As crianças mulatas nem imaginavam que a pequena muda, só dois olhos, que enfiaram no chão na sombra da casa e regaram todo dia, vingaria tão bem assim, e sobreviveria a elas, e que fosse se alojar na sombra dos fundos, e cobrir o jardim e o pomar dos adultos, e contar a história delas discretamente a um andarilho solitário meio século depois de terem crescido e morrido – com flores tão lindas, e perfume tão doce como naquela primeira primavera. Guardo suas cores ainda tenras, delicadas, álacres, lilases.

Mas esta pequena vila, germe de algo mais, por que fracassou enquanto Concord manteve seu território? Não havia nenhuma vantagem natural – nenhum privilégio sobre a água, quem sabe? Sim, o profundo lago Walden e a água fresca de Brister's Spring – tive o privilégio de beber longos e saudáveis tragos das duas, desdenhado por aqueles que só as usavam para diluir suas aguardentes. Eles sempre foram universalmente uma raça de beberrões. Por que aqui não prosperaram as artes da cestaria, dos vimes, das vassouras, dos tapetes, da culinária do milho, da tecelagem do linho, da cerâmica, fazendo o ermo exultar e florescer como a rosa,[73] permitindo que numerosos descendentes herdassem a terra dos pais? O solo estéril ao menos teria impedido a degradação da várzea? Ai!, quão pouco a lembrança desses moradores humanos agrega à beleza da paisagem! Mais uma vez, talvez a natureza faça outra tentativa, tendo a mim como primeiro colono, e minha casa erguida na primavera passada seja a mais antiga do lugarejo.

Não sei de ninguém que tenha jamais construído no local que eu ocupo. Longe de mim uma cidade construída no lugar de outra mais antiga, cujos materiais são ruínas e os jardins, cemitérios. A terra ali é calcinada e amaldiçoada, e antes que nos dermos conta a própria terra estará destruída. Com tais reminiscências repovoei os bosques e embalei meu sono.

Nessa época eu raramente tinha visitas. Quando a neve ficava mais alta, nenhum andarilho se aventurava perto da minha casa por uma ou duas semanas, mas eu vivia ali aconchegante como um rato na toca, ou como a vaca e a galinha, que dizem sobreviver muito tempo embaixo de neve, mesmo sem comer nada; ou como a família daquele antigo colono da cidade de Sutton, neste estado, cuja casa fora completamente coberta pela Grande Nevasca de 1717, quando ele não estava, e um índio encontrou ao reparar no buraco da chaminé em meio à neve, e assim soltou a família. Porém nenhum índio amigo se preocupou comigo; nem precisaria, pois o dono da casa estava lá. A Grande Nevasca! Como é excitante ouvir falar dela! Quando os sitiantes não conseguiam chegar aos bosques e pântanos com suas carroças, e foram obrigados a cortar as árvores de sombra diante de suas casas, e quando o gelo endureceu cortaram árvores nos charcos a três metros do chão, como se viu na primavera seguinte.

Com a neve mais alta, a trilha que eu costumava usar da estrada até minha casa, de uns oitocentos metros, podia ser representada por uma si-

---

73. Isaías 35:1.

nuosa linha pontilhada, com longos intervalos entre os pontos. Durante uma semana de tempo firme, dei exatamente o mesmo número de passos, e do mesmo tamanho, indo e vindo, pisando deliberadamente e com a precisão de um compasso nas minhas próprias pegadas profundas – a tal rotina o inverno nos reduz –, que no entanto muitas vezes estavam cheias do azul do próprio céu. Contudo nenhum tempo interferiu fatalmente em minhas caminhadas, ou melhor, em minhas saídas longe de casa, pois frequentemente eu percorria dez, quinze quilômetros através da neve alta para chegar ao meu compromisso com uma faia, ou uma bétula amarela, ou com um pinheiro meu velho conhecido; quando o gelo e a neve faziam seus braços abaixarem, tornando seus topos mais agudos, transformavam os pinheiros em abetos; eu subia até o cume das colinas mais altas atravessando um metro e meio de neve, e sacudia a neve que caía na minha cabeça a cada passo; ou às vezes me arrastava e abria caminho à força até lá, de quatro, quando os caçadores já se haviam recolhido para o inverno. Certa tarde, eu me entretive observando uma coruja cinzenta (*Strix nebulosa*) sentada em um galho seco e baixo de um pinheiro-branco, perto do tronco, em plena luz do dia, a uns cinco metros dela. Ela podia me ouvir quando eu me mexia e fazia ranger a neve com meus pés, mas não conseguia me ver por inteiro. Quando fiz mais barulho, ela esticou o pescoço, e eriçou as penas do pescoço, e abriu bem os olhos; mas suas pálpebras logo tornaram a se fechar, e ela começou a girar só a cabeça. Eu também senti a influência sonífera daquilo depois de ficar assistindo por meia hora, ela ali sentada com os olhos entreabertos, como uma gata, uma irmã alada da gata. Ficava apenas uma fenda estreita entre as pálpebras da coruja, através das quais ela mantinha uma relação peninsular comigo; assim, de olhos quase fechados, com um olhar vindo da terra dos sonhos, tentando me vislumbrar, vago objeto ou mancha que interrompia suas visões. Enfim, diante de algum ruído mais alto ou da minha aproximação, ela ficou inquieta e se virou indiferente em seu poleiro, como que impaciente por ter seus sonhos perturbados; e quando alçou voo através dos pinheiros, revelando uma amplitude inesperada, não ouvi nenhum som de suas asas abertas. Assim, guiada em meio aos pinheiros mais por uma delicada sensibilidade para sua vizinhança do que pela visão, sentindo seu caminho crepuscular, na verdade, com a ponta das asas, ela encontrou um novo galho, onde podia esperar em paz o amanhecer do seu dia.

Enquanto eu ia pela longa trilha feita para a ferrovia através dos prados, encontrei muitos ventos fustigantes e vociferantes, pois em nenhum outro lugar eles brincam mais livres; e quando a geada me acertou por um lado, pagão como eu era, ofereci também a outra face. Tampouco adiantava muito a estrada das carroças vindo de Brister's Hill. Pois continuei indo à cidade, como um índio amigo, quando o conteúdo dos vastos campos abertos se empilhava entre as margens da estrada de Walden, e meia hora bastava para apagar as marcas do último viajante. E, quando eu voltava, novas rajadas se formaram, através das quais me esgueirei, onde o ativo noroeste havia depositado poeira de neve em torno de um ângulo agudo da estrada, e não se via sequer um rastro de coelho, nem mesmo de tipos menores, como o do arganaz. No entanto, raramente deixava de encontrar, mesmo no auge do inverno, algum charco mais quente e primaveril onde o mato e o repolho-gambá ainda brotavam com um verde perene, e alguma ave mais forte eventualmente aguardava a volta da primavera.

Às vezes, não obstante a neve, quando eu voltava da minha caminhada ao anoitecer, cruzava com as pegadas fundas de um lenhador vindo da minha porta, e encontrava uma pilha de lascas de seus entalhes na lareira, e minha casa cheia do odor de seu cachimbo. Ou em uma tarde de domingo, se por acaso eu estava em casa, ouvia o ranger dos passos de um sitiante de testa larga, que vinha de longe através dos bosques até minha casa, para "uma prosa" rápida; um dos poucos de sua vocação que são também "homens do campo"; que usava uma túnica rústica em vez de uma toga professoral, e estava sempre disposto tanto a extrair a moral da igreja ou do Estado quanto a tirar um carrinho de estrume de seu cercado. Conversamos sobre os tempos mais rudes e simples, quando os homens se sentavam no frio diante do fogo, enfrentando o tempo, com as mãos nuas; e na falta de outra sobremesa, testamos nossos dentes em várias nozes que esquilos mais sábios haviam abandonado muito antes, pois aquelas que têm a casca mais dura geralmente estão vazias.

Quem veio de mais longe me visitar, atravessando as neves mais altas e as tempestades mais desoladoras, foi um poeta. Um lavrador, um caçador, um soldado, um repórter, até mesmo um filósofo, talvez se assustassem; mas nada pode deter um poeta, pois ele é movido por amor puro. Quem pode prever seu ir e vir? Os negócios o solicitam a qualquer hora, enquanto até os médicos dormem. Fizemos aquela casinha vibrar com risadas altas e ecoar o murmúrio das conversas sérias, compensando os longos silêncios do vale do Walden. A Broadway pareceria silenciosa e deserta em comparação. A intervalos apropriados, havia salvas regulares de risos, que podiam ser indistintamente a propósito do que acabara de ser dito ou da próxima piada. Formulamos "esfareladíssimas" teorias sobre a vida, dividindo um mingau ralo, que combinava as vantagens do convívio com a sobriedade que a filosofia requer.

Não devo esquecer que durante meu último inverno no lago houve outro visitante bem-vindo, que uma vez veio pela vila, através da neve e da chuva e do escuro, até enxergar meu lampião entre as árvores, e dividiu comigo algumas longas noites de inverno. Um dos últimos filósofos – que Connecticut deu ao mundo –, primeiro tentou vender louça, como ele mesmo diz, depois o próprio cérebro. Este ele ainda vende, elevando Deus e rebaixando o homem, considerando o cérebro seu único fruto, como a noz em sua casca. Acredito que seja a pessoa de maior fé que já encontrei na vida. Suas palavras e sua atitude sempre supõem um estado de coisas melhor do que aquele com que outros homens estão familiarizados; e ele será o último a ficar desapontado com o passar do tempo. Ele não tem nenhum projeto no presente. Porém, embora seja relativamente desconsiderado hoje, quando chegar seu dia, leis insuspeitadas pela maioria entrarão em vigor, e chefes de família e governantes virão procurar seus conselhos.

Como é cego quem não vê a serenidade! [74]

Um verdadeiro amigo dos homens; praticamente o único amigo do progresso humano. Um velho mortal ou, antes, um imortal, com incansáveis paciência e fé, tornando simples a imagem gravada nos corpos dos homens, o Deus de quem não são mais que tortos monumentos sem rosto. Com seu intelecto hospitaleiro, ele abarca crianças, mendigos, loucos, eruditos, e entretém o pensamento de todos, agregando geralmente um tanto de amplitude e elegância. Ele deveria ter um caravançará na estrada da vida, onde filósofos de todos os países poderiam parar, e seu cartaz deveria dizer: "Hospedamos homens, não animais. Entrai se tendes ócio e espírito sereno, se

---

74. Thomas Storer. "Vida e morte de Thomas Wolsey, cardeal" (1599).

sinceramente buscais o caminho verdadeiro". Ele é talvez o homem mais são e menos cheio de caprichos que já tive oportunidade de conhecer; sempre o mesmo, ontem e amanhã. Outrora passeamos e conversamos, e efetivamente deixamos o mundo para trás; pois ele não era associado a nenhuma instituição neste mundo, nascido livre, *ingenuus*. Para qualquer lado que nos virássemos, parecia que o céu e a terra haviam se encontrado, uma vez que ele acentuava a beleza da paisagem. Um homem de azul, cujo teto mais apropriado é a abóbada do céu que reflete sua serenidade. Não consigo imaginar que ele vá morrer um dia; a natureza não pode prescindir dele.

Cada um com alguns tocos de pensamento bem secos, sentamos e ficamos esculpindo-os, experimentando nossas facas, e admirando o grão claro e amarelado do pinheiro-branco. Vadeávamos com tanta delicadeza e reverência aquelas águas, ou remávamos juntos com tanta lisura, que os peixes do pensamento não se assustavam para fora do fluxo, nem temiam nenhum anzol das margens, mas iam e vinham magnânimos, como as nuvens que atravessam o céu ocidental, e as lãs de madrepérola que lá às vezes se acumulam e se dissolvem. Lá trabalhamos, revisamos mitologia, contornando uma fábula aqui e outra ali, e construindo castelos no ar para os quais a terra não oferecia nenhuma fundação confiável. Grande observador! Grande esperançoso!, com quem as conversas eram verdadeiras mil e uma noites da Nova Inglaterra. Ah!, que conversas tivemos, eremita e filósofo, e o antigo colono de que falei – nós três –, elas se expandiram e tomaram minha casinha; não arriscaria dizer quantas libras acima da pressão atmosférica por centímetro quadrado; a casa abriu nos rejuntes, de modo que foi necessário calafetar outra vez para deter o consequente vazamento; mas eu já havia juntado bastante estopa desfiando corda de cânhamo.

Houve outra pessoa com quem tive "sólidas temporadas", que por muito tempo serão lembradas, na casa dele na vila, e que vinha de vez em quando visitar; mas lá não convivi com mais ninguém.

Lá também, como em toda parte, eu às vezes esperava a visita que nunca vem. O Vishnu Purana diz: "O dono da casa deve ficar ao anoitecer em seu quintal o tempo que levaria para ordenhar uma vaca, ou mais se quiser, à espera da chegada de uma visita". Muitas vezes cumpri com esse dever da hospitalidade, esperei o suficiente para ordenhar todo um rebanho de vacas, mas nunca vi ninguém vindo da cidade.

ANIMAIS DE INVERNO

Quando estavam solidamente congelados, os lagos ofereciam não apenas caminhos novos e mais curtos para muitos pontos como também novas visões, a partir da superfície, da paisagem familiar ao redor. Quando atravessei o lago Flint, depois de coberto de neve, embora eu tivesse muitas vezes remado e deslizado nele, achei-o tão inesperadamente largo e estranho que só consegui pensar na baía de Baffin, no Ártico. As colinas de Lincoln se erguiam à minha volta ao final de uma planície nevada, onde eu não me lembrava de ter estado antes; e os pescadores, a uma distância interminável sobre o gelo, que se moviam lentamente com seus cães algo lupinos, faziam as vezes de caçadores de foca, ou esquimós, ou pairavam na névoa difusa como criaturas fabulosas, e eu não sabia se eram gigantes ou pigmeus. Segui por esse caminho quando fui dar uma conferência em Lincoln à tarde, sem passar por nenhuma estrada e nenhuma casa entre minha cabana e a sala da conferência. No lago Goose, que ficava no meu trajeto, havia uma colônia de ratos-almiscarados, que erguiam seus abrigos bem acima do gelo, embora nenhum estivesse ali quando passei. Walden, tendo como os outros lagos normalmente pouca neve, ou apenas rajadas breves e intermitentes, era meu quintal, onde eu podia caminhar livremente, enquanto alhures a neve já passava de meio metro de altura e os moradores estavam confinados às próprias ruas. Ali, longe das ruas da vila e, exceto muito esporadicamente, dos sinos de trenós, deslizei e patinei, como em um vasto terreiro de alces bem batido, coberto por carvalhos e solenes pinheiros pesados de neve ou cristais de gelo.

Os sons das noites de inverno, e muitas vezes dos dias de inverno, era o desamparado mas melodioso canto do mocho indefinidamente distante;

aquele som, como o que a terra congelada emitiria se atingida pelo plectro adequado, a própria *lingua vernacula* do bosque de Walden, e por fim bastante familiar para mim, embora eu jamais visse o mocho enquanto cantava. Era raro abrir minha porta numa noite de inverno e não ouvir; *Hu hu hu-u, hu hu hu-a*, soado sonoramente, e as primeiras três sílabas às vezes se acentuavam de maneira semelhante a um *ooooi*; e às vezes apenas como *hu*. Uma noite, no início do inverno, antes que o lago congelasse, por volta das nove horas, ouvi o grasnido de um ganso, e abrindo a porta ouvi o som de muitas asas batendo, como uma tempestade nos bosques, enquanto voavam por cima da minha casa. Passaram por sobre o lago em direção a Fair Haven, aparentemente distraídos pela minha luz acesa, seu comodoro buzinando o tempo todo o ritmo regular das asas. De repente, um inconfundível jacurutu muito perto de mim, com a voz mais ríspida e tremenda que jamais ouvi de qualquer outro habitante da mata, respondeu a intervalos regulares ao chamado do ganso, como que decidido a expor e rebaixar aquele intruso da baía do Hudson demonstrando a amplitude e o volume vocal de um nativo, e o vaiou para longe do horizonte de Concord. O que você pretende acordando a cidadela a essa hora da noite consagrada a mim? Você pensa que estou sempre cochilando a essa hora, e que eu também não tenho pulmões e laringe como você? *Uuu, uuu, uuu*! Foi uma das discussões mais excitantes que já presenciei. E, no entanto, se você tivesse um bom ouvido, perceberia que havia nela elementos de uma tal concórdia como essas planícies nunca viram nem ouviram.

Ouvi também os gemidos do gelo no lago, meu grande companheiro de quarto naquela parte de Concord, como se estivesse inquieto na cama e quisesse se virar, incomodado como se sofresse de flatulência ou sonhasse; e fui acordado pelos estalidos da geada no chão, como se alguém tivesse trazido uma tropa até minha porta, e pela manhã encontrava uma rachadura na terra de uns quatrocentos metros e quase um centímetro de largura.

Algumas vezes ouvi raposas percorrendo a crosta nevada, em noites enluaradas, procurando uma perdiz ou outra caça, latindo, espasmódicas e demoníacas, como cães da floresta, como se trabalhassem com certa ansiedade, ou tentando se expressar, lutando por luz e para serem cães de uma vez e correrem livremente pelas ruas; pois se levarmos em conta as eras passadas, não poderia ter havido uma civilização entre os animais irracionais assim como entre os homens? Pareciam-me homens rudimentares, entocados, ainda na defensiva, esperando sua transformação. Às vezes uma raposa se aproximava da minha janela, atraída pela minha luz, latia sua vulpina maldição, e então se retirava.

Geralmente, o esquilo vermelho (*Sciurus hudsonius*) me acordava de madrugada, correndo sobre o telhado e subindo e descendo pelas laterais da casa, como se tivesse sido enviado do bosque com esse propósito. Ao longo do inverno, joguei fora meio balaio de espigas de milho-verde, que não tinham amadurecido, na crosta de neve junto à minha porta, e fiquei impressionado ao constatar os movimentos dos vários animais atraídos por aquela isca. No crepúsculo e à noite, vinham regularmente coelhos e faziam uma farta refeição. O dia inteiro iam e vinham os esquilos vermelhos, e me propiciavam grande entretenimento com suas manobras. Um deles se aproximou a princípio receoso por entre os arbustos de carvalho, correndo sobre a crosta de neve, aos surtos e rompantes, como uma folha soprada pelo vento, dando agora alguns passos para lá, com maravilhosa velocidade e dispêndio de energia, atingindo uma velocidade inconcebível com suas "traseiras", como se fosse uma aposta, e agora dando mais tantos passos para cá, mas nunca passando de dois metros e meio por vez; e então parou com uma expressão absurda e deu uma cambalhota gratuita, como se todos os olhos do universo estivessem voltados para ele – pois todos os movimentos do esquilo, mesmo nos mais solitários recessos da floresta, implicam espectadores, como os de uma dançarina –, despendendo mais tempo em hesitações e circunspecções do que seria preciso para percorrer a distância inteira – nunca vi esquilo caminhar –, e então subitamente, antes que eu pudesse dizer Jack Robinson, ele estava no topo de um jovem pinheiro, dando corda em seu relógio e repreendendo os espectadores imaginários, monologando e falando com todo o universo ao mesmo tempo – sem nenhum motivo que eu pudesse detectar, ou de que o próprio esquilo se desse conta, desconfio. Finalmente, ele chegou ao milho, e escolhendo uma espiga apropriada saltitou com a mesma hesitação trigonométrica até o toco mais alto da pilha de lenha, diante da minha janela, de onde me olhou de frente, e ali ficou sentado por horas, de quando em quando indo buscar outra espiga, mordiscando a princípio de maneira voraz e jogando os sabugos seminus para os lados; até que no final ficou ainda mais exigente e começou a brincar com a comida, provando apenas o interior do grão, e a espiga, que estava equilibrada em um graveto por uma das patas, escorregou de seu controle e caiu no chão, quando ele olhou para ela com uma expressão cômica de incerteza, como se desconfiasse de que a espiga tivesse vida própria, entre ir resgatá-la de volta ou buscar outra, ou ir embora; ora pensando em milho, ora prestando atenção para ouvir o que dizia o vento. Assim o despudorado companheirinho desperdiçou muitas espigas em uma manhã; até que por fim, escolhendo uma mais longa e mais cheia, consideravelmente maior que ele mesmo, e equilibrando-a com habilidade, ele foi para o bosque com a espiga, como um tigre com um búfalo, com o mesmo zigue-zague e as mesmas pausas frequentes, arrastando a espiga como se fosse pesada demais para ele, e caindo durante todo o trajeto, e fazendo a cada queda uma diagonal entre uma perpendicular e uma horizontal, mostrando-se decidido a conseguir levá-la a qualquer custo – que sujeito caprichoso, que frivolidade singular –; e então sumia com a espiga lá onde morava, talvez no topo de um pinheiro a duzentos, duzentos e cinquenta metros dali, e mais tarde eu encontraria espigas espalhadas nos bosques em várias direções.

Enfim chegaram os gaios, cujos gritos discordantes eram ouvidos desde muito antes, quando se aproximavam cuidadosamente, a cerca de duzentos metros, voando, furtivos e evasivos, de árvore em árvore, cada vez mais perto, e bicavam as nozes que os esquilos haviam derrubado. Então, pousando em um galho de pinheiro, os gaios tentavam engolir apressadamente nozes grandes demais para sua garganta e engasgavam; e depois de muito esforço conseguiram cuspir, e passaram uma hora tentando abri-las com diversos golpes de seus bicos. Os gaios eram evidentemente bandidos, e não senti muito respeito por eles; mas os esquilos, embora a princípio tímidos, iam ao trabalho como quem come da própria comida.

Nesse ínterim, vieram também os chapins em bando, que, recolhendo as últimas nozes deixadas pelos esquilos, voaram para o galho mais próximo e, segurando com as garras, martelaram com seus biquinhos, como se fosse um inseto na casca da árvore, até as nozes ficarem pequenas o suficiente para suas gargantas estreitas. Um grupo menor desses chapins vinha diariamente escolher o jantar na minha pilha de lenha, ou migalhas junto à minha porta, com seus cicios sutis e breves, como o tilintar de cristais de gelo na relva, ou então com seus agudos *di-di-dis*, ou mais raramente, em dias de primavera, um jovial *fi-bi* vindo da borda da mata. Estavam tão acostumados comigo que um dia um deles pousou em uma braçada de lenha que eu estava levando para dentro de casa, e continuou bicando os tocos sem medo. Uma vez um pardal pousou no meu ombro quando eu estava trabalhando em uma horta na vila, e me senti mais distinto por essa circunstância do que qualquer dragona que pudesse ostentar. Os esquilos também acabaram ficando bastante familiarizados, e às vezes entravam no meu sapato, se estivesse em seu caminho.

Quando o chão ainda não estava inteiramente coberto, e depois perto do final do inverno, quando a neve começou a derreter na colina ao sul e perto da minha pilha de lenha, as perdizes vinham da mata dia e noite se alimentar ali. Em qualquer parte do bosque que você caminhe, a perdiz surge na sua frente agitando as asas, derrubando a neve dos galhos e folhas secas, que caem como uma poeira dourada nos raios de sol, pois esta brava ave não tem medo do inverno. Frequentemente a perdiz fica coberta pela neve, e, dizem, "às vezes se enfia na neve macia, e fica escondida por um dia ou dois". Eu costumava assustá-las também em campo aberto, quando saíam do bosque ao anoitecer para "bicar os brotos" das macieiras selvagens. Elas costumam ir regularmente toda tarde a determinadas árvores, onde o astuto caçador fica esperando perdizes, e assim mesmo os pomares mais distantes junto ao bosque sofrem bastante com isso. Fico contente que a perdiz se alimente, seja como for. É ave da própria natureza que vive de brotos e tônicos dietéticos.

Em manhãs escuras de inverno, ou nas breves tardes invernais, às vezes eu ouvia uma matilha de cães de caça percorrendo os bosques aos uivos e latidos, incapazes de resistir ao instinto da caçada, e de quando em quando, a trompa do caçador, provando que um homem vinha na retaguarda. Os bosques ecoaram outra vez e, no entanto, nenhuma raposa apareceu sobre o lago congelado, nem tampouco havia um bando no encalço de seu Acteão.[75] E talvez ao anoitecer eu veja os caçadores voltando com um único rabo de raposa amarrado ao trenó como troféu,

---

75. Caçador transformado em cervo por Diana – que ele viu tomando banho – e que foi atacado pelos próprios cães de caça.

procurando sua hospedaria. Eles me disseram que se a raposa tivesse ficado escondida dentro da terra congelada estaria segura, ou se corresse em linha reta nenhum caçador de raposas conseguiria alcançá-la; porém a raposa, deixando seus perseguidores muito para trás, parou e descansou e ficou prestando atenção até ouvi-los chegar perto, e quando voltou a correr acabou voltando ao lugar onde estava, só que os caçadores dessa vez ali esperavam por ela. Às vezes, no entanto, ela corre por centenas de metros, saltando muros, e então se afasta muito mato adentro, parecendo saber que a água não conserva seu faro. Um caçador me disse uma vez que viu uma raposa perseguida por cães surgir no Walden, quando o gelo estava coberto de poças rasas, correr parte do caminho sobre o gelo, e voltar para a mesma margem. Logo chegaram os cães, mas haviam perdido o rastro. Às vezes, uma matilha caçando sozinha passava pela minha porta, e os cães ficavam em volta de casa, e latiam e uivavam sem se importar comigo, como que acometidos por uma espécie de loucura, de modo que nada podia dissuadi-los da caçada. E ficaram rodeando até encontrar o rastro mais recente da raposa, pois um sábio cão de caça pode se esquecer de tudo menos disso. Um dia veio um homem à minha cabana, vindo de Lexington, e perguntou se eu tinha visto seu cachorro, perdido atrás de um rastro de raposa, que ficara caçando sozinho durante uma semana. Entretanto não creio que ele tenha saído mais sábio de nossa conversa, pois, toda vez que eu tentava responder as suas perguntas, ele me interrompia perguntando: "Mas afinal o que você veio fazer aqui?". Ele perdera um cão, mas encontrara um homem.

Um velho caçador que tinha a língua seca, que costumava se banhar no Walden uma vez por ano quando a água estava menos fria, e que nessas ocasiões deparou comigo, contou que muitos anos atrás ele pegara sua espingarda uma tarde e saíra pelos bosques de Walden; e quando estava passando pela estrada de Wayland, ouviu o uivo dos cães se aproximando, e de repente uma raposa saltou para o meio da estrada, e rápida como o pensamento pulou para o outro lado da estrada, e sua bala veloz sequer roçou a raposa. Pouco atrás veio uma cachorra com três filhotes em plena perseguição, caçando por conta própria, e sumiram novamente no bosque. Mais para o fim da tarde, quando ele estava descansando nos bosques do sul de Walden, ouviu a voz dos cães bem longe na direção de

Fair Haven ainda atrás da raposa; e lá vinham eles, seus uivos faziam os bosques ecoarem, cada vez mais perto, vindo ora de Well Meadow, ora de Baker Farm. Por um longo tempo, a raposa ficou parada e ouviu sua música, tão doce aos ouvidos de um caçador, quando de repente ela apareceu, percorrendo as aleias solenes com um passo sereno, cujo som era abafado pelo auxílio farfalhante das folhas, veloz e constante, mantendo o ritmo, deixando seus perseguidores muito para trás; e, saltando sobre uma pedra em meio ao bosque, a raposa se sentou ereta e ficou ouvindo, de costas para o caçador. Por um momento, a compaixão deteve a mão deste último; mas foi um sentimento passageiro, e rapidamente, como uma ideia segue a outra, sua espingarda mirou, e – *bang!* – a raposa, caindo da pedra, ficou morta no chão. O caçador manteve sua posição e ficou ouvindo os cães. Lá vinham eles, ainda, e então nos bosques vizinhos ecoou, por todas as aleias, seu uivo demoníaco. Enfim a velha cachorra apareceu com o focinho rente ao chão, mordendo o ar como se estivesse possuída, e correu diretamente para a pedra; mas, vendo a raposa morta, de repente parou de caçar, como que tomada de espanto, e a rodeou em silêncio; e um por um chegaram os filhotes, e como a mãe, assumiram o mesmo silêncio diante daquele mistério. Então o caçador apareceu e parou em meio aos cães, e o mistério foi resolvido. Esperaram em silêncio enquanto ele tirava a pele da raposa, depois correram atrás do rabo por algum tempo, e enfim sumiram novamente no bosque. Naquela tarde, um senhor de Weston veio à cabana de caçadores de Concord perguntar por seus cães, e contou que estavam caçando sozinhos havia uma semana. O caçador de Concord contou tudo o que sabia e lhe ofereceu a pele; mas o outro declinou e foi embora. Ele ainda não tinha encontrado seus cães à noite, mas no dia seguinte ficou sabendo que haviam cruzado o rio e aparecido numa fazenda onde passaram a noite, de onde, depois de alimentados, haviam partido bem cedo pela manhã.

O caçador que me contou isso se lembrava de um tal de Sam Nutting, que costumava caçar ursos em Fair Haven, e trocava as peles por rum na vila de Concord; que lhe disse, até, ter visto um alce por lá. Nutting tinha um famoso cão de caça à raposa chamado Burgoyne – ele pronunciava Bugine –, que meu informante costumava levar emprestado. No "livro de despesas" de um velho comerciante desta cidade, que foi também capitão, funcionário da prefeitura e representante, encontro a seguinte entrada de 18 de janeiro de 1742-43: "John Melven, crédito de uma raposa cinza 0–2–3"; elas não são encontradas na região; e em seu registro de 7 de fevereiro de 1743, Hezekiah Stratton tem um crédito "por meia pele de gato 0–1–4½"; é claro, um gato selvagem, pois Stratton foi sargento na antiga guerra dos franceses, e não teria crédito por caça menos nobre. Há créditos pagos também por peles de cervo, e eram diariamente vendidas. Um sujeito ainda guarda a galhada do último veado morto nessa região, e outro me contou os detalhes de uma caçada em que seu tio tomou parte. Os caçadores foram aqui outrora um grupo numeroso e alegre. Lembro-me bem de um Nimrod, muito magro, que pegava uma folha na beira da estrada e tocava uma canção selvagem e mais melodiosa, se não me falha a memória, do que qualquer trompa de caça.

À meia-noite, quando havia lua, às vezes eu encontrava cães de caça em meu caminho, percorrendo os bosques, que fugiam da minha frente, como que assustados, e ficavam parados em silêncio entre os arbustos enquanto eu passava.

Esquilos e ratos silvestres disputavam minha reserva de nozes. Havia dezenas de pinheiros em volta da minha casa, de dois a dez centímetros de diâmetro, que haviam sido roídos pelos ratos no inverno anterior – um inverno norueguês para eles, pois a nevasca foi longa e forte, e eles precisaram mesclar uma boa quantidade de casca de pinheiro a sua dieta. Esses pinhos estavam vivos e aparentemente florescentes no auge do verão, e muitos deles haviam crescido trinta centímetros, embora completamente anelados; mas depois do inverno seguinte estavam todos, sem exceção, mortos. É notável que um único rato selvagem roa um pinheiro inteiro no jantar, roendo em volta, em vez de subindo e descendo; mas talvez isso seja necessário para espaçar essas árvores, que tendem a crescer aglomeradas.

As lebres (*Lepus americanus*) estavam muito familiarizadas. Uma morou embaixo da minha casa o inverno todo, separada de mim apenas pelo assoalho, e me acordava toda manhã com sua partida apressada antes que eu começasse a me espreguiçar – tum, tum, tum, batendo a cabeça contra as tábuas do assoalho em sua pressa. Elas costumavam vir até minha porta ao anoitecer para mordiscar as cascas de batata que eu jogava fora, e eram quase da mesma cor do chão, de modo que, se ficassem paradas, mal se lhes notava a presença. Às vezes ao crepúsculo eu alternadamente perdia e recobrava a visão de uma lebre sentada imóvel embaixo da minha janela. Quando eu abria a porta ao anoitecer, elas fugiam, guinchando e saltando. Tão próximas de mim, só me despertavam pena. Certa tarde, uma lebre se sentou junto da minha porta a dois passos de mim, a princípio trêmula de medo e, no entanto, pouco disposta a se mover; pobre coisinha, esguia e ossuda, de orelhas tortas e nariz pontudo, rabo curto e patas finas. Parecia que a natureza já não dispunha mais das sementes de sangues mais nobres,[76] mas continuou insistindo até o fim. Seus olhos grandes pareciam jovens e enfermiços, quase vidrados. Dei um passo, e foi o que bastou, lá se foi a lebre com um salto elástico sobre a crosta de neve, estendendo o corpo e as patas em graciosa amplitude, e logo o bosque se interpôs entre nós – o animal selvagem livre, afirmando seu vigor e a dignidade da natureza. Eis o motivo de ser tão magra. Afinal aquela era sua natureza. (*Lepus*, *levipes*, "pés leves", dizem alguns.)

O que é uma terra sem coelhos e perdizes? Eles estão entre os produtos animais mais simples e nativos; famílias antigas e veneráveis os conheceram desde a Antiguidade até os tempos modernos; do próprio matiz e da substância da natureza, aliados mais próximos das folhas e do chão – e uns dos outros; um com asas, outro com pés ligeiros. Dificilmente você dirá que se trata de uma criatura selvagem quando um coelho ou uma perdiz surge no caminho, mas um ser natural, tão esperado quanto o farfalhar das folhas. A perdiz e o coelho ainda deverão prosperar, como verdadeiros nativos da terra, através das revoluções que venham a ocorrer. Se a floresta for derrubada, os brotos e arbustos que nascerem bastarão para ocultar o coelho e a perdiz, e eles se tornarão logo mais numerosos que nunca. Será uma terra, de fato, pobre, aquela que não der sustento sequer a uma lebre. Nossos bosques pululam de ambos, e em volta de cada pântano se pode ver a perdiz e o coelho caminharem, atormentados pelas arapucas de galhos e os fios de crina de cavalo das armadilhas, que alguns jovens vaqueiros deixam em seu caminho.

---

76. Cássio em *Júlio César*, 1:2.

O LAGO NO INVERNO

Depois de uma noite calma de inverno, acordei com a impressão de que alguma pergunta tinha sido feita para mim, que eu vinha tentando em vão responder no sono, como o quê? – como? – quando? – onde? Mas já estava madrugando na natureza, onde todas as criaturas vivem, espiando para dentro da minha ampla janela com seus semblantes serenos e satisfeitos, sem nenhuma pergunta nos lábios. Acordei com uma pergunta respondida, com a natureza e a luz do dia. A neve alta sobre a terra juncada de jovens pinheiros e o próprio aclive da colina onde fica minha casa parecia dizer: Avante! A natureza não faz nenhuma pergunta e não responde nenhuma pergunta feita pelos mortais. Ela já tomou sua decisão há muito tempo. "Ó, príncipe, nossos olhos contemplam com admiração e transmitem à alma o maravilhoso e variado espetáculo deste universo. A noite vela sem dúvida uma parte desta gloriosa criação; mas o dia vem para nos revelar esta grande obra, que se estende da terra até os planos do éter."[77]

Então começava o meu trabalho da manhã. Primeiro eu pegava o machado e o balde e ia buscar água, se não estivesse mesmo sonhando. Após uma noite fria de neve, era preciso uma varinha de rabdomante para encontrar água. A cada inverno, a superfície líquida e trêmula do lago, tão sensível a cada respiração, que refletia todas as luzes e sombras, tornava-se sólida até a profundidade de uns trinta, quarenta centímetros, de modo a suportar as parelhas mais pesadas, e, coberta de neve, mais o mesmo tanto,

---

77. *Harivansa, ou Histoire de la famille de Hari.* Traduzido para o francês por A. Langlois (1834).

talvez passasse por um campo aberto qualquer. Como as marmotas das colinas da região, ele fecha suas pálpebras e fica dormindo por três meses ou mais. De pé na planície nevada, como em um pasto entre vertentes, abro caminho em trinta centímetros de neve, e depois mais trinta de gelo, e abro uma janela embaixo dos meus pés, onde, ajoelhando-me para beber, olho para baixo e vejo a pequena saleta dos peixes, invadida pela luz atenuada como através de uma janela no chão de vidro, com seu assoalho de areia clara como em pleno verão; ali reina uma serenidade sem ondas, perene, como a do céu âmbar do crepúsculo, correspondente ao temperamento frio e constante de seus habitantes. O céu está sob os nossos pés, assim como acima da nossa cabeça.

De manhã bem cedo, enquanto todas as coisas estão cobertas de geada, os homens saem com suas carretilhas e um farnel magro, e lançam suas linhas através do campo de neve para pescar lúcios e percas; homens rústicos, que instintivamente tinham outras maneiras e confiavam em outras autoridades, diferentes de seus conterrâneos, e que em suas idas e vindas costuraram vilas em regiões que de outra maneira seriam ermas. Eles sentam para comer na margem, sobre folhas secas de carvalho, sábios dos conhecimentos naturais como os cidadãos dos artificiais. Jamais consultam livros, e sabem e conseguem dizer muito menos do que o tanto que fizeram. Dizem não saber nem as coisas que praticam. Eis um deles pescando lúcios com percas adultas como isca. No balde dele, você vê maravilhado um lago no verão, como se ele mantivesse o verão trancado dentro de casa, ou se soubesse seu paradeiro. Deus, como ele pescou aquilo tudo em pleno inverno? Ora, ele vem juntando minhocas de tocos podres desde que a terra congelou, e então pescou. Sua vida se passa mais profundamente na natureza do que os estudos do naturalista podem penetrar; sendo ele mesmo um objeto para o naturalista. Este levanta delicadamente o musgo e a cortiça com a faca em busca de insetos; aquele rachava os tocos ao meio com seu machado, e o musgo e a cortiça voavam longe para todos os lados. Ele ganha a vida tirando cortiça. Um homem assim tem algum direito ao peixe, e amei ver a natureza se manifestar através dele. A perca engole a minhoca, o lúcio engole a perca, e o pescador engole o lúcio; e assim todas as fendas da escala do ser são preenchidas.

Topografia de Thoreau, *Lago Walden, um mapa reduzido*, 1846
(Litografia; prancha original de S. W. Chandler and Bros., Boston)

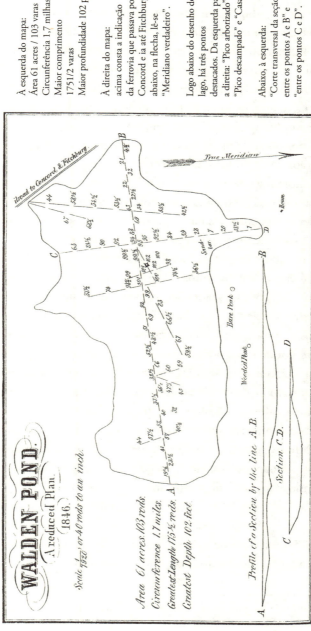

À esquerda do mapa:
Área 61 acres / 103 varas
Circunferência 1,7 milhas
Maior comprimento
175 1/2 varas
Maior profundidade 102 pés

À direita do mapa:
acima consta a indicação
da ferrovia que passava por
Concord e ia até Fitchburg;
abaixo, na flecha, lê-se
"Meridiano verdadeiro".

Logo abaixo do desenho do
lago, há três pontos
destacados. Da esquerda para
a direita: "Pico arborizado",
"Pico descampado" e "Casa".

Abaixo, à esquerda:
"Corte transversal da seção
entre os pontos A e B" e
"entre os pontos C e D".

O desenho original tinha cerca 40 × 53 centímetros. Foi feito em uma escala de 10 varas por polegada, reduzida a 40 varas por polegada para publicação na 1ª edição. O mapa foi reproduzido aqui em tamanho menor, sem quaisquer alterações na figura – e, portanto, sem ajuste de escala.

De acordo com as medidas da época nos Estados Unidos, a conversão aproximada seria: 1 vara – 5029 metros, 1 milha – 1609 metros, 1 polegada – 2,54 centímetros, 1 acre – 4046 metros quadrados.

Quando eu passeava ao redor do lago em meio à neblina às vezes me divertia com os modos primitivos que um pescador mais rústico adotava. Ele tinha enfiado galhos de amieiro em buracos estreitos no gelo, a cada vinte, vinte e cinco metros, a uma mesma distância da margem, e, amarrando uma linha a um toco para evitar que fosse puxada, passou a linha sobre os galhos do amieiro, uns trinta centímetros acima do gelo, e amarrou uma folha seca de carvalho, que, ao ser puxada, mostraria o momento da fisgada. Esses amieiros pairavam na neblina a intervalos regulares enquanto se caminhava, dando a volta no lago.

Ah, lúcios do Walden!, quando os vejo deitados no gelo, ou no poço que o pescador corta no gelo, fazendo um buraquinho para deixar entrar água, fico sempre surpreso com sua rara beleza, como se fossem peixes fabulosos, tão estranhos às ruas, mesmo aos bosques, estrangeiros como a Arábia à nossa vida em Concord. Os lúcios possuem uma beleza bastante impressionante e transcendente que os separa com vasto intervalo dos cadavéricos bacalhaus e hadoques cuja fama é alardeada em nossas ruas. Não são verdes como os pinheiros, nem cinzentos como as pedras, nem azuis como o céu; mas os lúcios têm, aos meus olhos, se possível, cores ainda mais raras, como flores ou pedras preciosas, como se os lúcios fossem as pérolas, os núcleos animalizados ou cristais da água do Walden. Os lúcios são, evidentemente, Walden puro por dentro e por fora; são eles mesmos pequenos Waldens do reino animal, legítimos valdenses.[78] É surpreendente que sejam capturados aqui – que nesta fonte profunda e volumosa, muito abaixo do rumor das parelhas e carroças e dos trenós tilintantes que passam pela estrada de Walden, este grande peixe auriesmeraldino exista e nade. Nunca vi essa espécie de lúcio em nenhum mercado; chamaria a atenção de todos. Facilmente, com alguns espasmos convulsivos, eles entregam seus espíritos aquáticos, como mortais transladados antes do tempo ao ar rarefeito do céu.

Como eu tinha intenção de recuperar o fundo há muito perdido do lago Walden, sondei-o cuidadosamente, antes que o gelo rachasse, no início

---

78. Trocadilho com a doutrina cristã criada por Pedro Valdo no século XII e convertida ao calvinismo em 1532.

de 1846, com bússola, trena e sonda. Muitas histórias foram contadas sobre o fundo, ou a inexistência do fundo, deste lago, que certamente não têm nenhum fundamento. É notável que as pessoas tenham passado tanto tempo acreditando que um lago não tinha fundo sem se dar ao trabalho de sondá-lo. Visitei dois lagos sem fundo desses durante uma caminhada por essa região. Muitos acreditavam que o Walden chegava até o outro lado do globo. Alguns, que deitaram de bruços no gelo por muito tempo, olhando para baixo através daquele meio ilusório, talvez com olhos marejados, e levados a conclusões precipitadas por receio de pegar um resfriado no peito, viram naquelas vastas crateras, "por onde passaria um fardo de feno inteiro", se houvesse quem levasse, a indiscutível fonte do Estige e a entrada das regiões infernais naquela região. Outros trouxeram da vila um "peso de vinte e cinco" e uma carroça cheia de corda, mas nem assim chegaram ao fundo; pois enquanto o peso descansava no caminho, eles continuavam dando corda em vão, na tentativa de medir exatamente, à sua imensurável capacidade de se maravilhar com as coisas. No entanto posso garantir aos meus leitores que o Walden tem um fundo razoavelmente estreito, a uma profundidade também razoável, ainda que não usual. Sondei-o facilmente com linha de pesca e uma pedra de pouco mais de meio quilo, e pude perceber com exatidão o momento em que a pedra saía do fundo, pois precisava puxar com muito mais força até que a água entrasse embaixo da pedra para me ajudar. A maior profundidade foi de exatamente cento e dois pés; aos quais devem ser acrescentados os cinco pés que seu nível subiu desde então, totalizando cento e sete pés. Trinta e dois metros e meio é uma profundidade notável para uma área tão pequena; e cada centímetro aumenta a imaginação. E se todos os lagos fossem rasos? Não haveria uma reação na mente humana? Sou grato por este lago ter sido feito fundo e puro como um símbolo. Enquanto os homens acreditarem no infinito, alguns lagos serão considerados sem fundo.

O dono de uma fábrica, sabendo da profundidade que eu encontrara, achou que não podia ser verdade, julgando a partir de seu conhecimento de diques, que a areia se depositasse em um ângulo tão agudo. Porém os lagos mais fundos não são tão fundos em proporção à área como muitos supõem, e, se dragados, não deixariam vales tão notáveis. Eles não são como xícaras entre as colinas; pois este aqui, que é tão estranhamente profundo para sua área, no desenho da seção vertical em seu centro não é mais fundo que um prato raso. A maioria dos lagos, esvaziados, deixaria uma várzea não muito mais côncava do que costumamos ver. William Gilpin, autor tão admirável em tudo o que se refere a paisagens, e que geralmente está correto, parado junto à nascente do Loch Fyne, na Escócia, que ele descreve como "uma baía de água salgada entre cento e dez e duzentos e vinte metros de profundidade, de uns seis quilômetros e meio de largura" e cerca de oitenta quilômetros de extensão, cercada de montanhas, observou: "Se pudéssemos vê-lo imediatamente após a conflagração do dilúvio, ou qualquer que tenha sido a convulsão da natureza que o gerou, antes que as águas invadissem, que abismo horrendo deveria ser!

> *Alto, como a orla íngreme, arfante,*
> *fundo, como o leito vasto, anfractuoso,*
> *espaçoso leito de águas.*[79]

Mas se, usando o diâmetro menor do Loch Fyne, aplicarmos essas proporções ao Walden, que, como vimos, já na seção vertical parece apenas um prato raso, aquele parecerá quatro vezes mais raso. E isso é tudo o que se poderia dizer sobre os horrores *abissais* de um Loch Fyne vazio. Sem dúvida, muitos vales sorridentes com sua extensão de milharais ocupam exatamente um "abismo horrendo" desses, do qual as águas se afastaram, embora seja necessária a intuição e a retrospecção de um geólogo para convencer os moradores desse fato. Muitas vezes um olhar inquisitivo é capaz de detectar as margens de um lago primitivo nas colinas baixas do horizonte, e nenhuma elevação subsequente da planície foi necessária para ocultar sua história. Porém o mais fácil, como os trabalhadores das estradas sabem, é encontrar os baixios pelas poças formadas depois da chuva. Em suma, a imaginação, se lhe é dada a menor licença, mergulha mais fundo e voa mais alto que a natureza. Então, provavelmente, a profundidade do oceano acabará se revelando bastante irrelevante se comparada a sua largura.

---

79. William Gilpin. *Observações sobre diversas partes da Grã-Bretanha* (1776), em que cita o *Paraíso perdido* de Milton (versos 7288-90).

Como sondei através do gelo, pude determinar a forma do leito com maior exatidão do que é possível quando se sondam portos que não congelam completamente, e fiquei surpreso com sua regularidade em geral. Na parte mais funda, há vários acres de leito mais planos do que quase qualquer campo exposto ao sol, ao vento, ao arado. Em determinado ponto, em uma linha arbitrariamente escolhida, a profundidade não varia mais do que trinta centímetros dentro de cento e cinquenta metros; e geralmente, perto do meio, eu conseguia calcular de antemão a variação, dentro de trinta metros, em qualquer direção, com uma margem entre sete e dez centímetros. Há quem tenha se acostumado a falar de buracos fundos e perigosos mesmo em lagos serenos e arenosos como este, mas o efeito da água nessas circunstâncias é nivelar todas as desigualdades. A regularidade do leito e sua conformidade às margens e à cadeia de colinas vizinhas eram tão perfeitas que um distante promontório se revelou nas sondagens do outro lado do lago, e sua direção pôde ser determinada pela observação da margem oposta. Cabo virou barra, planície virou banco, e vale e garganta viraram águas profundas e canal.

Quando fiz o mapa do lago com a escala de onze metros por polegada, e marquei os pontos sondados, mais de cem no total, observei esta notável coincidência. Notando que o número que indicava a maior profundidade ficava aparentemente no centro do mapa, tracei uma linha horizontal, e depois uma vertical, e descobri, para minha surpresa, que a linha do maior comprimento do lago interceptava a linha vertical *exatamente* no ponto mais fundo, não obstante o fato de que o meio é praticamente nivelado, as bordas do lago estavam longe de ser regulares, e o comprimento e a largura máximos foram obtidos a partir de medidas tomadas nas enseadas e praias; e eu disse comigo mesmo: Quem sabe se essa intuição não poderia nos levar aos pontos mais profundos do oceano, assim como de um lago ou de uma poça? Não é essa a regra também para a altura das montanhas, consideradas o oposto dos vales? Sabemos que uma colina nunca é mais alta em sua parte mais estreita.

Das cinco enseadas, em três, ou seja, em todas que foram sondadas, foi observada uma barra contornando a boca e águas mais fundas por dentro, de modo que a baía parecia ser uma extensão de água dentro da terra não apenas horizontalmente, mas também verticalmente, e formar uma bacia ou lago independente, e a direção dos dois cabos indicava a orientação da barra. Cada porto na costa marítima também tem uma barra na entrada. Assim como a boca da enseada era mais larga se comparada a sua extensão, a água sobre a barra era mais profunda se comparada à da bacia. Diante, portanto, da largura e da espessura da enseada, e do caráter da margem circundante, é possível ter elementos quase suficientes para inventar uma fórmula para todos os casos.

A fim de avaliar a precisão das minhas estimativas, com essa experiência, do ponto mais profundo de um lago, observando apenas o contorno da superfície e o caráter das margens, fiz uma planta do lago White, que abrange cerca de quarenta e um acres, e, como este, não tem ilha interna, nem qualquer nascente ou sangradouro visível; e como a linha da maior espessura ficava muito próxima da linha da menor espessura, onde dois cabos opostos se aproximavam e duas baías opostas se afastavam, arrisquei marcar um ponto a curta distância desta última linha, mas ainda sobre a linha do maior comprimento, como o mais profundo. O trecho mais profundo foi encontrado a trinta metros dali, ainda mais na direção para a qual eu me inclinara, e era apenas trinta centímetros mais fundo, ou seja, tinha dezoito metros. Evidentemente, a presença de um curso de água ou de uma ilha no lago tornaria o problema muito mais complicado.

Se conhecêssemos todas as leis da natureza, só precisaríamos de um único fato, ou a descrição de um fenômeno concreto, para inferir todos os resultados particulares daquele ponto. Hoje conhecemos apenas algumas leis, e nossos resultados são viciados, não, evidentemente, por alguma confusão ou irregularidade na natureza, mas por nossa ignorância dos elementos essenciais do cálculo. Nossas noções de lei e harmonia geralmente se limitam aos casos que detectamos; mas a harmonia que resulta de um número muito maior de leis aparentemente conflitantes, mas na verdade concorrentes, que não detectamos é ainda mais maravilhosa. As leis particulares são como nossos pontos de vista, como, para o viajante, o contorno da montanha varia a cada passo, e contém um número infinito de perfis, embora absolutamente apenas uma forma. Mesmo quando rachada ou perfurada, ela não é compreendida em sua inteireza.

O que observei nos lagos não é menos verdade na ética. É a lei da média. Uma regra como a dos dois diâmetros não apenas nos orienta para o sol no sistema e para o coração no homem, mas também traça linhas de extensão e espessura do conjunto dos comportamentos diários particulares de um homem e ondas de vida para dentro de suas enseadas e afluentes, e onde elas se cruzam será a altura ou a profundidade de seu caráter. Talvez só precisemos conhecer a tendência de suas margens e das regiões ou circunstâncias adjacentes, para inferir sua profundidade e seu fundo oculto. Se está cercado de circunstâncias montanhosas, uma margem aquilíaca, cujos picos fazem sombra e são refletidos em seu seio, isso sugere uma profundidade correspondente. Porém uma margem baixa e lisa revela que ali é raso. Em nosso corpo, uma testa ousadamente projetada equivale a e indica uma profundidade de pensamento correspondente. Também existe uma barra na entrada das nossas próprias angras, inclinações ou anfractuosidades particulares; cada uma dessas enseadas é nosso porto a cada estação, onde nos detemos e ficamos parcialmente isolados. Essas inclinações não são em geral caprichosas, mas seu formato, tamanho e orientação são determinados pelos promontórios da margem, os antigos eixos de elevação. Quando essa barra aos poucos aumenta devido a tempestades, marés ou correntes, ou quando a água baixa, a ponto de aparecer a barra na superfície, aquilo que a princípio era apenas uma inclinação da margem, onde um pensamento se abrigava, se torna um lago individual, separado do oceano, onde o pensamento afirma suas próprias condições – transforma-se, talvez, de salgado em doce, vira um mar doce, um mar morto ou um charco. No advento de cada indivíduo nesta vida, não podemos supor que essa barra tenha aflorado à superfície em algum lugar? É verdade, somos navegadores tão ruins que nossos pensamentos, na maioria das vezes, frequentam uma costa sem porto, versados apenas nas angras da poesia, ou se dirigem aos portos de entrada públicos, e adentram as docas secas da ciência, onde são meramente reformados para este mundo, e nenhuma corrente natural concorre para individualizá-los.

Quanto à fonte ou ao sangradouro do Walden, não descobri nada além de chuva e neve e evaporação, embora talvez, com um termômetro e uma linha, esses lugares possam vir a ser encontrados, pois onde a água entra no lago provavelmente será mais frio no verão e mais quente no inverno. Quando os geleiros estiveram trabalhando aqui em 1846-1847, os blocos que levavam para a margem foram um dia recusados pelos homens que os estavam empilhando, por não serem grossos o suficiente para ficar com os outros; e os cortadores assim descobriram que o gelo sobre uma pequena região era entre cinco e dez centímetros mais fino que das outras áreas do lago, o que os fez pensar que a fonte ficava ali. Eles também me mostraram em outro trecho o que pensavam ser o "buraco do ralo", através do qual o lago escoava para baixo de uma colina que dava para uma várzea vizinha, e me empurraram, sobre um bloco de gelo deslizante, até lá, para ver. Era uma pequena cavidade embaixo de três metros de água; mas creio que posso garantir que o lago não precisa ser consertado até que encontrem um vazamento mais grave do que esse. Alguém sugeriu que, se um tal "ralo" fosse encontrado, sua conexão com a várzea, se existisse, talvez pudesse ser provada se fosse despejado um pó colorido, ou serragem, na boca do buraco, e então colocada uma peneira na saída da fonte, na várzea, que captaria algumas partículas levadas através da corrente.

Enquanto eu fazia sondagens, o gelo, que tinha quarenta centímetros de espessura, ondulava sob um vento fraco, como se fosse água. É sabido que não se pode usar um prumo sobre o gelo. A cinco metros da margem, a flutuação mais intensa, observada por meio de um prumo em terra diretamente orientado por uma régua graduada no gelo, foi de pouco menos de dois centímetros, embora o gelo parecesse firmemente preso à margem. Quem sabe até, se nossos instrumentos fossem sensíveis o suficiente, talvez, pudéssemos detectar uma ondulação da crosta terrestre? Quando dois pés do meu prumo estavam na margem e o terceiro sobre o gelo, e as observações eram apontadas sobre este último, qualquer subida ou descida quase infinitesimal do nível do gelo fazia uma diferença de vários centímetros em uma árvore do outro lado do lago. Quando comecei a abrir buracos para sondagem, havia entre sete e dez centímetros de água sobre o gelo, embaixo de uma neve alta que o cobrira até então; mas a água começou imediatamente a escorrer para esses meus furos, e continuou escorrendo por dois dias em torrentes profundas, que desgastaram o gelo por toda parte, e contribuíram essencialmente, se não fundamentalmente, para secar a superfície do lago; pois, quando a água entrou no buraco, ergueu e fez flutuar a placa de gelo. Foi como abrir um furo no fundo de um navio para deixar a água sair. Quando esses buracos congelavam, e uma chuva se sucedia, e finalmente se formava uma nova camada lisa de gelo por cima de tudo, ficavam lindamente manchados por dentro com figuras escuras, com formas algo semelhantes às de uma teia de aranha, do que se poderia chamar de rosáceas de gelo, produzidas pelos veios desgastados pela água que escoara de todos os lados para um centro. Às vezes, também, quando o gelo estava coberto de poças rasas, eu via uma sombra dupla de mim mesmo, uma de pé na cabeça da outra, uma sobre o gelo, e a outra projetada contra as árvores e as colinas.

Quando ainda fazia o frio de janeiro, e a neve estava grossa e o gelo sólido, o prudente senhorio chegou da vila para buscar o gelo que refrescaria sua bebida no verão; impressionantemente, até pateticamente, sábio ao prever o calor e a sede de julho ainda em janeiro – usando um sobretudo grosso e luvas!, quando tantas outras coisas são negligenciadas. Talvez ele não acumule tesouros neste mundo que possam refrescar sua bebida no próximo. Ele corta e serra o lago sólido, destelha a casa dos peixes, e carrega dali seu próprio elemento e seu ar, amarrado por correntes e estacas, como lenha enfeixada, através do vento de inverno, até um porão gelado, para ali passar o verão. Parece o azul celeste solidificado, quando, bem longe dali, é arrastado pelas ruas. Esses cortadores de gelo são uma raça animada, são espirituosos e brincalhões, e quando estive com eles quiseram me convidar para serrar em dupla, eu ficando embaixo do gelo.

No inverno de 1846-1847, vieram cem homens de extração hiperbórea vasculhar nosso lago uma manhã, com muitas carroças de ferramentas rústicas – trenós, arados, perfuratrizes, facas, pás, serras, rastelos, e cada um armado com um picador de ponta dupla, de um tipo jamais descrito no *New-England Farmer* ou no *Cultivator*. Eu não sabia se tinham vindo plantar o centeio do inverno, ou algum outro cereal recém-trazido da Islândia. Como não vi trazerem adubo, julguei que fossem apenas roçar a terra, como eu havia feito, achando que o solo fosse profundo e descansado o suficiente. Disseram que um cavalheiro da região, que estava por trás de tudo, queria dobrar seu capital, que, até onde eu sabia, já chegava a meio milhão de dólares; mas, para cobrir cada um de seus dólares com outro dólar, ele arrancou o único casaco, ai, a própria pele, do lago Walden no meio de um inverno duro. Puseram-se logo a trabalhar, arando, gradando, revolvendo, sulcando, em admirável ordem, como se tivessem intenção de fazer ali uma fazenda-modelo; mas quando prestei atenção para ver que tipo de semente estavam despejando nos sulcos, um bando de sujeitos surgiu ao meu lado e começou a arrancar o próprio húmus virgem do lago, com um movimento peculiar, rente à areia, ou à água – pois era terreno bastante alagadiço – na verdade, toda a *terra firma* que havia –, e a carregar em trenós, de modo que pensei que talvez estivessem tirando turfa de um pântano. Então eles passaram a vir e ir embora todos os dias, com um guincho peculiar da locomotiva, oriundos de algum lugar das regiões polares, para onde devem ter voltado, pelo que me pareceu, como um bando de aves árticas. Porém algumas vezes a velha índia Walden se vingou, e um peão, andando atrás da parelha, escorregou por uma rachadura no chão e caiu em direção ao Tártaro, e ele que sempre fora tão corajoso subitamente se viu reduzido a um nono do homem que havia sido, quase perdera sua vitalidade animal, e ficou contente por se refugiar na minha casa, e reconheceu o valor de um fogão; e às vezes o terreno congelado ficava com o aço de um arado, ou uma lâmina se fincava no sulco e precisava ser arrancada.

Literalmente, eram cem irlandeses, com capatazes ianques, que vinham de Cambridge todos os dias para tirar gelo. Eles o dividiam em blocos por um método conhecido demais para ser descrito aqui, e esses blocos deslizavam em trenó até a margem, eram rapidamente içados para uma plataforma de gelo, e erguidos por correntes e ferros e travas, puxados por cavalos, até uma pilha, como se fossem barris de farinha, e ali posicionados lado a lado, enfileirados, como se formassem a base sólida de um obelisco destinado a atravessar as nuvens. Disseram-me que em um bom dia conseguiam tirar mil toneladas, o que correspondia a um acre de gelo. Fendas profundas e "valas" eram escavadas no gelo, assim como na *terra firma*, pela passagem dos trenós no mesmo trecho, e invariavelmente os cavalos comiam aveia em blocos de gelo ocos como baldes. Eles empilhavam os blocos ao ar livre em uma pilha de dez metros de altura e trinta ou trinta e cinco metros quadrados, usando feno entre as camadas externas para impedir o contato com o ar; pois onde o vento, mesmo que nunca muito frio, encontra uma passagem para atravessar, ele abre cavidades maiores, deixando instáveis os pontos de apoio aqui e ali, e finalmente derruba a pilha. A princípio, parecia um imenso forte azul ou o Valhalla; mas quando começaram a enfiar o feno grosso da várzea nas frestas, e o feno se cobriu de geada e cristais, ficou parecendo uma ruína, venerável, coberta de musgo, grisalha, construída em mármore tingido de azul, morada do Inverno, aquele velho que vemos nos almanaques – sua choupana, como se ele tivesse intenção de ficar conosco até o verão. Calculavam que nem vinte e cinco por cento desse gelo chegaria ao destino, e que dois ou três por cento seriam desperdiçados nos vagões. No entanto, uma parte ainda maior dessa pilha tinha um destino diferente daquele que pretendiam lhe dar; pois, fosse porque o gelo não era considerado bom conforme o esperado, contendo mais ar que o normal, ou por algum outro motivo, era um gelo que nunca chegava ao mercado. Essa pilha, feita no inverno de 1846-1847 e que se estimou conter dez mil toneladas de gelo, finalmente foi coberta com feno e tábuas; e embora tenha sido descoberta no julho seguinte, e parte dela tenha sido descarregada, o restante continuou exposto ao sol, e durou o verão inteiro e o inverno seguinte, e ainda não havia derretido totalmente em setembro de 1848. Assim o lago recuperou a maior parte.

Como a água, o gelo de Walden, visto de perto, tem uma coloração verde, mas a uma certa distância é lindamente azul, e isso se pode dizer em relação ao branco do gelo do rio, ou ao gelo simplesmente esverdeado de alguns lagos, a quatrocentos metros dali. Às vezes um daqueles blocos grandes escorrega do trenó do geleiro no meio da rua na vila, e fica ali por uma semana como uma enorme esmeralda, objeto de interesse de todos os passantes. Reparei que uma mesma porção do Walden que em estado líquido era verde, muitas vezes, congelada, parecia azul. Então os baixios desse lago, às vezes, no inverno, ficam cheios de uma água esverdeada parecida com a sua, mas no dia seguinte estará azul congelado. Talvez a cor azul da água e do gelo se deva à luz e ao ar que contêm, e a mais transparente é a mais azul. O gelo é um objeto interessante para a contemplação. Disseram-me que havia um gelo guardado em um galpão no lago Fresh de cinco anos atrás e que continuava bom como sempre. Por que será que um balde de água logo estraga, mas um balde de água congelada continua potável para sempre? Geralmente se diz que essa é a diferença entre os afetos e o intelecto.

Assim por dezesseis dias vi da minha janela cem homens trabalhando como agricultores ocupados, com parelhas e cavalos e aparentemente todos os implementos da lavoura, um quadro como o que vemos na primeira página do almanaque; e sempre que eu olhava aquilo me lembrava da fábula da cotovia e os ceifadores, e da fábula do semeador, e outras do gênero; e agora eles foram todos embora, e dentro de trinta dias, provavelmente, olharei pela mesma janela para a água verde-mar do Walden, ali, refletindo as nuvens e as árvores, e enviando suas evaporações na solidão, e não haverá nenhum traço aparente da presença do homem ali jamais. Talvez eu escute uma mobelha solitária gargalhando, e mergulhando e bicando as penas, ou veja um pescador solitário em seu bote, como uma folha boiando, contemplando sua forma refletida nas ondas, onde recentemente cem homens trabalhavam sem riscos.

Assim parece que os suarentos moradores de Charleston e New Orleans, de Madras e Bombaim e Calcutá bebem do meu poço. Pela manhã, eu lavo meu intelecto na estupenda e cosmogônica filosofia do Bhagavad Gita, cuja composição data de anos divinais passados,[80] e em comparação com a qual o nosso mundo atual e sua literatura parecem mesquinhos e triviais; e me pergunto se essa filosofia não se referiria a um estágio prévio da existência, de tão elevado o seu grau de sublimidade parece às nossas concepções. Deito o livro e vou ao meu poço buscar água, e então! lá encontro o servo do brâmane, sacerdote de Brahma e Vishnu e Indra, que ainda está em seu templo no Ganges lendo os Vedas, ou mora junto à raiz de uma árvore com sua côdea de pão e a cuia de água. Encontro o servo vindo buscar água para o senhor, e nossos baldes desceram juntos no mesmo poço. A água pura do Walden se mescla à água sagrada do Ganges. Com ventos favoráveis, ela vai além das fabulosas ilhas de Atlântida e das Hespérides, faz o périplo de Hanão, e flutuando por Ternate e Tidore e pela boca do Golfo Pérsico, derrete-se nas tempestades tropicais do Índico, e desembarca em portos de que Alexandre só ouviu falar.

---

80. Estima-se que um ano dos deuses, no ciclo do tempo do hinduísmo, equivaleria a 360 anos humanos.

PRIMAVERA

A abertura de largos trechos pelos cortadores de gelo geralmente faz que o lago rache mais cedo; pois a água, agitada pelo vento, mesmo no frio, desgasta o gelo circundante. Mas não foi esse o efeito no Walden naquele ano, pois ele logo arranjou outra roupa grossa para substituir a velha. Este lago nunca racha cedo como os outros da região, por causa de sua grande profundidade e por não ter nenhum curso d'água passando por ele para derreter ou desgastar o gelo. Nunca soube que o lago tenha se rachado ao longo do inverno, nem no de 1852-1853, que exigiu severamente dos lagos. Geralmente o lago racha por volta de 1º de abril, uma semana ou dez dias depois do Flint e de Fair Haven, começando a derreter na margem norte e nas partes rasas onde começara a congelar. Ele indica melhor do que as outras águas da região o progresso absoluto da estação, sendo o menos afetado pelas mudanças transitórias de temperatura. Um frio muito forte por alguns dias em março pode perfeitamente retardar a rachadura dos outros lagos, enquanto a temperatura do Walden aumenta quase sem cessar. Um termômetro lançado no meio do Walden no dia 6 de março de 1847 marcou zero grau, ou ponto de congelamento; perto da margem fazia um grau; no meio do lago Flint, no mesmo dia, fazia 0,2 grau; a uns sessenta metros da margem, no raso, embaixo de trinta centímetros de gelo, fazia dois graus. Essa diferença de quase dois graus entre a temperatura das águas profundas e a das rasas no último lago, e o fato de que uma grande parte dele é relativamente rasa, mostra por que ele deve rachar muito antes que o Walden. O gelo das partes mais rasas estava dessa vez vários centímetros mais fino que no meio. No auge do inverno, o meio era a parte mais quente e ali ficava o gelo mais fino do lago. Então, além disso, todo mundo que vadeasse perto da margem do lago no verão percebia como a água era mais quente ali, onde tinha apenas entre sete e dez centímetros de profundidade, do que um pouco mais para dentro, e também na superfície mais do que no fundo, perto do leito. Na primavera, o sol não só exerce uma influência através do aumento da temperatura do ar e da terra, como seu calor passa através de mais de trinta centímetros de gelo, e se reflete do fundo raso, e assim também esquenta a água e derrete a face de baixo do gelo, ao mesmo tempo que a está derretendo diretamente por cima, tornando o gelo irregular, e fazendo que as bolhas contidas no gelo se distendam para cima e para baixo até que formem como favos no gelo inteiro, e ele por fim desaparece de repente com uma única chuva de primavera. O gelo contém um grão como a madeira, e quando um bloco começa a apodrecer ou "virar favo", isto é, fica parecendo uma colmeia, seja na posição que for, as celas de ar formam ângulos retos com o que era a superfície da água. Onde houver uma pedra ou um tronco aflorando próximo à superfície, o gelo é muito mais fino, e geralmente está mais dissolvido por esse calor refletido; e me disseram que no experimento em Cambridge de congelar água dentro de um tanque raso de madeira, embora o ar frio circulasse por baixo, e portanto tivesse acesso aos dois lados, a reflexão do sol a partir do fundo mais do que contrabalançou essa vantagem. Quando uma chuva quente no meio do inverno derrete o gelo e a neve do Walden, e deixa um gelo duro e escuro ou transparente no meio, forma-se uma faixa de gelo quebradiço e branco, ainda que espessa, de cinco metros ou mais de largura, junto das margens, criada por esse calor refletido. Também, como eu disse, as próprias bolhas dentro do gelo funcionam como lentes que o derretem por baixo.

Os fenômenos do ano ocorrem todos os dias no lago, em pequena escala. A cada manhã, de modo geral, a água do raso se aquece mais depressa que a do fundo, embora nem fique tão quente nunca, e a cada noite se esfria mais depressa até o amanhecer. O dia é a epítome do ano. A noite é o inverno, a manhã e a tarde são a primavera e o outono, e o meio-dia é o verão. A rachadura e o estrondo do gelo indicam uma mudança de temperatura. Uma bela manhã após uma noite fria, 24 de fevereiro de 1850, tendo ido ao lago Flint passar o dia, reparei com surpresa que, quando bati nele com a cabeça do machado, o gelo ressoou como um gongo por muitos metros ao redor, ou como se eu tivesse batido na pele tesa de um tambor. O lago começou a estalar por volta de uma hora depois do nascer do sol, quando sentiu a influência dos raios solares incidindo por cima das colinas; ele se esticou e se espreguiçou como um homem que acorda com um tumulto cada vez maior, que durou por três ou quatro horas. Fez uma breve sesta ao meio-dia, e estalou mais uma vez perto de anoitecer, quando o sol já retirava sua influência. No estágio correto do clima, o lago dispara sua saraivada noturna com grande regularidade. Mas na metade do dia, cheio de rachaduras, e com o ar também menos elástico, perdera completamente a ressonância, e provavelmente os peixes e os ratos-almiscarados não se assustariam com nenhum estrondo da parte dele. Os pescadores dizem que o "trovão do lago" espanta os peixes e impede que mordam a isca. O lago não troveja toda noite, e não sei dizer ao certo quando esperar que vá trovejar; mas embora eu não consiga perceber nenhuma diferença no clima, há uma diferença. Quem esperaria que uma coisa tão grande e fria e de pele grossa fosse tão sensível? No entanto, ele tem sua lei, à qual obedece, de quando trovejar, tão certamente quanto a lei dos brotos de abrir na primavera. A terra está viva e coberta de papilas. O maior lago é sensível a mudanças atmosféricas como o glóbulo de mercúrio em seu tubo.

Um dos atrativos para eu vir morar no mato era que eu teria ócio e oportunidade de ver a chegada da primavera. O gelo do lago enfim começa a formar favos, e consigo cravar nele o salto da bota enquanto caminho. Nevoeiros e chuvas e sóis mais quentes vão aos poucos derretendo a neve; os dias vão ficando sutilmente mais longos; e percebo que conseguirei atravessar o inverno sem precisar aumentar minha pilha de lenha, pois já não é mais necessário fogo alto. Estou alerta aos primeiros sinais da primavera, para ouvir o canto casual de alguma ave de arribação, ou o pipilar do esquilo listrado, pois seus estoques devem estar agora quase esgotados, ou ver a marmota se aventurar para fora de seu alojamento de inverno. No dia 13 de março, depois de ter ouvido o tordo azul, o pardal canoro e o tordo-ruivo, o gelo ainda tinha quase trinta centímetros de espessura. O tempo foi esquentando, e ainda assim o gelo não foi sensivelmente desgastado pela água, nem rachou e saiu boiando como nos rios; embora estivesse completamente derretido em uma faixa de uns dois metros e meio junto à margem, o centro estava apenas trincado em favos saturados de água, de modo que era possível atravessar o lago a pé mesmo com apenas quinze centímetros de gelo; mas ao entardecer do dia seguinte, talvez, depois de uma chuva quente seguida de neblina, o gelo teria desaparecido completamente, evaporado com a neblina, sublimado, esvaído. Houve um ano em que atravessei pelo meio do gelo apenas cinco dias antes de ele desaparecer totalmente. Em 1845, o Walden ficou completamente aberto no dia 1º de abril; em 1846, 25 de março; em 1847, 8 de abril; em 1851, 28 de março; em 1852, 18 de abril; em 1853, 23 de março; em 1854, por volta de 7 de abril.

Cada incidente associado à rachadura dos rios e lagos e ao estabelecimento do tempo é particularmente interessante para nós que vivemos em um clima de extremos tão agudos. Quando chegam os dias mais quentes, aqueles que moram perto do rio escutam o gelo rachar à noite com estrondo assustador, alto como uma artilharia, como se seus grilhões gelados fossem rompidos de ponta a ponta, e dali a poucos dias veem o rio correr rapidamente. Então o jacaré sai da lama com tremores de terra. Um velho, que sempre foi um observador íntimo da natureza e que parece ser tão completamente sábio em relação a todas as suas operações, como se a tivesse visto sendo montada no estaleiro, suspensa nas traves, e ele tivesse ajudado a fixar sua quilha – que atingiu a maturidade e dificilmente obteria mais conhecimentos naturais se vivesse até a idade de Matusalém –, contou-me – e fiquei surpreso ao ouvi-lo expressar espanto com alguma operação da natureza, pois eu julgava não haver segredos entre eles – que num dia de primavera ele pegou sua espingarda e seu bote e pensou em caçar uns patos. Ainda havia gelo na várzea, mas nenhum mais no rio, e ele embarcou sem qualquer obstáculo em Sudbury, onde morava, e foi até o lago de Fair Haven, que encontrou, inesperadamente, quase inteiro coberto por um campo de gelo firme. O dia estava quente, e ele ficou surpreso de ver tanto gelo ainda ali. Não vendo nenhum pato por perto, escondeu o bote no norte ou nos fundos de uma ilha no lago, e então se escondeu nos arbustos do sul, para esperar pelos patos. O gelo estava derretido numa faixa de quinze ou vinte metros da margem, e havia um lençol liso e quente de água, com fundo barrento, como os patos adoram, por dentro, e ele achou que provavelmente eles chegariam a qualquer momento. Depois de ficar ali parado por uma hora, ouviu um som baixo e que parecia muito distante, mas estranhamente grandioso e impressionante, diferente de tudo o que jamais ouvira, avolumando-se aos poucos e se aproximando como se fosse se consumar em uma conflagração universal e memorável, um rugir e um troar solene, que lhe pareceram ao mesmo tempo o som de uma ave imensa que estivesse chegando para ali se instalar, e, pegando da espingarda, ele se levantou apressado e alvoroçado; mas descobriu, para sua surpresa, que todo o corpo de gelo do lago se soltara e subira enquanto ele estivera ali deitado, e derivava em direção à margem, e o som que ele tinha ouvido era a borda do gelo raspando na orla – a princípio delicadamente, roçando e se esfarelando, mas avançando para um arquejar e um estalar de um naufrágio ao longo da ilha, subindo a uma altura considerável até parar de vez.

Por fim, os raios de sol atingiram o ângulo certo, e ventos quentes sopraram a neblina e a chuva e derreteram os bancos de neve, e o sol, dispersando a neblina, sorriu em uma paisagem quadriculada de castanho avermelhado e branco fumegante de incenso, através da qual o viajante segue seu caminho de ilhota em ilhota, embalado pela música de mil riachos e ribeirões cujas veias estão cheias do sangue do inverno que vão carregando.

Poucos fenômenos me deram mais prazer que observar as formas que no degelo a areia e o barro assumem escorrendo pelas vertentes de um talude da ferrovia, através do qual eu passava a caminho da vila, um fenômeno não muito comum em grande escala, embora o número de encostas recém-expostas desse mesmo material deva ter se multiplicado desde a invenção das ferrovias. O material é a areia em todos os graus de espessura e diversas cores brilhantes, geralmente misturada a um pouco de barro. Quando o gelo derrete na primavera, e mesmo em um dia de degelo no inverno, a areia começa a escorrer pelas encostas como lava, às vezes brotando através da neve e se sobrepondo a ela, onde nunca antes se viu areia. Inúmeros córregos menores se sobrepõem e se entrelaçam uns aos outros, resultando numa espécie de produto híbrido, que obedece em parte às leis das correntes, e em parte às leis da vegetação. Conforme escorre, a areia assume a forma de folhas viçosas ou trepadeiras, formando montes de ramificações polpudas, a mais de trinta centímetros de profundidade, e que parecem, se você vê de cima, talos laciniados, lobados e imbricados de liquens; ou você se lembra de corais, patas de leopardo, ou pés de ave, ou cérebros ou pulmões ou tripas, e todo tipo de excretos. Trata-se de uma vegetação verdadeiramente *grotesca*, cujas formas e cor vemos imitadas em bronze, uma espécie de folhagem arquitetônica mais antiga e típica que acantos, chicórias, heras, vinhas, ou qualquer folhagem vegetal; destinada talvez, em determinadas circunstâncias, a se tornar um enigma para os futuros geólogos. Todo o barranco me impressionou como se fosse uma caverna com suas estalactites expostas à luz do dia. As diversas tonalidades de areia são particularmente belas e agradáveis, abarcando as diferentes cores ferrosas, marrom, cinza, amarelado e avermelhado. Quando a massa escorrida chega ao pé do barranco, ela se esparrama em *feixes*, fluxos separados que perdem sua forma semicilíndrica e aos poucos ficam mais chatos e largos, correndo juntos enquanto estão mais úmidos, até formarem uma *areia* quase plana, ainda cheia de várias tonalidades lindas, mas na qual se conseguem notar as formas originais da vegetação; até que, finalmente, na própria água, são convertidas em *bancos*, como aqueles que se formam na boca dos rios, e as formas de vegetação se perdem nas marcas de ondulações do leito.

Todo o talude, que tem entre seis e doze metros de altura, fica às vezes coberto com uma massa dessa espécie de folhagem, ou fluxo arenoso, por uns quatrocentos metros de um lado ou dos dois lados, produto de um dia de primavera. O que torna essa folhagem de areia admirável é seu irromper na existência assim de repente. Quando vejo de um lado o banco inerte – pois o sol age primeiro de um lado – e do outro essa luxuriante folhagem, criação da última hora, sou afetado como se em certo sentido estivesse na oficina do Artista que fez o mundo e a mim – como se eu chegasse onde ele ainda estava trabalhando, divertindo-se com seu banco de areia e, com o excesso de energia, extravasando novos desígnios à sua volta. Sinto como se estivesse mais perto do centro vital do globo, pois esse extravasar arenoso é tanto uma massa foliácea quanto as vísceras do corpo animal. Você descobre assim naquela areia uma antecipação da folha vegetal. Não é de espantar que a terra se expresse externamente em folhas, de tanto que trabalha com essa ideia internamente. Os átomos já aprenderam essa lei, e estão prenhes dela. A folha no galho tem aqui o seu protótipo. *Internamente*, seja no planeta ou no corpo animal, a folha é um lobo, palavra espacialmente aplicável ao fígado e aos pulmões e ao tecido adiposo (*leíbō*, *labor*, *lapsus*, "fluir ou deslizar para baixo", "lapso"; *lobós*, *globus*, "lobo", "globo"; e também "aba", "dobra", e muitas outras palavras); *externamente*, uma *folha* seca e fina, assim como o *f* e o *v* são um *b* pressionado e seco. Os radicais de "lobo" são *lb*, a massa macia do *b* (com um lobo, ou B, lobo duplo), com o *l* líquido por trás empurrando para a frente. Em "globo", *glb*, o *g* gutural agrega ao significado a capacidade da garganta. As penas e asas das aves são folhas ainda mais secas e mais finas. Assim também você passa da lagarta informe na terra à aérea e esvoaçante borboleta. O próprio globo continuamente transcende e traduz a si mesmo, e se torna alado em sua órbita. Até mesmo o gelo começa com delicadas folhas de cristal, como se tivesse escorrido para dentro de moldes que as frondes das plantas aquáticas imprimiram no espelho d'água. A árvore inteira é também apenas uma folha, e os rios são folhas mais vastas cuja polpa é a terra por baixo, e as vilas e cidades são as ovas dos insetos em suas axilas.

Quando o sol se retira, a areia cessa de fluir, mas de manhã as torrentes voltarão e se espalharão e se espraiarão numa miríade de outras. Aqui talvez estejamos vendo como se formam os vasos sanguíneos. Se você olhar de perto perceberá que primeiro é expulsa da massa degelante uma torrente de areia macia com uma ponta em forma de gota, como a ponta de um dedo, abrindo caminho lentamente, às cegas, para baixo, até que por fim, com mais calor e umidade, quando o sol está alto, a porção mais fluida, em seu esforço de obedecer à lei segundo a qual o mais inerte também cede, separa-se e forma para si um canal sinuoso ou uma artéria dentro da qual se vê um fio prateado escorrer, reluzente como o relâmpago, de um estágio das folhas polpudas ou ramos para outro, e de quando em quando ser engolido pela areia. É maravilhoso como é rápida e perfeita a organização da areia em seu fluxo, usando o melhor material que sua massa permite para formar as bordas retas de seu canal. Assim são as nascentes dos rios. Na sílica que a água deposita está talvez o sistema ósseo; e no solo ainda mais fino e na matéria orgânica, a fibra da carne ou o tecido celular. O que é o homem senão uma massa de barro que degela? A ponta do dedo humano é apenas uma gota congelada. Os dedos das mãos e dos pés fluem até sua forma final a partir da massa degelante do corpo. Quem sabe até que ponto o corpo humano teria crescido e fluído sob um céu mais propício? Não é também a mão uma folha de palmeira espalmada com seus lobos e veios? A orelha pode ser considerada, fantasiosamente, um líquen, *Umbilicaria*, ao lado da cabeça, com seu lóbulo ou sua ponta. O lábio – *labium*, de *labor* (?) –, dobra ou prolapso dos lados da caverna da boca. O nariz é evidentemente uma gota congelada ou estalactite. O queixo é uma gota maior, confluência do gotejar do rosto. As faces são vertentes das têmporas até o vale do rosto, opostas e separadas pelas maçãs. Cada lobo arredondado da folha vegetal também é uma gota densa e agora constante, maior ou menor; os lobos são os dedos da folha; e quantos lobos houver, em tantas direções diferentes tenderá a fluir, e com mais calor ou outras influências propícias teria fluído até ainda mais longe.

Assim parecia que essa única encosta ilustrava o princípio de todas as operações da natureza. O Criador desta terra patenteou apenas a folha. Que Champollion nos decifrará esse hieróglifo, para que possamos enfim virar essa folha e começar uma nova? Esse fenômeno é mais exultante para mim que a exuberância e a fertilidade dos vinhedos. De fato, há algo de excrementício em seu caráter, e não há fim para as pilhas de fígados, pulmões e entranhas, como se o globo estivesse sendo virado do avesso; mas isso sugere ao menos que a natureza tem entranhas e, até nisso, é a mãe da humanidade. O gelo está sumindo do chão; eis a primavera. O degelo precede a primavera verde e florida, como a mitologia precede a poesia. Não conheço nada mais purgativo dos gases e indigestões do inverno. Ela me convence de que a terra ainda usa fraldas, e estende seus dedos de bebê por toda parte. Novos cachos brotam das testas mais calvas. Não há nada que seja inorgânico. Essas pilhas foliáceas jazem ao longo do barranco como a escória de uma fornalha, mostrando que por dentro a natureza está "a todo vapor". A terra não é um mero fragmento de história morta, estrato sobre estrato como as folhas de um livro, a ser estudada principalmente por geólogos e antiquários, mas poesia viva como as folhas de uma árvore, que antecedem as flores e os frutos – não uma terra fóssil, mas uma terra viva; e, se comparada com a grande vida central, toda vida animal e vegetal é meramente parasitária. Seus espasmos erguerão nossas *exuviae* das sepulturas. Você pode fundir os seus metais e forjá-los nos mais belos moldes que encontrar; eles jamais me excitarão como as formas que essa terra fundida faz jorrar e assume. E não só isso, mas as instituições sobre ela são maleáveis como o barro nas mãos do oleiro.[81]

Logo não só nessas encostas, mas em cada colina e planície e em cada baixio, a geada se levantará do chão como um quadrúpede sonolento saindo de sua toca, e com sua música procurará o mar, ou migrará nas nuvens para outros climas. O degelo, com sua delicada persuasão, é mais poderoso que Thor com seu martelo. Um derrete, o outro quebra em pedaços.

Quando o chão estava quase sem neve, e uns dias quentes haviam de alguma forma secado parte de sua superfície, foi agradável comparar os primeiros sinais ternos do ano recém-nascido despontando com a majestosa beleza da vegetação seca que sobrevivera ao inverno – sempre-vivas, varas-de-ouro, heliântemos e graciosos matos selvagens, muitas vezes mais óbvios e interessantes mesmo do que no verão, como se sua beleza não estivesse madura até então; mesmo os erióforos, as taboas, os verbascos, as ervas-de-são-joão, as flores-de-noiva, as rainhas-dos-prados e outras plantas de caule rijo, inexauríveis celeiros que nutrem as primeiras aves – ervas deiscentes, ao menos, que vestem a natureza viúva. Sinto-me especialmente atraído pelo topo arqueado em forma de bainha do bunho, da junça; traz o verão de volta à lembrança invernal, e está entre as formas que a arte adora copiar, e que, no reino vegetal, guarda a mesma relação com tipos já presentes no espírito do homem que a astronomia. Trata-se de um estilo antigo, mais antigo que o grego ou que o egípcio. Muitos dos fenômenos do inverno são sugestivos de uma ternura inexprimível e de uma frágil delicadeza. Estamos acostumados a ouvir esse rei descrito como um tirano cruel e tempestuoso; mas é com a gentileza de um amante que ele enfeita as tranças do verão.

Com a chegada da primavera, os esquilos vermelhos entraram embaixo da minha casa, dois por vez, bem embaixo dos meus pés, enquanto eu me sentava para ler ou escrever, e ficaram o tempo todo na mais bizarra algazarra de chilros e piruetas vocais e guturais já ouvida; e quando eu

---

81. Jeremias 18:6.

batia o pé, eles chilreavam ainda mais alto, como se estivessem além de qualquer medo ou respeito em suas loucas travessuras, desafiando a humanidade a vir detê-los. Não, não vai – serelepe – serelepe. Eram inteiramente surdos aos meus argumentos, ou não lhes entendiam a força, e ficaram nessa insuportável ladainha de invectivas.

O primeiro pardal da primavera! O ano começando com esperança mais jovem do que nunca! Os remotos trinados de prata do tordo azul ouvidos ao longe sobre os campos nus e molhados, o pardal canoro, o tordo-ruivo, como se os últimos flocos do inverno tilintassem ao cair! O que são nessas horas todas as histórias, as cronologias, as tradições e as revelações escritas? Os riachos entoam cânticos e madrigais à primavera. O tartaranhão, pairando sobre os brejos, já procura o primeiro caramujo que se espreguiça. O som da neve fundida afundando se ouve em todas as ravinas, e logo o gelo se dissolve nos lagos. O mato crescendo nas vertentes é como o incêndio da primavera – *"et primitus oritur herba imbribus primoribus evocata"* –, como se a terra enviasse um calor interno para saudar a volta do sol; não amarela mas verde é a cor de sua chama – símbolo da eterna juventude, a folha da relva, como uma fita verde comprida, flui do coração da várzea no verão, obstruída de fato pela geada, mas sempre voltando a insistir, erguendo sua lança em meio ao feno do ano passado com a nova vida que a impele por baixo. A folha cresce e se firma como o riacho brota do chão. É quase idêntica a ele, pois nos dias de crescimento em junho, quando os riachos estão secos, as folhas são seus canais, e ano após ano o rebanho bebe desse perene riacho verde, e a ceifa das folhas obtém a tempo o suprimento do inverno. Também a nossa vida humana morre quase até suas raízes, e ainda assim empurra sua lâmina verde para a eternidade.

O Walden está derretendo depressa. Há um canal de dez metros de largura nas margens norte e oeste, e ainda mais largo na extremidade leste. Um grande campo de gelo rachou, separando-se do bloco principal. Ouvi um pardal cantar dos arbustos da margem – *tulit, tulit, tulit – chuip, chuip, chuip, chichar – chuís, uís, uís*. Também ele está tentando quebrar o gelo com essa conversa. Como são lindas as grandes curvas amplas da borda do gelo, reagindo de alguma forma às da margem, porém mais regulares! Está incrivelmente duro, devido ao frio recente, severo mas passageiro, e todo coberto de água ou ondulado como o piso de um palácio. Contudo o vento desliza para o leste em vão por sua superfície opaca, até atingir sua superfície viva mais adiante. É glorioso contemplar essa faixa de água reluzindo ao sol, a face nua do lago cheio de júbilo e juventude, como se dissesse da alegria dos peixes dentro dele e das areias em sua margem – um brilho prateado como o das escamas de um leucisco, como se fosse o lago inteiro um único peixe. Tal é o contraste entre inverno e primavera. O Walden estava morto e está vivo outra vez. Porém nessa primavera ele degelou com mais constância, como eu já disse.

A mudança da tempestade e do inverno para o tempo sereno e brando, das horas escuras e lentas para as claras e elásticas é uma crise memorável que todas as coisas proclamam. É aparentemente, enfim, instantânea. De repente, um influxo de luz encheu a minha casa, embora a noite estivesse chegando, e as nuvens de inverno ainda pairassem por perto, e os beirais ainda gotejassem de uma chuva de granizo. Olhei pela janela, e, ora!, onde ontem era um gelo cinzento e frio lá estava o lago transparente já calmo e cheio de esperança como em uma noite de verão, refletindo um céu de verão em seu seio, embora nenhuma estrela fosse visível no alto, como se estivesse refletindo algum horizonte remoto. Ouvi um tordo ao longe, o primeiro que eu ouvia em mil anos, pensei, cujo canto jamais esquecerei por outros mil anos – o mesmo canto doce e poderoso de outrora. Ó tordo do anoitecer, ao final de um dia de verão na Nova Inglaterra! Quem dera um dia encontrar o galho onde ele fica! Quero dizer, *ele*; quero dizer *o* galho exato. Esse ao menos não é o *Turdus migratorius*, mas o pisco ou rouxinol. Os pinheiros e carvalhos-brancos em volta de casa, que haviam murchado tanto tempo atrás, de repente retomaram seus diversos personagens, pareciam mais brilhantes, mais verdes, e mais eretos e vivos, como se efetivamente limpos e restaurados pela chuva. Eu sabia que não choveria mais. Você pode dizer isso olhando para qualquer galho da floresta, sim, na sua própria pilha de lenha, se seu inverno passou ou não. Quando foi ficando mais escuro, tive um sobressalto com o *buzinar* dos gansos voando baixo sobre o bosque, como viajantes cansados chegando tarde dos lagos do sul, e se permitindo afinal reclamar sem peias e se consolar mutuamente. Parado junto à minha porta, eu podia ouvir o ruflar de suas asas; quando, vindo em direção à minha casa, eles de repente viram minha luz acesa, e com clamor apressado decidiram fazer uma curva e pousar no lago. Então entrei, e fechei a porta, e passei minha primeira noite de primavera na floresta.

Pela manhã, fiquei observando da porta os gansos através da neblina, nadando no meio do lago, duzentos e cinquenta metros adiante, tão grandes e agitados que o Walden pareceu um lago artificial aonde vinham se divertir. Mas quando me aproximei da margem eles imediatamente alçaram voo com muito estardalhaço ao sinal do comandante, e quando se enfileiraram em círculo sobre a minha cabeça, vinte e nove deles, então apontaram direto para o Canadá, com o buzinar ritmado do líder de quando em quando, confiantes em que fariam o desjejum em piscinas mais barrentas. Uma "revoada" de patos partiu no mesmo momento e pegou o caminho para o norte no rastro de seus primos mais barulhentos.

Durante uma semana, ouvi o clangor circular e arrastado de um ganso solitário pelas manhãs brumosas, procurando sua companheira, e ainda povoando os bosques com o som de uma vida maior do que os bosques poderiam sustentar. Em abril, os pombos foram vistos novamente voando em pequenos bandos ligeiros, e algum tempo depois ouvi as andorinhas piando no meu terreiro, embora não parecesse ser possível que houvesse tantas na cidade e eu ainda não tivesse visto nenhuma, e fantasiei que fossem pertencentes à antiga raça que morava no oco das árvores antes da chegada do homem branco. Em quase todos os climas, a tartaruga e a rã estão entre os precursores e arautos desta estação, e as aves voam cantando com sua plumagem brilhante, e as plantas brotam e florescem, e os ventos sopram, para corrigir essa discreta oscilação dos polos e preservar o equilíbrio da natureza.

Como cada estação nos parece melhor no início, também a chegada da primavera é como a criação do cosmos a partir do caos e a realização da idade de ouro.

Eurus ad Auroram Nabathaeaque regna recessit,
persidaque, et radiis juga subdita matutinis.

O Euro se retirou à Aurora e aos reinos de Nabateia,
e Pérsia, às encostas iluminadas pelos raios da manhã.

[...]

Nasceu o homem, seja porque Artífice das coisas,
Origem de um mundo melhor, o fez de divina semente;
Ou a terra, recentemente desviada do alto
Éter, conservou algumas sementes do céu consanguíneo.[82]

Uma única chuva leve deixa o mato muito mais verde. Então nossas perspectivas se iluminam ao influxo de melhores pensamentos. Seria uma bênção viver sempre no presente, e tirar vantagem de cada acidente que nos ocorre, como a relva que confessa a influência da mínima gota de orvalho que cai sobre a folha e não passa o tempo que passamos compensando pela negligência nas oportunidades passadas, que é o que chamamos de cumprir com nosso dever. Continuamos no inverno quando já é primavera. Em uma agradável manhã de primavera, todos os pecados do homem são perdoados. Um dia assim é uma trégua do vício. Enquanto esse sol durar, até o mais vil dos pecadores poderá voltar. Através da nossa própria inocência recuperada distinguimos a inocência em nossos vizinhos. Ontem você podia achar que seu vizinho era um ladrão, um bêbado, ou libertino, e meramente sentir pena dele ou o desprezar, e se desesperar com o mundo; mas o sol está claro e quente nessa primeira manhã da primavera, recriando o mundo, e você o encontra em meio a algum afazer sereno, e vê como suas veias exaustas e esgotadas se expandem ainda com alegria e abençoam o novo dia, sentindo a influência da primavera com a inocência da infância, e todas as falhas dele são perdoadas. Há nele agora não só uma atmosfera de boa vontade, mas até mesmo um toque de santidade buscando se expressar, talvez às cegas e sem efetividade, como um instinto recém-nascido, e por uma breve hora a margem sul não ecoa nenhuma brincadeira vulgar. Você encontra alguns lindos brotos inocentes se preparando para romper a casca tortuosa e experimentar mais um ano de vida, ternos e frescos como a planta mais jovem. Até mesmo esses brotos participam da alegria de seu Senhor. Por que o carcereiro não

---

82. Ovídio. *Metamorfoses*, 1, v. 61-62. No original, faltam os v. 78-81 do texto latino: "*Natus homo est, siue hunc diuino semine fecit/ ille opifex rerum, mundi melioris origo,/ siue recens tellus seductaque nuper ab alto/ aethere cognati retinebat semina caeli*".

deixa abertas as portas da prisão – por que o juiz não abandona o caso – por que o pregador não dispensa a congregação! É porque não seguem a intuição que Deus lhes dá, não aceitam o perdão que ele livremente oferece a todos.

"Um retorno ao bem produzido a cada dia na respiração tranquila e benéfica da manhã faz que, em respeito ao amor à virtude e ao ódio ao vício, a pessoa se aproxime um pouco da natureza primitiva do homem, como os brotos na floresta derrubada. De modo semelhante o mal que a pessoa faz no intervalo de um dia impede que as sementes da virtude que voltaram a brotar se desenvolvam e as destrói.

"Depois que as sementes da virtude foram assim impedidas muitas vezes de se desenvolver, então a respiração benéfica do anoitecer não basta para conservá-las. No momento em que a respiração do anoitecer não basta mais para conservá-las, a natureza do homem deixa de ser muito diferente da do animal irracional. Quando os homens percebem a natureza humana semelhante à do animal irracional, pensam que jamais possuíram a faculdade inata da razão. Serão esses os verdadeiros e naturais sentimentos humanos?"[83]

> *A Idade de Ouro primeiro criada, sem coerção,*
> *Espontaneamente cultuava a lealdade e a retidão.*
> *Castigo e medo não havia; nem palavras de ameaça*
> *Em bronze gravadas; nem a turba suplicante receava*
> *As palavras do juiz; mas viviam seguros sem proteção.*
> *Nem as árvores eram derrubadas, nem desciam*
> *Às líquidas ondas para ver mundos estrangeiros,*
> *E os mortais só conheciam o próprio litoral.*
>
> [...]
>
> *Era uma eterna primavera, e zéfiros quentes*
> *Sopravam flores nascidas sem ser semeadas.*[84]

---

83. Mêncio, a partir da tradução francesa de M. J. Pauthier, *Confucius et Mencius* (1841). *Qi*, também traduzido como "energia", Thoreau traduz por "respiração".

84. *Ibidem.*

Dia 29 de abril, estava eu pescando na beira do rio perto da ponte Nine-Acre-Corner, em meio ao mato trêmulo e às raízes de salgueiro, onde os ratos-almiscarados espreitam, quando ouvi um crepitar peculiar, semelhante ao das matracas com que os meninos brincam de bater uma na outra, e, olhando para cima, vi um tartaranhão, gracioso como um noitibó, ora subindo como uma onda, ora descendo cinco ou dez metros, sem parar, mostrando a parte de baixo das asas, que reluziam como uma fita de cetim ao sol, ou como o interior perolado de uma concha. Essa visão me lembrou a falcoaria e a nobreza e a poesia associada a esse esporte. Por mim, ele poderia se chamar Merlin; mas não me importa o seu nome. Foi o voo mais etéreo que já testemunhei. Ele não simplesmente esvoaçava como uma borboleta, nem ascendia como os gaviões maiores, mas brincava com orgulhosa confiança nos campos do ar; tornando a subir cada vez mais alto com sua estranha gargalhada, e repetia sua queda livre e bela, girando como um milhafre, e então se recuperando de seus tropeços aéreos, como se nunca tivesse posto os pés na *terra firma*. Parecia não ter nenhuma companhia no universo – brincando ali sozinho – e tampouco parecia precisar de outra companhia além da manhã e do éter com os quais brincava. Não era solitário, mas tornava solitária toda a terra embaixo de si. Onde naquele céu estaria a mãe que o chocara, os irmãos, e o pai nas alturas? Locatário do ar, parecia relacionado à terra apenas pelo ovo chocado em algum momento na frincha de um penhasco – ou será que seu ninho natal fora no ângulo de uma nuvem, tecido dos fios do arco-íris e do céu do ocaso, e revestido de alguma bruma do verão escolhida na terra? Seu lar agora é a nuvem escarpada.

Além disso, tive a rara colheita dos peixes dourados e prateados e cor de cobre brilhantes, que pareciam um cordão de joias. Ah! Penetrei aquelas várzeas nas manhãs de muitos primeiros dias de primavera, pulando de tufo em tufo, de raiz de salgueiro em raiz de salgueiro, quando o selvagem vale do rio e os bosques eram banhados em luz tão pura e clara que teria despertado até os mortos, se estivessem dormindo em suas sepulturas, como alguns supõem que estejam. Não havia necessidade de prova mais forte da imortalidade. Sob uma luz assim, todas as coisas devem estar vivas. Ó, morte, onde está agora o teu aguilhão? Ó, sepultura, onde está a tua vitória afinal?[85]

---

85. Alusão a 1 Coríntios 15: 55.

A vida em nossa vila teria estagnado se não fossem as florestas e várzeas inexploradas que a circundam. Nós precisamos do tônico selvagem – vadear pelos charcos às vezes, onde espreitam socós e sanãs, e ouvir a algazarra das narcejas; sentir o aroma dos juncos sussurrantes onde apenas alguma ave mais selvagem e mais solitária faz seu ninho, e o *vison* se esgueira com a barriga rente ao chão. Ao mesmo tempo que somos ávidos para explorar e aprender todas as coisas, exigimos que todas as coisas sejam misteriosas e inexploráveis, que a terra e o mar sejam infinitamente selvagens, inexplorados e insondados justamente por serem insondáveis. Jamais nos fartaremos da natureza. Devemos nos revigorar com a visão do vigor inexaurível, dos semblantes vastos e titânicos, o litoral marinho e seus naufrágios, a natureza com suas árvores vivas e apodrecidas, a nuvem da trovoada, e a chuva que dura três semanas e produz novas cheias. Precisamos testemunhar a transgressão de nossos próprios limites, e alguma vida pastando livremente onde jamais passamos. Ficamos animados quando observamos o abutre se alimentar da carniça que nos enoja e desestimula, e tirar saúde e força de seu repasto. Havia um cavalo morto na vala junto ao caminho para minha casa, que me impelia às vezes a desviar do caminho, especialmente à noite quando o ar estava pesado, mas a garantia que aquilo me dava do grande apetite e da saúde inabalável da natureza era minha compensação. Adoro ver a natureza tão rica de vida que miríades possam ser oferecidas em sacrifício e tornar-se presas de outras vidas; que tenros organismos possam ser serenamente esmagados, reduzidos a uma pasta – girinos que as garças deglutem, e tartarugas e sapos atropelados na estrada; e que algumas vezes tenha chovido carne e sangue! Há risco de acidente, mas devemos nos importar muito pouco com isso. A impressão causada ao sábio é a de inocência universal. O veneno afinal não era tão venenoso, nenhum ferimento foi fatal. A compaixão é um terreno muito pantanoso. É preciso que ela seja expedita. Suas súplicas não suportam repetições.

No início de maio, carvalhos, nogueiras, bordos e outras árvores, que acabavam de desabrochar em meio aos pinhais ao redor do lago, conferiam uma claridade semelhante à luz do sol à paisagem, especialmente nos dias nublados, como se o sol se atenuasse através da bruma e atingisse as encostas aqui e ali. No dia 3 ou 4 de maio, vi uma mobelha no lago, e na primeira semana do mês ouvi o noitibó, o sabiá marrom, o tordo, o papa-moscas, o papa-capim, entre outros passarinhos. Eu tinha ouvido o tordo no bosque muito antes. O chapim já tinha voltado e espiado pela minha porta e pela janela, para ver se minha casa daria uma boa caverna, suspenso no alvoroço das asas e nas garras fechadas, em pleno no ar, enquanto avaliava o recinto. O pólen sulfurino dos pinheiros logo cobriu o lago e as pedras e a madeira apodrecida ao longo da margem, de modo que se podia colher um barril cheio. São as "chuvas sulfurinas" de que ouvimos falar. Até no *Shakuntala*, de Kalidasa, lemos de "águas tingidas de amarelo com a poeira dourada do lótus". E assim as estações se seguiram rumo ao verão, como alguém que caminha pelo capim cada vez mais alto.

Assim se completou o meu primeiro ano morando na floresta; e o segundo ano foi semelhante. Finalmente deixei Walden no dia 6 de setembro de 1847.

CONCLUSÃO

Aos enfermos, os médicos sabiamente recomendam mudança de ares e de paisagens. Graças aos céus, aqui não é o mundo inteiro. A castanha-da-índia não cresce na Nova Inglaterra, e a calhandra-real raramente se ouve por aqui. O ganso selvagem é mais cosmopolita do que nós; ele faz o desjejum no Canadá, almoça em Ohio, e expõe as plumas à noite nos pantanais do sul. Mesmo o bisão, em certa medida, acompanha as estações mascando pastagens do Colorado enquanto espera crescer a relva mais verde e mais doce de Yellowstone. No entanto, pensamos que, se trocarmos as cercas por muros de pedra em nossas terras, os limites estarão doravante estabelecidos em nossa vida, e nosso destino estará traçado. Se você for escolhido pelo conselho do município, digamos, não poderá ir à Tierra del Fuego este verão; mas não obstante poderá ir para a terra do fogo infernal. O universo é mais amplo do que as nossas opiniões sobre ele.

Contudo, deveríamos mais amiúde olhar por sobre a amurada de nossa embarcação, como passageiros curiosos, e não passar a viagem como marujos estúpidos desfiando cordas de cânhamo. O outro lado do globo é simplesmente o lar de nosso correspondente. Nossas viagens são apenas uma grande circum-navegação, meramente algo que os médicos prescrevem contra doenças de pele. Há quem corra ao sul da África para caçar girafas; mas com certeza não é pela dificuldade da caçada. De quanto tempo, por Deus, um homem precisa para acertar uma girafa? Narcejas e pica-paus também são difíceis de caçar; mas acredito que a caçada mais nobre seria a de si mesmo.

Mira bem teu olho adentro, e encontrarás
mil regiões do teu espírito

por descobrir. Viaja por lá, e te
especializa na tua própria cosmografia.[86]

O que representa a África – o que representa o Ocidente? Nosso próprio interior não está em branco no mapa, embora possa ser negro, como o litoral, quando descoberto? Será uma fonte do Nilo, do Níger, ou do Mississippi, ou uma Passagem Noroeste para este continente, o que encontraremos? Serão mesmo esses os problemas que mais afligem a humanidade? Será Franklin o único que se perdeu, que a esposa deseja tanto encontrar? Será que o próprio senhor Grinnel sabe onde está? Seja o Mungo Park, o Lewis e o Clark e o Frobisher de seus próprios rios e oceanos; explore suas próprias altas latitudes – com carregamentos de carnes em conserva para alimentá-lo, se necessário; e empilhe as latas vazias até o céu como um sinal. As carnes enlatadas foram inventadas apenas para conservar carne? Não, seja um Colombo de novos continentes e mundos inteiros dentro de si mesmo, abrindo novos canais, não de comércio, mas de pensamento.[87] Cada homem é o senhor de um domínio ao lado do qual o império terreno do czar não passa de um pequeno estado, um trecho de várzea em meio ao gelo. Contudo alguns são patriotas sem nenhum amor-próprio, e sacrificam o maior pelo menor. Amam a terra que faz suas sepulturas, mas não têm nenhuma simpatia pelo espírito que poderia insuflar ânimo em seu barro. O patriotismo é uma minhoca em suas cabeças. O que significou aquela Expedição de Exploração dos Mares do Sul,[88] com todas aquelas pompas e despesas, senão um reconhecimento indireto do fato de que existem continentes e mares no mundo moral onde cada homem é um istmo ou uma baía, ainda inexplorado por ele

---

86. William Habington (1605-1664). "Ao meu honrado amigo sir Ed. P. Knight".

87. Sir John Franklin (1786-1847), desaparecido no Ártico, tentando encontrar a Passagem Noroeste, entre o Atlântico e o Pacífico. O comerciante Henry Grinnel financiou buscas por Franklin em 1850 e 1853. O explorador escocês Mungo Park (1771-1806) traçou o curso do rio Níger; Meriwether Lewis (1774-1809) e William Clark (1770-1838) exploraram o território da Louisiana em 1803 e descobriram a rota terrestre para o Pacífico; e Martin Frobisher (1535-1594) fez três tentativas de encontrar a Passagem Noroeste. Em 1851, foi encontrada uma pilha de mais de 600 latas vazias do acampamento de Franklin, mas seus restos mortais só seriam encontrados em 1859.

88. Expedição da marinha americana entre 1838 e 1842, liderada por Charles Wilkes.

próprio, mas que é mais fácil navegar milhares de milhas através do frio e da tempestade, e enfrentar canibais, em um navio do governo, para salvar um único indivíduo, do que explorar o mar particular, o Atlântico e o Pacífico do próprio ser.

> *Erret, et extremos alter scrutetur Iberos.*
> *Plus habet hic vitae, plus habet ille viae.*

> *Deixe que perambulem e escrutinem as estranhas Austrálias.*
> *Tenho mais Deus, eles mais estrada.*[89]

Não vale a pena atravessar o mundo para ir contar os gatos em Zanzibar. No entanto, faça isso até conseguir fazer melhor, e talvez você encontre um "buraco de Symmes" através do qual enfim consiga entrar.[90] A Inglaterra e a França, Espanha e Portugal, Costa do Ouro e Costa dos Escravos, todos dão para esse mar interno; mas nenhuma embarcação se aventurou além do mar aberto, embora sem dúvida seja o caminho direto para as Índias. Quem quiser aprender a falar todas as línguas e se aclimatar aos costumes de todos os países, viajar para mais longe do que todos os viajantes e se acostumar a todos os climas, e fazer a Esfinge bater a cabeça na pedra, obedece ao preceito do velho filósofo e explora-te a ti mesmo. Aqui se exige visão e coragem. Olhos e nervos. Apenas os derrotados e desertores vão às guerras, covardes que se apavoram e se alistam. Parte agora rumo ao oeste mais longínquo, que não se detém no Mississippi ou no Pacífico, nem termina na China ou no Japão exauridos, mas que prolonga uma tangente a esta esfera, verão e inverno, dia e noite, sob o sol, sob a lua, e por fim sob a terra também.

Dizem que Mirabeau virou bandoleiro nas estradas "para ter certeza do grau de determinação necessário para colocar-se em uma oposição

---

89. Claudiano (*c.* 370-404). *Carmina minores*, XX. "*De sene Veronensi que Suburbium nunquam egressus est*" ("Do senhor de Verona que nunca saiu de seu subúrbio"). "Que outros errem e escrutinem os extremos ibéricos./ Ele tinha mais vida, eles mais estrada." Em sua tradução, Thoreau troca deliberadamente "ibéricos" por "australianos" e "vida" por "Deus".

90. John Cleves Symmes (1779-1829). "Teoria de Symmes das esferas concêntricas, demonstrando que a terra é oca, habitável e amplamente aberta perto dos polos" (1818).

formal às leis mais sagradas da sociedade". Ele teria declarado que "um soldado que combate nas fileiras do exército não precisa da metade da coragem de um bandoleiro" – "que a honra e a religião nunca ficaram no caminho de uma determinação bem ponderada e firme". Foi mais viril, como dizem; e no entanto foi inútil, quando não desesperado. Um homem mais são teria se visto mais frequentemente "em oposição formal" ao que se considera "as leis mais sagradas da sociedade", por obedecer a leis ainda mais sagradas, e assim teria testado sua determinação sem precisar se desviar de seu caminho. Não cabe ao homem colocar--se em determinada atitude diante da sociedade, mas sim manter-se na atitude que quiser mediante a obediência às leis de seu próprio ser, que jamais estarão em oposição a um governo justo, se ele por acaso encontrar algum.

Deixei o bosque por um motivo tão bom quanto o que me levou para lá. Talvez me parecesse que eu ainda teria várias outras vidas para viver, e não podia passar mais tempo naquela. É notável como caímos facilmente e sem perceber em um caminho particular, e ali abrimos uma trilha batida para nós mesmos. Antes de uma semana morando ali, meus pés já haviam traçado um caminho da minha porta até a beira do lago; e embora tenham se passado cinco ou seis anos que não piso ali, a trilha ainda está bem visível. É verdade, receio, que outros podem ter caído na mesma trilha, e assim ajudado a mantê-la aberta. A superfície da terra é macia e impressionável pelos pés dos homens; e o mesmo vale para os caminhos por onde o espírito trafega. As estradas do mundo devem ser muito gastas e empoeiradas, tão fundos são os sulcos da tradição e do conformismo! Eu não quis viajar de camarote, mas sim ir com a tripulação na frente do mastro, no convés do mundo, pois dali melhor se via o luar entre as montanhas. Não quero descer do convés agora.

Uma coisa aprendi, pelo menos, com meu experimento: se alguém avança com confiança na direção de seus sonhos, e tenta viver a vida que imaginou, há de deparar com um sucesso inesperado a qualquer momento. Ele deixará algumas coisas para trás, ultrapassará um limite invisível; leis novas, universais, e mais liberais começarão a se estabelecer a sua volta e dentro dele; ou as leis antigas se expandirão, e serão interpretadas a seu favor em um sentido mais liberal, e ele viverá com a licença de uma ordem mais elevada de seres. À medida que ele simplificar sua vida, as leis do universo lhe parecerão menos complexas, e a solidão não será solidão, nem a pobreza pobreza, nem a fraqueza fraqueza. Se a pessoa construir castelos no ar, seu trabalho não será necessariamente perdido; é lá que deveriam estar. Agora coloque as fundações embaixo deles.

Trata-se de uma exigência ridícula que a Inglaterra e os Estados Unidos fazem, de que você fale de uma maneira que eles entendam. Nem o homem nem o cogumelo crescem assim. Como se isso fosse importante, e já não houvesse entendedores suficientes para entendê-lo sem eles. Como se a natureza só pudesse suportar uma ordem de entendimentos, não contivesse pássaros e também quadrúpedes, criaturas voadoras e rastejantes, e *eia* e *upa*, que a Mimosa consegue entender, fossem o ápice da língua. Como se só existisse segurança na estupidez. Meu maior receio é que minha expressão não seja *extra-vagante* o suficiente, que não vá além o bastante dos estreitos limites da minha experiência diária, a ponto de se adequar à verdade da qual estou convencido. *Extra-vagância!*, isso depende do tamanho do seu quintal. O búfalo migrante, bisão que busca novas pastagens em outra latitude, não é extravagante como a vaca que chuta o balde, pula a cerca e corre atrás do bezerro na hora da ordenha. Desejo falar de algum lugar *sem* limites; como qualquer homem desperto, a homens despertos; pois estou convencido de que nada seria exagero suficiente nem para lançar a fundação de uma expressão genuína. Quem que já tenha ouvido uma melodia musical recearia falar extravagantemente pelo resto da vida? Em vista do futuro ou do possível, deveríamos viver com o semblante bem relaxado e indefinido, nossa silhueta sombreada e nebulosa de um lado; pois nossas sombras revelam uma insensível transpiração voltada para o sol. A verdade volátil das nossas palavras deveria continuamente revelar a inadequação da afirmação residual. Sua verdade é instantaneamente *traduzida*, transladada, transportada; permanece apenas seu monumento literal. As palavras que expressam nossa fé e nossa compaixão não são definitivas e, no entanto, são significativas e fragrantes como o incenso para as naturezas superiores.

Por que sempre nivelar por baixo para se adequar à nossa percepção mais mortiça, e a isso louvar como senso comum? O senso mais comum é o do sono dos homens, que eles expressam roncando. Às vezes nos sentimos inclinados a agrupar os gênios, com um parafuso a mais, com os loucos, com um parafuso a menos, pois só conseguimos avaliar um terço das coisas que eles pensam. Alguns encontrariam defeitos no vermelho da aurora, se acordassem mais cedo para tanto. "Dizem", fiquei sabendo, "que os versos de Kabir têm quatro sentidos diferentes; ilusão, espírito, intelecto, e a doutrina exotérica dos Vedas";[91] mas nesta parte do mundo é considerado fundamento para denúncia se os escritos de um homem admitirem mais de *uma* interpretação. Enquanto a Inglaterra tenta curar a peste da batata, ninguém tenta curar a peste do pensamento, que grassa muito mais ampla e fatalmente?

Não suponho ter atingido a obscuridade, mas me orgulharia se não fossem encontrados mais defeitos fatais em minhas páginas do que no gelo do Walden. Consumidores do sul fizeram objeções a sua cor azul, que é evidência de sua pureza, como se fosse barrenta, e preferiram o gelo de Cambridge, que é branco, mas tem gosto de mato. A pureza de que os homens gostam é como a bruma que envolve a terra, e não como o éter azul além.

Há quem encha nossos ouvidos dizendo que nós americanos, e modernos em geral, somos anões intelectuais comparados com os antigos, ou mesmo com os elisabetanos. Mas o que isso quer dizer? Um cachorro vivo é melhor que um leão morto. O sujeito deveria se enforcar porque pertence à raça dos pigmeus, e não se tornar o maior pigmeu que puder? Que cada um cuide da própria vida, e que tente ser aquilo que foi feito para ser.

Por que essa pressa desesperada de ter sucesso e por que essas empreitadas desesperadas? Se a pessoa não acompanha o ritmo de seus companheiros, talvez seja por estar ouvindo outro tambor. Deixem que entre no ritmo da música que ela está ouvindo, seja ela regular ou esparsa. Não é importante que a pessoa amadureça logo como uma macieira ou um carvalho. Por que transformar logo a primavera em verão? Se ainda não existem condições para as coisas para as quais fomos feitos, que

---

91. Tradução de Thoreau do livro de Garcin de Tassy, *Histoire de la Littérature Hindoui et Hindoustani*. (N.T.)

realidade trocaríamos pela nossa? Não naufragaremos em uma realidade fútil. Será que devemos com esforço erguer um céu de vidro azul sobre nós, mesmo sabendo que, quando pronto, certamente continuaremos olhando ainda o verdadeiro céu etéreo muito acima, como se o outro não existisse?

Havia um artista na cidade de Kouroo que estava disposto a alcançar a perfeição. Um dia lhe veio a ideia de fazer um bastão. Após considerar que uma obra imperfeita inclui o tempo como ingrediente, mas que o tempo não conta na obra perfeita, ele disse a si mesmo: deverá ser perfeita em todos os aspectos, ainda que eu não faça mais nada na minha vida. Foi na mesma hora buscar madeira na floresta, decidido a não usar material inadequado; e enquanto ficou procurando e rejeitando galho após galho, seus amigos foram aos poucos o abandonando, pois foram envelhecendo em seus afazeres e morrendo, mas ele mesmo não envelhecia um minuto. Seu único propósito e sua única resolução, e sua compaixão elevada, dotaram-no, sem que ele soubesse, da eterna juventude. Como ele não fazia nenhuma concessão ao tempo, o tempo não se interpôs em seu caminho, e apenas observava de longe porque não poderia superá-lo. Antes de encontrar seu material em todos os aspectos adequado, a cidade de Kouroo havia virado uma ruína, e ele se sentou nos escombros para descascar a madeira. Antes que ele tivesse dado a forma final, a dinastia dos Kandahars chegou ao fim, e com a ponta do bastão ele escreveu na areia o nome do último daquela raça, e então retomou seu trabalho. Quando ele terminou de lixar e polir o bastão, Kalpa não era mais a estrela polar; e antes que ele pusesse a ponteira e o castão adornado com pedras preciosas, Brahma acordou e tornou a dormir várias vezes. Mas por que menciono essas coisas? Quando o toque final foi dado em sua obra, esta de repente se expandiu diante dos olhos do artista perplexo e se tornou a mais bela de todas as criações de Brahma. Ele havia criado um novo sistema para fazer um bastão, um mundo repleto de proporções perfeitas e belas; no qual, ainda que as antigas cidades e dinastias passassem, outras mais belas e mais gloriosas assumiriam seu lugar. E então ele viu, pela pilha de lascas ainda frescas a seus pés, que, para ele e seu trabalho, a passagem anterior do tempo tinha sido uma ilusão, e que não havia passado nenhum tempo além do exigido para que uma única centelha do cérebro de Brahma caísse e inflamasse a mecha de um cérebro mortal. O material era puro, e sua arte era pura; como o resultado poderia ser outra coisa além de maravilhoso?

Nenhuma feição que possamos dar à matéria nos será tão útil no final quanto a verdade. Só ela envelhece bem. Na maioria das vezes, não estamos onde estamos, mas sim em uma falsa posição. Através de uma fraqueza da nossa natureza, supomos um caso, e nos colocamos nele, e logo estamos em dois casos ao mesmo tempo, e é duas vezes mais difícil escapar. Nos momentos sãos, consideramos apenas os fatos, o caso concreto. Diga o que você tem para dizer, não o que deveria dizer. Qualquer verdade é melhor que o faz de conta. Quando Tom Hyde, o funileiro ambulante, se encontrava no cadafalso, perguntaram-lhe se tinha algo a dizer. "Peça aos alfaiates", ele respondeu, "para se lembrarem de dar um nó na linha antes de dar o primeiro ponto". Seu último desejo foi esquecido.

Por mais mesquinha que sua vida seja, vá ao encontro dela e viva sua vida; não a evite, nem lhe dirija palavras duras. Sua vida não é pior que você mesmo. Ela parece mais pobre quando você está mais rico. O buscador de defeitos encontrará defeitos até no paraíso. Ame sua vida, mesmo pobre. Você talvez venha a ter algumas horas agradáveis, excitantes, gloriosas, mesmo num asilo de pobres. O pôr do sol se reflete nas janelas do asilo com o mesmo brilho que nas da casa do rico; a neve na primavera derrete diante da porta de ambos ao mesmo tempo. Imagino que uma mente tranquila possa viver contente, e ter pensamentos entusiasmantes, tanto ali quanto em um palácio. Os pobres da cidade muitas vezes me parecem viver a vida mais independente de todas. Talvez simplesmente tenham grandeza bastante para receber sem desconfiar. A maioria deles se julga superior e não quer ser sustentada pelo município; mas muitas vezes essa superioridade não os impede de recorrer a expedientes desonestos, ainda mais desonrosos. Cultive a pobreza como uma erva em uma horta, como a sálvia. Não se importe tanto em obter coisas novas, sejam roupas ou amigos. Vire as velhas; volte aos velhos. As coisas não mudam; nós mudamos. Venda suas roupas e conserve seus pensamentos. Deus proverá para que não lhe falte companhia. Se eu vivesse confinado ao canto do sótão todos os meus dias, como uma aranha, o mundo seria do mesmo tamanho para mim, enquanto eu tivesse meus pensamentos comigo. O filósofo disse: "Do exército de três divisões, podemos tirar o general e deixá-lo desordenado; do homem, mesmo o mais abjeto e vulgar, não se pode tirar o pensamento".[92] Não tente tão ansiosamente se desenvolver, nem se submeter ao efeito de muitas influências; é pura dissipação. A humildade, como a escuridão, revela as luzes celestiais. As sombras da pobreza e da crueldade se acumulam à nossa volta, "e, vejam!, a criação se revela aos nossos olhos". Somos muitas vezes lembrados de que se nos fosse concedida a riqueza de Creso, rei da Lídia, nossos objetivos deveriam continuar sendo os mesmos, e nossos gastos, essencialmente os mesmos. Mais ainda, se você é constrangido em suas possibilidades pela pobreza, se não pode comprar livros e jornais, por exemplo, você se limita às experiências mais significativas e vitais; você é obrigado a lidar com o material que contém mais açúcar e mais amido. A vida é mais saborosa perto do osso. Você fica imune à frivolidade. Ninguém perde nada em um plano inferior por sua magnanimidade em um plano superior. A riqueza supérflua só compra supérfluos. Não é preciso dinheiro para comprar uma necessidade da alma.

Moro no ângulo de uma parede de chumbo, em cuja composição se acrescentou um pouco de bronze de sinos. Muitas vezes, no repouso do meio-dia, chega aos meus ouvidos um confuso *tintinnabulum* lá de fora. É o alarido dos meus contemporâneos. Meus vizinhos me contam de suas aventuras com cavalheiros e damas famosos, que sumidades encontraram à mesa do jantar; mas essas coisas me interessam tanto quanto o conteúdo do *Daily Times*. O interesse e a conversa giram principalmente em torno de boas roupas e bons costumes; mas um ganso ainda assim é um ganso, não obstante o modo como você o prepare. Eles me contam sobre a Califórnia e o Texas, sobre a Inglaterra e as Índias, do ilustríssimo senhor... da Geórgia ou de Massachusetts, todos fenômenos passageiros e fugazes, até o momento em que estou prestes a sair correndo daquele quintal, como bei mameluco. Adoro voltar a mim mesmo – não caminhar em procissão com pompa e ostentação, em lugar de destaque,

---

92. Confúcio. *Analectos*, 9:25. Da tradução francesa de Pauthier, *Confucius et Mencius*.

mas caminhar de igual para igual com o Construtor do universo, se possível –, não viver nesse século XIX irrequieto, nervoso, agitado e trivial, mas parar ou sentar pensativamente enquanto ele passa. O que as pessoas estão comemorando? Estão todos em algum comitê de preparativos, e de hora em hora esperam um discurso de alguém. Deus apenas preside aquele dia, e Webster é seu orador. Adoro ponderar, pesar, gravitar em direção àquilo que me atrai com mais força e legitimidade – não tentar me pendurar na travessa da balança e tentar pesar menos –, não supor uma situação, mas agir na existente; percorrer o único caminho possível para mim, e no qual nenhuma força poderá me deter. Não me dá nenhuma satisfação começar a construir o arco antes de ter uma fundação sólida. Não vamos brincar no gelo fino. Há um leito sólido em toda parte. Lemos que o viajante perguntou ao menino se o pântano diante deles tinha fundo firme. O menino respondeu que tinha. Mas então o cavalo do viajante afundou até a cilha, e ele disse ao menino: "Pensei que você havia dito que o charco tinha fundo firme". "Ele tem", respondeu o menino, "mas o senhor ainda não chegou nem na metade do caminho até onde começa a ficar firme." Assim é também com os pantanais e as areias movediças da sociedade; mas só um menino crescido sabe disso. Apenas aquilo que é pensado, dito ou feito com uma certa coincidência rara é bom. Não sou daqueles que insensatamente batem um prego no mero gesso com ripas da parede; tal atitude me deixaria sem dormir por noites a fio. Dê-me um martelo, e deixe que eu tateie até encontrar a viga. Não confie no reboco. Bata um prego até o fim e entorte a cabeça com confiança a ponto de acordar à noite e pensar em seu trabalho com satisfação – trabalho para o qual você não teria vergonha de invocar a Musa. Assim Deus o ajudará, e só assim. Cada prego batido deveria ser como outro rebite na máquina do universo, sendo você o encarregado do trabalho.

Em vez de amor, dinheiro ou fama, dê-me a verdade. Sentei-me a uma mesa onde havia boa comida e vinho em abundância, e um público obsequioso, porém não havia sinceridade e verdade; e fui embora com fome dessa mesa pouco hospitaleira. A hospitalidade era fria como o gelo. Pensei que não haveria necessidade de gelo para esfriá-los ainda mais. Falaram-me sobre a idade do vinho e a fama da safra; mas eu pensava em um vinho mais antigo, mais novo, mais puro, em uma vindima gloriosa, que eles não tinham e não poderiam comprar. O estilo, a casa e a propriedade e o "entretenimento" equivaliam a nada para mim. Visitei o rei, mas ele me fez esperar no salão, e agiu como um homem incapaz de hospitalidade. Havia um sujeito na minha região que morava em uma árvore oca. Seus modos eram genuinamente régios. Teria sido melhor se eu tivesse ido visitá-lo.

Até quando ficaremos sentados em nossos alpendres praticando virtudes ociosas e rançosas, que qualquer trabalho tornaria impertinentes? Como se a pessoa começasse o dia resignadamente e contratasse alguém para colher suas batatas; e à tarde fosse praticar a brandura e a caridade com uma bondade premeditada! Pense no orgulho chinês e na estagnada autocomplacência da humanidade. Esta geração tem uma certa inclinação para se autocongratular por ser a última de uma linhagem ilustre; e em Boston e Londres e Paris e Roma, pensando em sua longa descendência, fala-se dos próprios progressos na arte e na ciência e na literatura com satisfação. Existem os anais das sociedades filosóficas, e os necrológios dos grandes homens! É o bom Adão contemplando a própria virtude. "Sim, fizemos grandes realizações, e cantamos divinas canções, que jamais hão de morrer" – isto é, enquanto *nós* nos lembrarmos delas. As sociedades eruditas e os grandes homens da Assíria – onde estão? Que jovens filósofos e experimentalistas nós somos! Nenhum dos meus leitores viveu ainda uma vida humana inteira. Estes talvez sejam os meses da primavera na vida da espécie. Se já tivemos a sarna dos sete anos, ainda não vimos a cigarra dos dezessete em Concord. Somos familiarizados apenas com uma película do globo em que vivemos. A maioria de nós não penetrou sete palmos abaixo da superfície, nem saltou mais de sete palmos acima. Não sabemos onde estamos. Além disso, passamos dormindo profundamente quase metade do nosso tempo. No entanto, nos consideramos sábios, e temos uma ordem estabelecida na superfície. Na verdade, somos pensadores profundos, somos espíritos ambiciosos! Enquanto observo o inseto que rasteja em meio às agulhas de pinheiro no leito da floresta e tenta se esconder da minha visão, e me pergunto por que ele abriga aqueles pensamentos humildes e desvia de mim sua cabeça, de mim, que talvez pudesse ser seu benfeitor e conceder a sua espécie alguma informação auspiciosa, sou lembrado do supremo Benfeitor e Inteligência que me observa de cima, a mim, inseto humano.

Existe um influxo incessante de novidade no mundo, e no entanto toleramos uma incrível apatia. Basta lembrar o tipo de sermão que ainda é ouvido nos países mais esclarecidos. Há palavras como "alegria" e "tristeza", mas elas são apenas o estribilho de um salmo, entoado com voz nasalada, enquanto acreditamos no ordinário e no mesquinho. Achamos que podemos apenas trocar de roupa. Dizem que o Império Britânico é muito grande e respeitável, e que os Estados Unidos são uma potência de primeira categoria. Não acreditamos que haja uma maré, subindo e descendo por trás de cada homem, que faria o Império Britânico flutuar feito uma apara de madeira, se ele pudesse aportá-la em seu espírito. Quem sabe que tipo de cigarra dos dezessete anos sairá em seguida do chão? O governo do mundo onde vivo não foi estruturado, como o da Grã-Bretanha, em conversas após o jantar regadas a vinho.

A vida em nós é como a água no rio. Ela pode este ano subir mais do que nunca, e inundar as terras altas e secas; este pode ser o ano memorável, que afogará todos os nossos ratos-almiscarados. Nem sempre foi seca a terra onde vivemos. Vejo bem no interior margens que o rio antigamente banhava, antes que a ciência começasse a registrar suas cheias. Todo mundo já ouviu a história, que percorreu a Nova Inglaterra, de um besouro forte e belo que saiu do lenho seco de uma velha mesa de macieira, que ficara na cozinha de uma fazenda por sessenta anos, primeiro em Connecticut e depois em Massachusetts – de um ovo depositado na macieira viva muitos anos antes, como se pode confirmar contando as camadas anuais do tronco; que ouviram roer por várias semanas, incubado talvez pelo calor de uma cafeteira. Quem não sente fortalecida sua fé na ressurreição e na imortalidade ao ouvir isso? Quem sabe que vida bela e alada, cujo ovo ficou enterrado por eras sob muitas camadas concêntricas de secura, dentro da vida árida e morta da sociedade, depositado a princípio no alburno da árvore verde e viva, que aos poucos se converteu em seu sepulcro inteiramente amadurecido e seco – que a família perplexa do fazendeiro talvez ouvisse a roer seu caminho para fora há anos, quando se sentavam à mesa festiva –, poderá inesperadamente surgir em meio à mobília mais trivial e mais celebrada da sociedade, para desfrutar finalmente o verão mais perfeito de sua existência!

Não digo que John ou Jonathan se darão conta de tudo isso; mas tal é o caráter daquele amanhã que a mera passagem do tempo jamais poderá fazer amanhecer. À luz que nos cega, chamamos treva. Só amanhece o dia em que acordamos. Há mais dia para amanhecer. O sol é só uma estrela da manhã.

Este livro foi impresso pela Gráfica Grafilar
em fonte Adobe Garamond Pro sobre papel Pólen Bold 70 g/m²
para a Edipro no inverno de 2023.